会議を上手に終わらせるには

対立の技法

バスター・ベンソン

千葉敏生＝訳

Buster Benson

Why Are We Yelling?

The Art of Productive Disagreement

早川書房

WHY ARE WE YELLING?
The Art of Productive Disagreement
by
Buster Benson

Translated by
Toshio Chiba
First published 2021 in Japan by
Hayakawa Publishing, Inc.
This book is published in Japan by
arrangement with
Portfolio,
an imprint of Penguin Publishing Group,
a division of Penguin Random House LLC
through Tuttle-Mori Agency, Inc., Tokyo.

扉・装画／Hama-House
装幀／金井久幸［TwoThree］

誰よりも楽しい議論の相手
ケリアンヌ、ニコ、ルーイに捧ぐ

目次

はじめに　三つの誤解　9

誤解①「議論は悪いもの」　14
誤解②「議論は相手の心を変えるためのもの」　22
誤解③「議論には終わりがある」　37
頭、心、手の三つの領域　41
意見の対立の利点　46
新しいスーパーパワー　49
まだ半信半疑なら……　50
生産的対立の世界地図　52

八つの習慣——生産的対立《プロダクティブ・ディスアグリーメント》を実践するための道　57

第1章　不安の火花を観察する　59

古い水が入ったグラス　62
実践しよう①　70
ベーグルは不安の引き金になりうる？　77
まず、不安の火花に目を向ける　85

第2章　内なる声に耳を傾ける　91

四種類の内なる声　96
権威の声　96
理性の声　100
回避の声　109
四つ目の声　113
可能性の声　117
実践しよう②　122

第3章　正直バイアスを身につける　125
認知バイアス・チート・シート　131
難題①　情報の過多　136
難題②　意味の不足　139
難題③　時間や資源の不足　143
実際、どうすればバイアスをなくせる？　149
実践しよう③　155

第4章　一人称で語る　162
絶対に反論しようのない意見とは？　163
ひとり一票　171
実践しよう④　178

第5章　意外な答えを引き出す質問をする　184
幽霊は存在するか？　184
よい質問の条件は？　206
対立の四種類の果実　211

実践しよう⑤　221

第6章　みんなで議論をつくり上げる　225

猿の手　227
銃規制について考える　229
実践しよう⑥　258

第7章　中立的空間を築く　262

移民、インクルージョン、国外追放　269
空間を中立的にする要因とは？　286
実践しよう⑦　292

第8章　現実を受け止め、身を投じる　303

頭の領域：何が事実か？　314
心の領域：何が有意義か？　317
手の領域：何が有効か？　318
実践しよう⑧　320

あとがき 325

読者のみなさんへ 335

謝　辞 337

原　注 349

参考文献 354

※本文訳注は小字の〔　〕で示した。

はじめに　三つの誤解

雑草とは、ただ人に愛されていないだけの花。
――エラ・ウィーラー・ウィルコックス[1]

男が自宅の裏庭でキレ気味の怒鳴り声をあげている。騒ぎを聞きつけた隣人が、お互いの庭を隔てる背の低いフェンスの前まで歩み寄って、大丈夫かとたずねる。

「何が大丈夫なもんか！」

男はそう怒鳴り返すと、隣人に八つ当たりしてしまった自分にはたと気づいて、すまなそうな顔をする。彼はすっくと立ち上がり、なんとか怒りをしずめようとする。その手には、引っこ抜いたばかりの大量の雑草が固く握り締められている。タンポポ、カタバミ、そして家主を苦しめる在来種の数々……。男が庭に向かって大げさに手を振る。

「この雑草たちにはほとほとうんざりだよ！　どうすれば退治できるんだか……」

男は荒れ果てた庭に腹が立っているようだったが、それでも庭にずいぶんと手をかけている様子が見て取れた。奥の庭壁沿いに一本の美しいレモンの木が茂り、地面に目を落とすや、春にき

雑草ヒュドラー

れいな花を咲かせそうな植物の数々が、庭じゅうをうねるように整然と植えられているのが目を引く。

隣人はもういちどレモンの木に目を戻すと、こう言った。

「抜き方の問題だと思う。この手の雑草は根っこが長くて切れやすいから、引き抜いたときに地下茎がちぎれて、地中に残るの。まるで恐怖の雑草ヒュドラー。首を一本切り落とすたび、一二本が新しく生えてくる」

「はあ。雑草ヒュドラーを相手にするなんて本当にごめんだ。雑草をご丁寧に一本ずつ掘り返しているヒマなんてありゃしないさ。こちとら一日じゅう汗水垂らして働いているんだから。やっと仕事から帰ってきて、庭に癒してもらおうと思ったら、このザマだ……」

「よければやり方を教えましょうか？　もしかしたら、雑草を抜くのが楽しくなるかも。それに、雑草

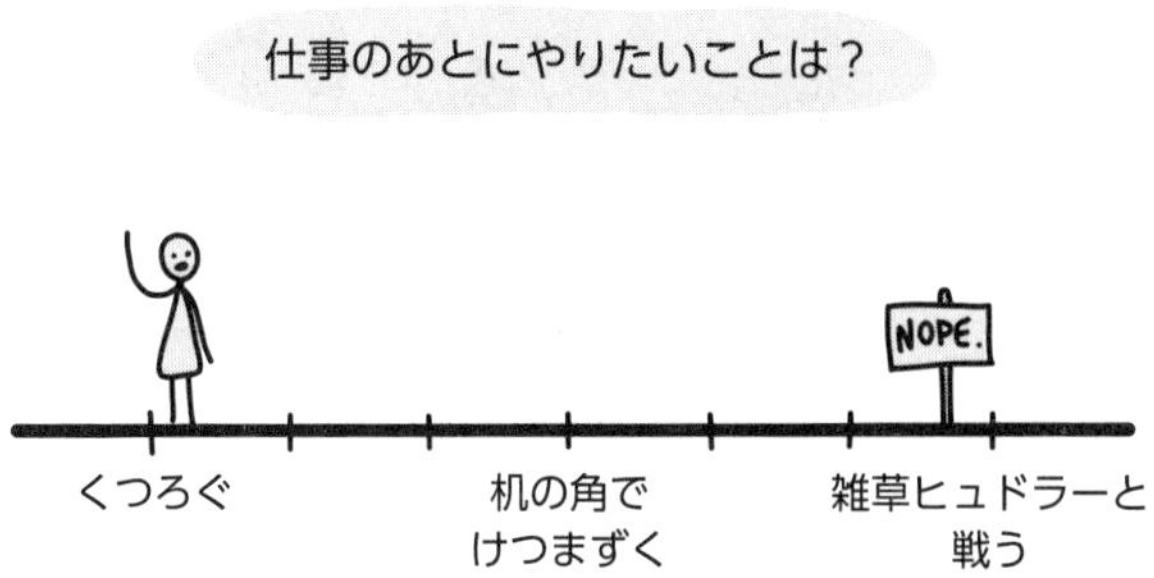

は一〇〇パーセント悪者というわけじゃない。いいこともしてくれるの。長い根っこのおかげで栄養素が土の表面まで運ばれてくるし、雨が降っても地面がぐちゃぐちゃにならなくてすむ。それから、葉っぱをサラダのトッピングにすると、意外においしいのよ」

男が鼻で笑う。

「ふん、雑草のサラダね。ありがたい申し出だけど、自分のやり方でやるので結構。とっととこれを終えて、別の仕事に移らないと」

男はもう何本か雑草を引き抜くと、ドラゴンに向かって剣を振る騎士よろしく、全身に怒りをにじませながら、それをポンと雑草の山に放った。

「いっそ、庭全体を焼き払っちまおうか」

男はそうつぶやきながら、屋内《なか》へと戻っていった。

雑草と議論は多くの点で似ている。どちらも私たちの庭と心に芽を吹く。ふつうはどちらもあってうれしいものではない。厄介ですむ程度ならまだましなほうで、最悪の場合には不倶戴天の敵になる。多くの人々は、意見の対立を、この男が雑草を見るのと同じような目で見ている。そう、最後まで戦い抜き、退治しなければならないものと考えているのだ。

本書は、私が「生産的対立《プロダクティブ・ディスアグリーメント》」と名づけた技法について解説したものだ。この技法を実践するには、隣人が提案しかけたのと同じような考え方の転換が必要だ。さっそく解説を始める前に、まずは議論の本質に関する三つのよくある誤解を解いていこう。

誤解①「議論は悪いもの」

↓議論自体は悪いものではないけれど、非生産的になってしまうことはある。それは私たちが生産的な議論のしかたを教えられていないから。

私たちはいつだって何かや誰かと議論や言い争いをしている。やかましく鳴りつづける目覚まし時計。穴があいた衣服やサイズの合わなくなった衣服。自分自身の体、ペット、つまずきかけた歩道のでっぱり、路上の車、上司や教師や親、コンピューターやテクノロジー、友人や親戚、パートナーや子ども、テレビ、空。自分自身。そして、夢のなかでまで何かと言い争っている。

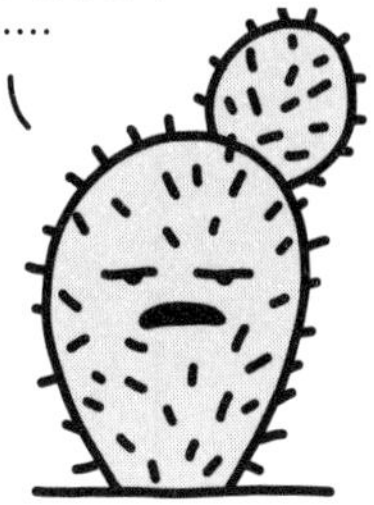

やれやれだ！　私たちがついそんな怒鳴り声をあげてしまうのもムリはない。

そればかりか、私たちの普段の議論のしかたを生産的だと思うかどうか、アンケートを取ってみたところ、九割の人々が非生産的だと思うと答えた。[2]

議論がそんなに不愉快で非生産的なものだとしたら、私たちが四六時中、何かや誰かと議論ばかりしているのはなぜなのだろう？

議論は、あとあと考えるとムダに思えることも多いけれど、そのときは避けようがない気がしないだろうか？　事実そのとおりだ。議論は、個人的な好み、集団の目標を成し遂げるための最善の戦略、私たちの中心的価値観など、重要なものが脅かされているという警告を発することで、陰ながら私たちにとって重要な仕事をしてくれる。この危機感は強烈な感情を呼び起こす。時には、自分自身の心に怒りが湧き上がっていることにはたと気づき、「議論するのはまたの機会にしておこう」「そんなことにエネルギーを費やしてもしょうがない」と自分に言

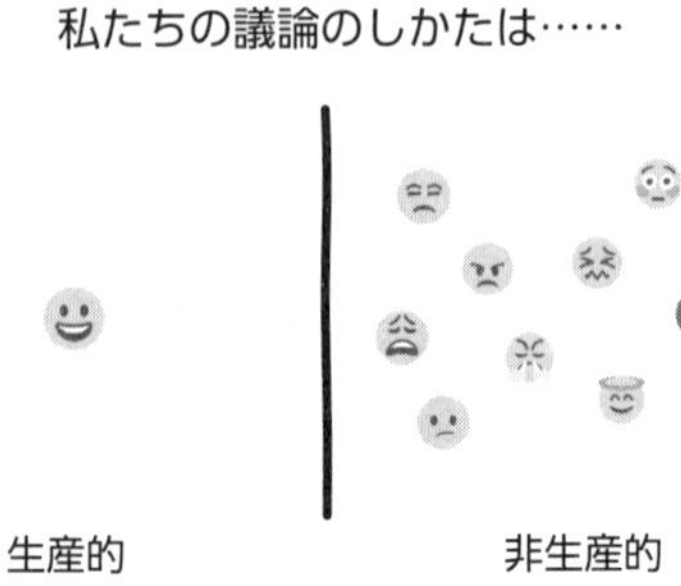

い聞かせ、怒りをしずめようとすることも少なくない。そして、「ケンカは時と場合を選んですること」「平和がいちばん」と他人に口を酸っぱくしてアドバイスする。でも、不満を抑え込みすぎる習慣を築いてしまうと、不満を抱くのは心が未熟なせいだと思い込み、自分自身を責めるようになる。すると、議論の頻度こそ減るけれど、常にもやもやとした不安が残り、私たちの精神や肉体の健康を少しずつむしばんでいく。今日《こんにち》では、アメリカ成人の五人にひとりがなんらかの形の不安障害を患っている。[3]また、絶望にかかわる三大死因（自殺、薬物の過剰摂取、アルコール関連の疾患）による死亡率は、この一〇年間増加の一途をたどっていて、平均寿命は数十年ぶりに低下した。[4]否定的な感情から目をそむけたからといって、そういう感情がきれいさっぱり消え去るわけではない。むしろ、なんらかの形でドッと吹き出してくる。たとえ、それがかえって自分自身を苦しめることになるとしても。

　雑草が必要なのと同じように、意見の対立も必要なものだ。結婚生活についての著名な研究者であるジョン・ゴットマン博

士は、衝突のない人間関係はコミュニケーションのない人間関係であり、必ず破綻すると語っている。ふたり以上の人々がそれぞれの個人的な視点から何かについて話しているときはいつだって、衝突は避けられない。つまり、対立が起こるのは、その関係の土壌が健全であることを示すひとつのサインなのだ（ゴットマンは、肯定的な対話と否定的な対話の比率を五対一にするよう勧めている。そうすれば、意見の対立が途絶えなくてすむと同時に、否定的な対話ばかりに偏りすぎることなく対立を解消できる）[5]。

それでも、ほとんどの人は、正しい議論のしかたなんて教わっていないし、否定的な対話が生じたとき、お互いの否定的な部分を認めつつ、プラスの部分を強め合えるような対処方法も教わっていない。本来、議論のしかたこそが重要なはずなのに……。幸い、この問題は解決できる。議論のスキルを学ぶことは可能なのだ。

しかし、本題に入る前に、私が「生産的対立」の技法にこだわりを持つようになった理由、ぜひ私の意見に耳を傾けてもらいたい理由について説明させてほしい。私は何年かに一回必ず、「今はどんな仕事をしているの?」と母親にたずねられるのだけれど、そのたびに答えに詰まってしまう。私はこの二〇年間、アマゾン、ツイッター、スラックといった急成長中の有名なハイテク系新興企業《スタートアップ》で、起業家、エンジニア、プロダクト・リーダーとして働いてきた。そのなかで、業務内容、懸念材料、インセンティブ、成功基準のまるでバラバラな、エンジニア、デザイナー、マーケター、リサーチャー、データ・アナリスト、顧客サポート担当者、ビジネス・リーダー、顧客たちと仕事をともにしてきた。私の仕事は基本的に、刻一刻と変化しつづける無数の制約どうしの折り合いをつけながら、こうしたスタッフ間の有意義で生産的な共同作業を促すことだった。と同時に、認知バイアス、論理的誤謬《ごびゅう》、システム思考について研究し、その成果を仕事に応用してきた。二〇一六年、二〇〇種類を超える認知バイアスを分析して簡略化した論文「認知バイアス・チート・シート(Cognitive bias cheat sheet)」を発表すると、口コミで爆発的に広まり、認知バイアスをとらえ直す方法として、世界じゅうの学者や研究者によって採用されてきた。[6] 認知バイアスを単なる心の〝バグ〟として片づけてはならない。むしろ、私たちの脳には、こうした思考のショートカットを用いるしごくまっとうな理由があると考えるべきだ。認知バイアスは、情報過多で時間と注意力の不足気味な現代世界において、仕事をてきぱきとこなす力になっている。なので、私たちはこうした思考のショートカットと戦うよりも、むしろ第3章で紹介する「正直バイアス」を身につける努力をするほうが建設的だろう。つまり、人間の限界を素直に受け入れて、私たちが

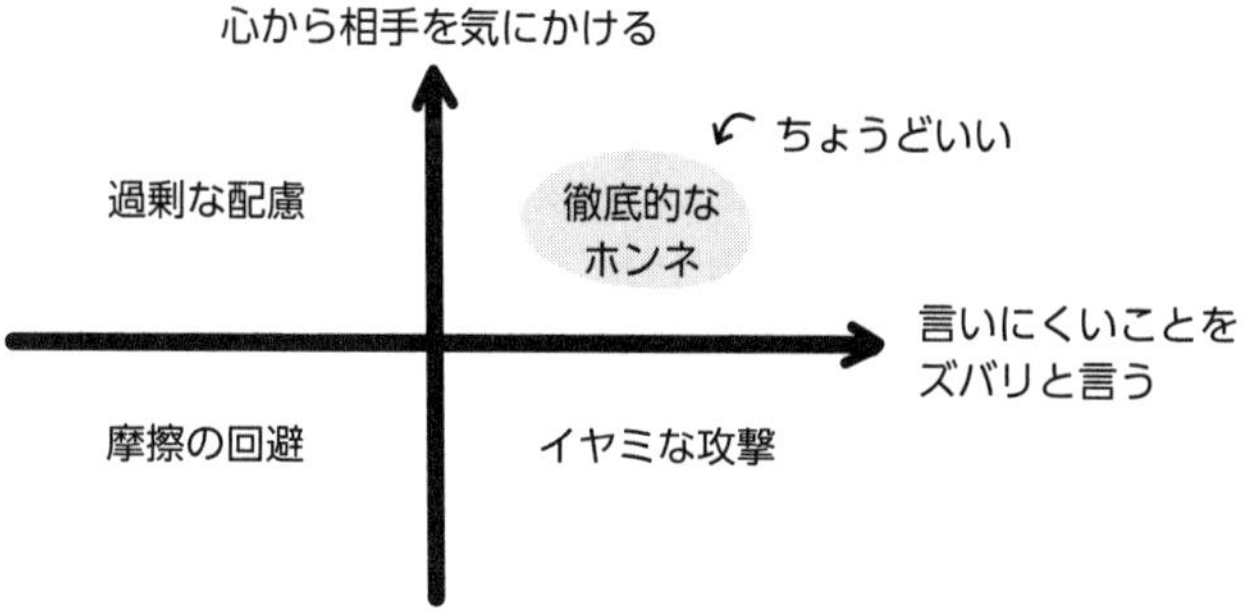

盲点にはまり込んでいるという証拠から決して目をそむけないことが大事なのだ。

この職業上の責務とアマチュアとしての研究魂が、生産的対立の技法に改良を重ねていく培養皿になったことはまちがいない。私はこの数年間、バイアスやコミュニケーションにかかわる既存の習慣や、そうしたバイアスをコントロールするためのよりよい戦略をめぐる理論を検証するため、オンラインと対面の両方で実験を重ねてきた。この研究から、私は生産的対立の技法こそが、誰でも身につけられるもっとも重要なメタスキルだという確信を抱いたのだ。

私は対立が表面化して言い争いが起きたときよりも、相手の気分を害さないようにと対立をひたすら避けようとしている人々を見たときのほうが、ずっと心配になる。隠れた対立は、表面化した対立よりもずっと質《たち》が悪いものなのだ。『GREAT BOSS（グレートボス）――シリコンバレー式ずけずけ言う力』の著者のキム・スコットは、この他人に親切でありたいという衝動を「過剰な配慮」と呼んでいる。[7]問題が解決することよりも生じる

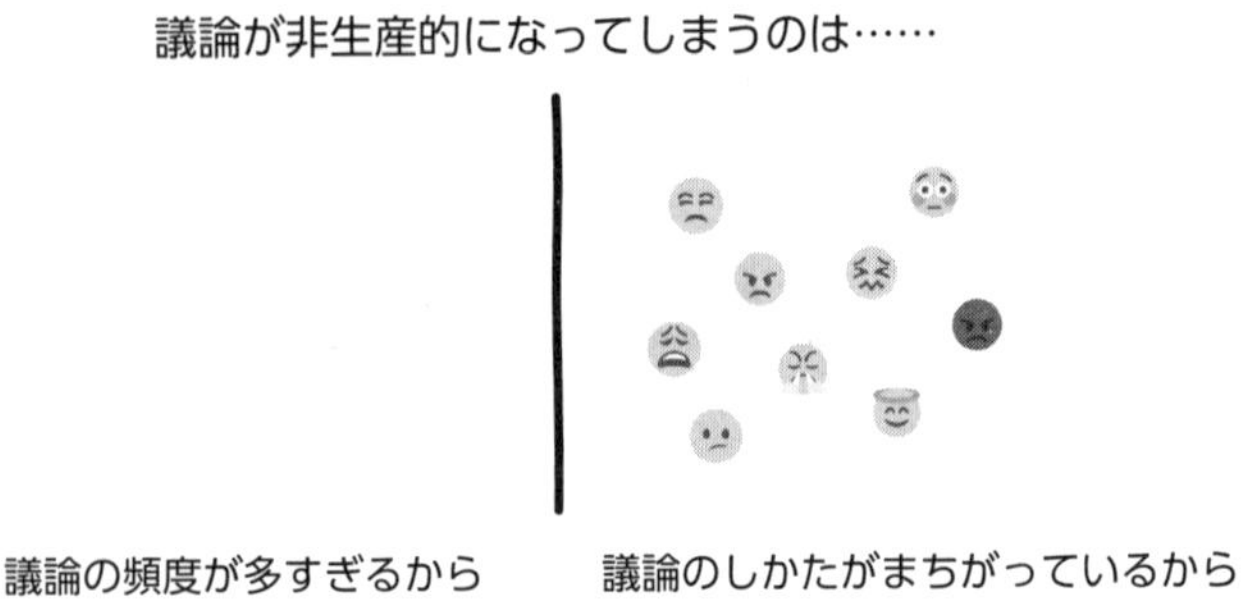
議論が非生産的になってしまうのは……
議論の頻度が多すぎるから
議論のしかたがまちがっているから

ことのほうがよっぽど多いからだ。事実、過剰な配慮は私たちの会社、夕食の席、そして私たち自身の頭のなかにまですっかり定着しはじめている。過剰な配慮は、思うことはいろいろあるけれど、文化的または性格的な理由から、相手に直接本音を言わないのがいちばんだと感じているときに起こる。

意見の対立は、集団の「病理」ではなく「健全性」の証であり、生産的に解決できるような形で不満を表に出せる文化であれば、優れた人間関係、ビジネス、コミュニティを醸成できる可能性が高くなる。

驚きの真実をひとつ。必要な意見の対立がよどみなく起こり、全員に本音を言う機会がある状況では、人々の幸福度や集団の機能が向上することがわかっている。

一口に議論と言っても、議論はみんな同じだろうか？　もち

ろん、そんなことはない。本書では、カエルを解剖して内部を調べるのと同じように、議論を詳しく分解してみたいと思う。カエルはみんな茶色い目をしているとは言い切れないのと同じで、議論はすべて悪だと決めつけることなんてできない。確かに、いちばん典型的な目の色は茶色かもしれないけれど、茶色しかないと言い切ったとたん、世の中には驚くほど多様な色の目をしたカエルが存在するという事実を覆い隠すと同時に、詳しく調べてみようという意欲さえもくじいてしまう。

面白い事実をひとつ。カエルの目は、赤、オレンジ、黄色から、赤銅色、銀色、焦茶色、金色にいたるまで、いろんな色がある。ほとんどのカエルの瞳孔は水平だけれど、垂直のほか、円形、三角形、ハート型、砂時計型、ダイヤモンド型の種もいる。カエルの目に関する固定観念を解けば、すばらしいほどの多様性が広がってくる。議論についても同じことがいえるのだ。

私たちの一次元的な理解を広げれば、「議論はよいもの」とか「議論は悪いもの」とかいう単純な一般化では、同じ理由から事足りないことがわかるだろう。よくよく調べてみれば、一口に議論と言っても驚くほど多様な種類があるとわかるのだけれど、単純な一般化はそうした事実をぼかしてしまう。そこでまずは、議論を「生産的」と「非生産的」に分類して考えることから始めよう。議論をしたことで、現状をより深く理解したり、よりよい次の行動計画を練ったりすることができたら、議論にまつわる否定的な感情を打ち消すどころか、それを肯定的な感情に変えることだってできるのだ！

このふたつの分類を使うと、さっきよりも効果的な疑問を掲げることができる。議論を生産的にする要因とはなんだろう？　議論を生産的にするために、私自身ができることとは？　芸術作品と同じように、好奇心をもって対象を観察するうち、それが今までとはちがう新しい方法で見えてくる。まずは、怒鳴り合いについての固定観念を解くことから始めよう。

誤解②
「議論は相手の心を変えるためのもの」

→私たちに変えられるのは、自分自身の心と自分自身の行動、そのふたつだけ。

意見の対立とはなんだろう？　ごくごく簡単にいえば、ふたつの見方のあいだの許容できないちがいだ。意見の対立は日常生活のあちこちで生じる（もちろん、水面下に隠れていることもあるけれど）。

日常生活の例

・あなたがずっと空くのを待っていた駐車場に、誰かが横入りしたとき。
・あなたが寝過ごしたことを、目覚まし時計をすぐに止めたパートナーのせいにしたとき。
・買ったばかりのズボンがみっともない形で破れたことについて、購入店に電話で苦情を言い、返金を求めたとき。

オンラインでの会話の例

・セクハラで訴えられた有名人について、ほとんどの人がどう見ても彼に不利な証言をしているのに、あなたのおばさんだけが必死でかばっているとき。
・ある帽子をかぶっている人は人種差別主義者かどうかについての議論で、あなたの友人のフェイスブック・ページが炎上したとき。
・オンラインに投稿された写真が、あなたには白のドレスと金のレースに見えるのに、ほかの人

私のリンゴ、食べたわよね？
いいや。
~~うん。~~
ボクのおもちゃだ！
ボクのだい。
遅刻してばっかりだね。
渋滞してたんだからしょうがないだろ！
~~いつも遅れてすみません。~~
ジムに行かないと。
でも、この布団は気持ちいいしなあ。

は青のドレスと黒のレースだと言い張っているとき（ネットに投稿されて話題となった、人によって白と金または青と黒に見えるドレスのこと。のちに錯視によるものと判明した）。

神話やフィクションの例

・サムアイアムが気難しい友だちに緑色の目玉焼きとハムを食べさせようとするが、友だちが「ここでもあそこでも、どこでもでも絶対に食べない」と答えたとき。[8]
・ゼウスが人類に火を授けたプロメテウスを許せず岩に縛りつけ、巨大なワシに毎日生きたまま肝臓をついばませるが再生をくりかえしたとき。[9]
・ルーク・スカイウォーカーが、破滅的な争いを終結させ、銀河に秩序を取り戻すため、仲間にならないかとダース・ベイダーから誘いを持ちかけられ、断ったとき。[10]

政治の例

・あなたは富裕層への増税を行なうべきだと考えているが、あなたの両親は全員一律の均等税を設けるべきだと考えているとき。
・あなたは誰もが無償の大学教育を受けられることが重要だと考えているが、あなたの選挙区の上院議員はローンを受ける資格のある人にのみ連邦政府が支払いを行なうべきだと考えているとき。

・あなたは総選挙で当選する確率が高い候補者Aに投票しようと思っているが、あなたの友人は当選した暁《あかつき》にちゃんと仕事をしてくれそうな候補者Bに投票しようと思っているとき。

心のなかの声の例

・三枚目のピザを食べないほうがいいと思っているが、チーズがおいしそうでたまらないとき。
・新車がほしいが、お金も貯めたいとき。
・晴れてほしいが、買ったばかりのスカーフも早く着けてみたいとき。

■
■
■

見方の食い違いが生じたとき、その対立を解消するのにいちばん手っ取り早い方法は、相手の心を変えることだと思い込みがちだ。そう思ってしまうのはムリもない。見方の食い違いがなくなれば、対立は解消される。問題はどちらが折れるかだけだ。

本書における意見の対立の定義は、「ふたつの見方のあいだの許容できないちがい」だけれど、ここでのキーワードは「ちがい」ではなく、「許容できない」の部分だ。見方のちがいが許容できないレベルにまで達すると、私たちの目的はいつの間にか「相手の心を理解する」ことから「相手の心を変える」ことへと変わり、その変化が無数のトラブルを引き起こしてしまう。

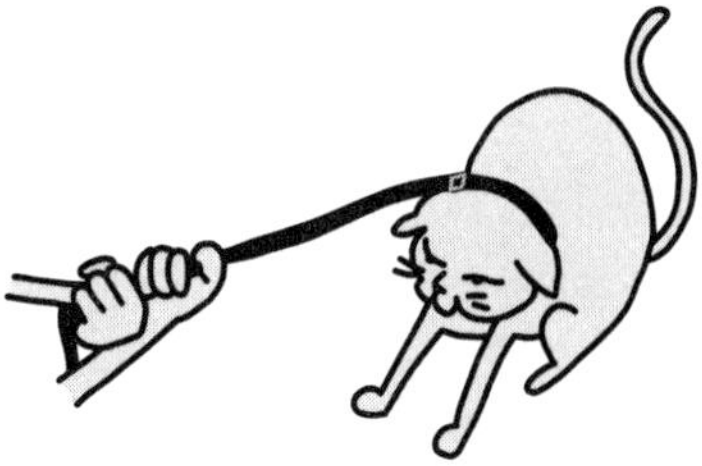

自分自身の考えや行動を変えることはできるけれど、他人を変えようと思うと、選択肢は限られてくるし、その結果は状況によって大きく変わってくる。場合によっては、逆効果にさえなる。相手がいっそう意固地になり、自分の考えにどんどん凝り固まっていく場合だってあるのだ。これをバックファイア効果という。

相手を説得しようとしすぎると、かえって裏目に出る可能性もある。

たとえば、こんな例がある。

・あなたのふたりの親友が交際を始めた。ふたりが別れたとき、あなたは一方の友人から、あんなやつとは絶交してほしいと頼まれた。バックファイア効果により、かえってあなたはもう一方の友人に手を差し伸べたり、肩入れしたりすることさえあるかもしれない。

・あなたは上司から週末も働くよう命じられ、仕事に集中できるよう私生活でも飲酒や喫煙を控えるよう言いつけられた。バックファイア効果により、かえっていつも以上に飲酒や喫煙をするようになるかもしれない。

・あなたの兄が、昔から兄弟一緒に応援してきたスポーツ・チームのライバル・チームのファンになった。兄の応援チームが勝つと、兄はそのことをしつこく自慢し、あなたにも同じチームのファンになるよう勧めてくる。バックファイア効果により、かえってあなたは自分の応援チームのグッズを買いに出かけ、次に兄に会ったとき、これみよがしに見せびらかすようになるかもしれない。

なぜこういうことが起こるのだろう？　バックファイア効果の結果として生じるこうした行動の裏には、ひとつの共通点がある。許せないほど自分の自由を脅かされたという認識だ。どちらの友人に別れの原因があるのか、自分の時間にどれくらいお酒やタバコを楽しむのか、どちらのチームを応援するのかについて、確たる信念が持てなくても、他人からの指図をどこまで許せるかという強い信念なら誰しも持っているはずだ。他人にその基本的価値観を脅かされたとき、いちばんバックファイア効果が起きやすい。

古代ギリシア神話における不和、混沌、不幸の女神エリスは、他人の心を変えようとするとど

エリス

れだけ厄介なことになるかを教えてくれる。[11]

エリスは、オリュンポスの神や女神たちがテティスとペーレウスの結婚式に招待されたのに、自分だけが招かれなかったのを知って激怒した。混沌、不幸、不和の女神にせっかくの楽しい時間を邪魔されたくなかったからだろうか？　正直いうと、私には十分まっとうな理由にも思えるけれど、エリスは我慢ならなかった。「私が不和の女神なのは、私のせいじゃない！」。けれど、祝宴を開くゼウスの心は変わらなかった。すると、エリスはゼウスに本当の混沌、不幸、不和を味わわせてやることにした（典型的なバックファイア効果だ。ゼウスはエリスの自由を制限しようとしたが、むしろエリスの暴走をエスカレートさせてしまった。ギリシアの神々はあれだけ万能だといわれているくせに、生産的対立の技法には通じていなかったらしい）。

エリスは結婚式の宴会に忍び込み、「もっとも美しき女神に」と刻まれた黄金のリンゴを群衆のなかに投げ入

不和のリンゴ

れた（こんどは、エリスが絶対に彼女を結婚式に呼ばないというゼウスの心を改めさせようとしはじめた）。

当然、オリュンポスの女神たちは、「もっとも美しき女神」という称号を我が物にするべく争った（なぜなら、ギリシアの神々は、美の理想という性差別的な問題をまだ解決していなかったからだ）。面倒なことになると思ったゼウスは、この地でもっとも公正な審判が下せるのは引っ込み思案の羊飼いパリスだということを思い出し、彼に判断を仰いだ。

リンゴはたったひとつしかなく、争いを避けるために何個かのリンゴに同じ文言を刻めばいいと思いついた者はいなかったので、女神どうしの対立は深まるばかりだった。目標がパリスの公正で正直な意見を仰ぐことだったら、彼の意見を訊けばすんだかもしれない。しかし、女神たちはパリスを懐柔しようと、考えうるかぎりの大胆な賄賂を凝らした。

パリスは考えた結果、最高の賄賂を与えてくれたアフロディーテをもっとも美しい女神に選んだ。これは説得の仕組みであり、生産的対立の技法とはまるきり異なる。説得とは、自分側が有利になる

ように、相手の決断に対してさまざまなインセンティブ、報酬、時には脅しを積み上げることだ。アフロディーテは、トロイアのヘレネーの心を与えるとパリスに約束したおかげで、論争に〝勝利〟したけれど、それはアフロディーテがもっとも美しい女神だということと同値だろうか？　そうとはかぎらない。さらに、数十年間にわたって続き、トロイアを崩落させたトロイア戦争を誘発したというちょっとした副作用もあった。すべての発端は、パリスを説得しようとしたこと、またはもう少し時間を巻き戻せば、エリスを結婚式に招待すべきでないというゼウスの決心を無理やり変えようとしたことにあった。意見の対立が一定のレベルまで積み重なると、大きな被害を及ぼすこともある。結局、誰の心も変えられず、何もかもが裏目に出て、不和、混沌、不幸の女神というエリスの評判は、この出来事を経験した全員によって再び裏づけられるはめになった。

　この話の教訓は？　説得、賄賂、脅しといった力ずくの方法を駆使して、議論に〝勝とう〟としたところで、とうてい望みどおりの結果は得られない。せいぜい、アフロディーテは無意味なリンゴを手に入れ、エリスは復讐を果たしただけだ。そうして残った行き場のない怒りは、地中へと深く染み込み、翌日、翌月、翌年に芽を吹く未来の対立の根っこに滋養を与えるのだ。

他人の心を変えるのは本当に難しい。あわよくば変えられるたったひとつの心がこの宇宙にあるとすれば、それはあなた自身の心だ。あなたが最後に心変わりしたのはいつだろう？ 思い出してほしい。一八〇度いっぺんに心変わりしただろうか？ それとも、少しずつ徐々に変わっていっただろうか？

心は、たったひとつの巨大な岩というよりも、数百万個の小石の山に近い。心を変えるには、ひとつの山から別の山へと数千個もの小石をひとつずつせっせと運んでいくしかない。私たちの脳は、考え方を丸ごといっぺんに配線し直す方法を知らないからだ。新しいニューロンの経路はそこまで一気に構築されない。一回の会話で、相手の心のほんの一部を新しい考え方へと結びつけ直すことはできるかもしれないけれど、人間の心はゆっくりと予期せぬ方法で変化する。まちがった方向に変化していく可能性だってあるのだ。

私たちは、心を入れ替えると〝決意〟したあとでも、古い考え方を貫きつづける傾向がある。

これは「継続的影響効果（continued influence effect）」と呼ばれ、私たちの考え方にさりげなく影響を及ぼす二〇〇以上の認知バイアスのひとつだ。このバイアスについて詳しくは、第3章で。

　相手の心を変えることができないなら、せめて相手の行動を変えられないだろうか？　他人の行動を変えることは、特に力ずくでなら可能だ。しかし、この方法もあとあとになって表われるバックファイア効果を簡単に引き起こしてしまう。エリスは次の盛大な結婚式に招待されるだろうか？　招待されそうもない。アフロディーテは、次回もまたもっとも美しい女神に選ばれるだろうか？　別の都市が崩落しないかぎりはムリだろう。同じように、ゲームの時間を増やしてやるからと言って、私が息子に部屋の掃除をさせたら、きれい好きな気持ちや人としての責任感が息子の心に芽生え、将来的に何も言わなくても部屋を掃除するようになるだろうか？　そんなわけはない。社員に決まった時刻に出社させ、決まった時間だけ働かせるようにしたら、仕事の能率は上がるだろうか？　お店で会員《ロイヤルティ》プログラムを実施したら、顧客はより忠実《ロイヤル》になってくれるだろうか？　法律を破った企業におしおきをすれば、次からはちゃんと法律を守るようになるだろうか？　まさか、ありえない。

　よし、わかった。相手の心を変えるのは不可能で、確実に相手の行動を変えるのもムリだとしたら、ほかにどんな選択肢があるだろう？　まずはバックファイア効果の存在を認め、意見の対立の短期的なサイクルと長期的なサイクルの両方にじっくりと注意を払い、そのサイクルが目に見える世界と隠れた世界でどう展開していくかを見守ることだ。

問題が現われる、問題を退治する、問題が消える、問題が不思議と息を吹き返す、というパターンがあなたの人生に現われたとしても、決して一年の半分は雑草がないんだから安心、と思い込んではいけない。雑草は地中に身を潜め、次なる季節の到来に向けてじっと力を蓄えているにすぎないのだ。

■ ■ ■

翌春、思ったとおり、男の庭はもっとたくさんの雑草でいっぱいになる。今回は、隣人のアドバイスをむげに断る代わりに、聞いてみることにした。隣人が庭にやってきて、庭に目を走らせる。

「雑草は、人間が庭には必要ないと勝手に決めた植物にすぎないの。それぞれの雑草の特性を知れば、庭の生態系をもっと健全なものにすることだってできる。雑草を根絶やしにしようとするんじゃなくて、栽培するのに手のかからない植物だと考えてみたらどうかしら」

　隣人はこう続ける。

「庭は、雑草を根絶やしにしないかぎり健全にならないものなんかじゃなく、雑草まですべて含めて成り立っている生きた生態系なのよ。たとえ根っこをぜんぶ掘り起こさなくても、地表に生えている雑草だけを引っこ抜いて、今までありがとうと感謝することならできる。抜いた雑草はそれで終わりじゃない。雑草の葉っぱ、茎、花を庭のほかの植物の堆肥にすれば、格安栄養剤のできあがり！」

「うわあ、なんか憂うつだな。まあいい」

　男は少し口ごもったあと、こう訊いた。

「でもやっぱり、庭に雑草が必要だというのは、いまいちピンと来ない。雑草がないに越したことはないと思う。抜く手間だって省けるし。第一、もっと雑草が増えてくれと願う人なんていないだろう？」

「増えてくれと願っているわけじゃない。私の庭を見てみて。あなたほど雑草の駆除に時間をかけていないけれど、あなたの庭より雑草が少ないでしょう。庭で過ごすときは、来年どの植物にまた戻ってきてほしいか、どの植物を完全に掘り起こして、ほかの植物のためにスペースをつくってやるかを決めるのよ。地中で起きていることを想像して、理解するの。たとえ、直接目には見えなくてもね。あなたは年にいちど思い出したように庭へと出てきて、何週間か庭と大ゲンカするだけでしょう。奥歯をガタガタ言わせて、拳を天高く振り上げて、さんざん口汚い言葉をま

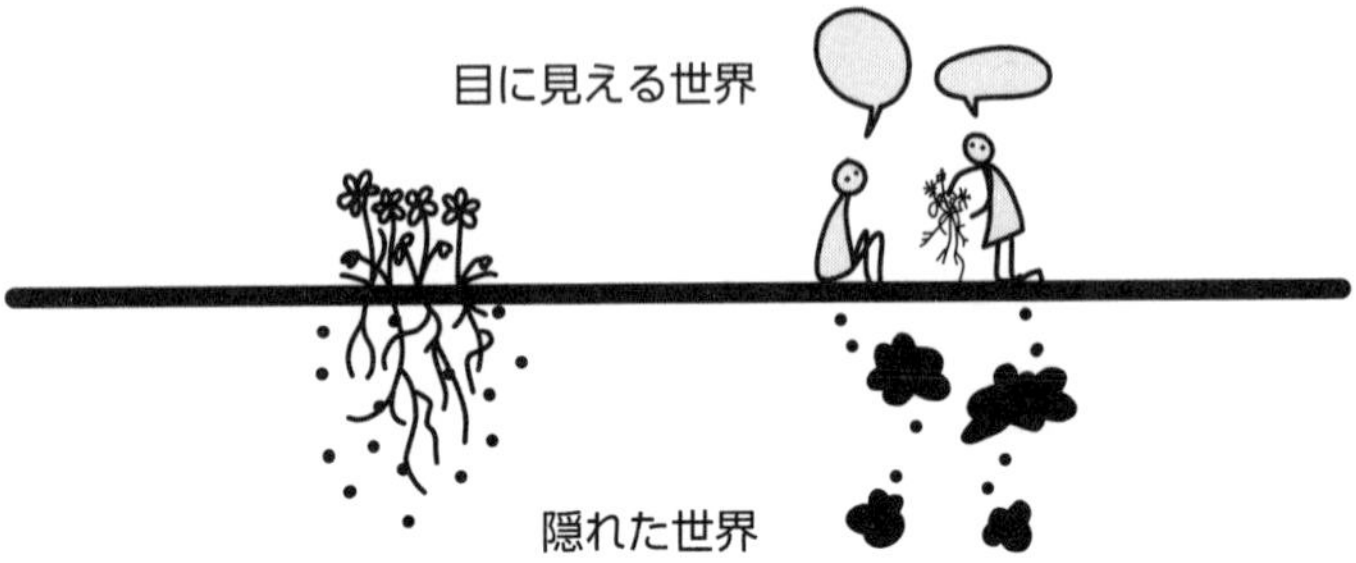

くし立てながら」

「父に似たのかもしれませんね。騒々しい家庭で育ったもので。申し訳ない」

「謝る必要なんてないわ。おかげでこうして話をするようになったんだもの。とにかく、私は一年じゅうちょこちょこ庭に出てきて、雑草、植物、虫、小さな生き物、土のことを考えるのが好きなの。たとえ目には見えなくても、雑草はまだそこにあって、土のなかで眠っている。そして、春が来たら雑草がまた生えてくると期待して、歓迎すらする。戦う相手とはちがうのよ。雑草、植物、生き物、庭いじりをする人間、庭、雲、星々——すべてが自然の一部なんだもの」

「あんたにはお手上げだ、納得したよ！」

ふたりは笑う。隣人は男の庭で数時間ほど過ごし、庭を注意深く調べながら、植物、土、自然が織りなす壮大なドラマについて語らいつづけた。

誤解③「議論には終わりがある」

→議論には深い根があり、いつだって芽を出すタイミングをうかがっている。

雑草の話は完全な作り話というわけでもない。ケリアンヌと私は、結婚してから六年間で五回も引っ越しをしていたので、二〇一四年にカリフォルニア州バークレーに家を買ったとき、こんどこそはここに根を下ろそうと決めた。当時、長男のニコは四歳だったので、学校に通いはじめてから、学校や友人が変わるのはかわいそうだと思ったのだ。

私たちの土地に別のものも根を下ろすと決めていたことを知ったのは、翌春だった。カタバミという黄色い花を咲かせる小さくてかわいらしい植物だ。きっと女神エリスのお気に入りの花だと思う。

初めてカタバミを退治したとき、これで片がついたと思った。でも、カタバミにかぎってそんなことはない。一枚葉っぱを引っこ抜いても、その下には何十倍という数の小さな根っこがこれから芽を出そうと控えている。新居に引っ越し、これから庭づくりに励もうと意気込んでいる新しい家主たちをさげすむかのように、その小さな黄色い花は私たちに悪夢をもたらした。いったいどうすれば駆除できるのか？　私は行く先々でカタバミを目にするようになり、庭に生えてい

るカタバミの多さで近所の人々を値踏みするようにさえなった。

人間関係は庭に似ている。そして、庭には必ず雑草がある。議論や論争というのはいわば、私たちが意図的に植えた植物のまわりに生えてくる小さな人間関係の雑草だ。さほど害がなく、生えてくるたびにスパッと取り除ける雑草もあれば、あまりにも目に余るので焼き払うより方法がなく、庭の一部が丸焦げになって何年間も使い物にならなくなってしまうような雑草もある。どっちにしろ、雑草は必ずよみがえる。必死で駆除しようとしても、新しい一日や季節が確実に巡ってくるのと同じように、必ずまた生えてくるのだ。

このことは、交わした議論だけでなく、まだ交わしていない議論にも当てはまる。

議論に終わりはない。議論は長い長い根を

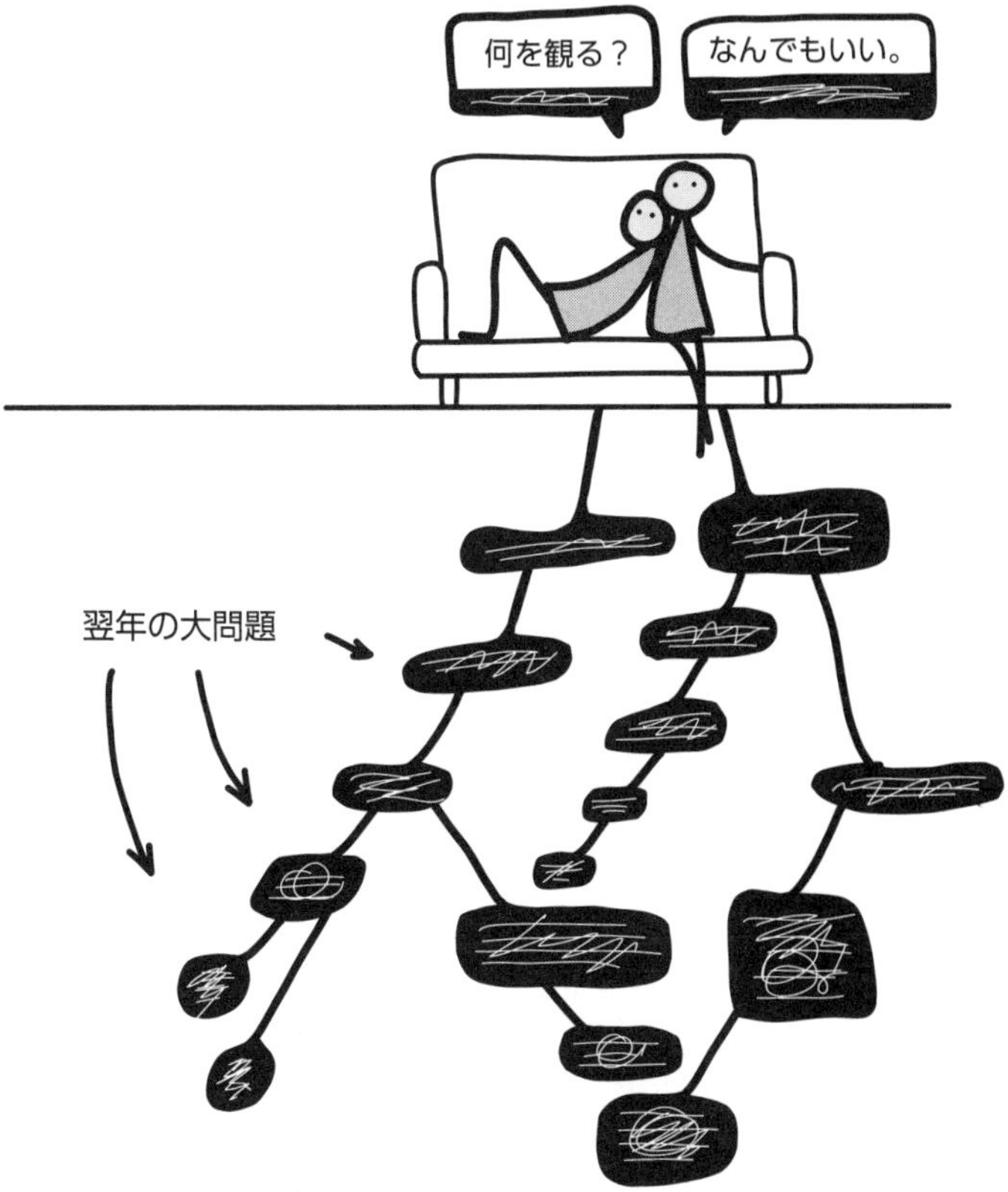
何を観る？
なんでもいい。
翌年の大問題

持ち、表面的には消えたように見えても、じっと身を潜めているにすぎない。

人間関係では、お互いの趣味や嗜好の差を埋めるために、定期的に意見の折り合いをつけることが不可欠だ。たぶん、相手の趣味や嗜好を自分と同じものへと永久に〝心変わり〟させる有力な戦略なんてものはこの世に存在しないだろう。この点はよくよく考えれば当たり前にも思えるけれど、「私にとって有意義なのは何か？」をめぐる議論を、「ふたりの嗜好のバランスを取るうまい方法は何か？」というような種類の議論とごっちゃにすると、簡単に行き詰まってしまう。私は今、この人とどういう種類の議論をしているのか？　それを把握するため、意見の対立が生じる領域を、頭、心、手の三つに分けて考えてみよう。

頭、心、手の三つの領域

　意見の対立を生産的なものに変えるいちばんの近道は、相手にこうたずねてみることだ。「これは〝何が事実か？〟の問題なのか、〝何が有意義か？〟の問題なのか、〝何が有効か？〟の問題なのか、どれなんだろうね？」。別の言い方をするなら、「頭」「心」「手」のうち、どれに関する問題なのだろう？　答えが相手と一致すれば儲けものだ。解決まであと一歩のところまで来ている。

　誰かと意見が対立しているとき、自分たちが向き合っているのがこの三つの領域のうちのどれなのかに注目するとおおいに役立つ。三つの領域とは、「何が事実か？」（＝頭の領域。情報や科学の問題）に関する不安、「何が有意義か？」（＝心の領域。好みや価値観の問題）に関する不安、「何が有効か？」（＝手の領域。実用性や計画の問題）に関する不安だ。現実はこの三つの組み合わせで成り立っていて、それぞれに検証のためのルールがあり、会話のなかで異なる意味合いが含まれる。意見の対立を解消するのに効果的な方法は、三つの領域によってちがう。ある領域にとって有効な方法が残りのふたつの領域にも有効だとはかぎらないので、注意が必要だ。

頭の領域——何が事実か？

意見の対立が、正しい情報を集めることで解決できるとき、それを「頭の対立」と呼ぶことにしよう。つまり、頭と頭がごっつんこしている状態であり、実世界で正しいか正しくないかを客観的に検証できるデータや証拠が解決の鍵を握っているからだ。ある状況の「何《ホワット》」の部分に関係することが多い。

例：ふたりの人がお互いの好きな番組をどれくらいずつ観るかについて言い争っている。この場合、ここ数日間でお互いの好きな番組を観た時間数が解決の基準となる。

心の領域——何が有意義か？

意見の対立が、個人の好みの問題としてしか解決できない場合、それを「心の対立」と呼ぶことにしよう。つまり、心と心がぶつかり合っている状態であり、個人の好み、価値観、主観的な判断が解決の鍵を握っているからだ。ある状況の「なぜ《ホワイ》」の部分に関係することが多い。

例：ふたりの人がある番組に観る価値があるかどうかについて言い争っている。この場合、個人の好み、他者と折り合いをつける能力、さまざまな種類の物語への評価が解決の基準となる。

手の領域——何が有効か？

意見の対立が、なんらかのテストを実施したり、事の成り行きを見守ったりすることでしか解決できない場合、それを「手の対立」と呼ぶことにしよう。つまり、さまざまな手段を比べ合っている状態であり、ある状況の「どう《ハウ》」の部分に関係することが多い。

例：ふたりの人が、お互いの好み、番組の放送時間、個人的なスケジュールのちがいを考慮し、両者が納得できる形でテレビの視聴時間のバランスを取る最善の方法について言い争っている。この場合、その方法がふたりの長期的な関係にとってどれだけ有益となるかが解決の基準となる。

三つすべてが絡み合っている場合は？

意見の対立が生じたときは、必ず頭、心、手のうちの少なくともひとつの領域で対立が起きている。時には、ふたつまたは三つすべてで対立が起きているケースもあるだろう。そういうときは、「これは頭、心、手のうち、どの領域の問題なのだろう？」と問うことで、議論を種類別に切り分け、真っ先に対処すべき問題がどれかについて合意を得られるはずだ。

影を認める[12]

もうひとつ、触れておかなければならない領域がある。自分では別の誰かと対立しているつもりなのに、実際には自分自身の最悪の恐怖や想像を投影したものと言い争っているだけだということに気づかないケースがある。影を相手に、生産的対立を実践するのはずっと難しい。影というものはいつだって私たちのもっとも容赦ないステレオタイプを体現していて、私たちの期待どおりにふるまうからだ。それが影の果たす仕事なのだ。自分自身の影と言い争うのをやめるには？　まずは自分が言い争っている相手を知り、それがあなたと会話している生身の人間であることを認め、相手がこう言ったと決めつけたりはせずに、相手の言い分にじっくりと耳を傾けてみよう。

自分自身の影と言い争っていることに気づいたら、いったん腰を落ち着けるといい。きっと、かなり長くなるだろうから。

■ ■ ■

自分のまちがいを
認められるように
ならないとね。

　ケリアンヌと私はもう五年間この家に住んでいる。庭に居座る質《たち》の悪いカタバミもまちがいなく減った。けれど、もっと重要なのは、私が毎春変わらず生えてくるカタバミをようやく受け入れられるようになったことだ。カタバミは黄色くかわいらしい花を咲かせる。食べてもそう悪くないので、子どもたちも恒例のカタバミ摘みを楽しみにしている。もちろん、カタバミを見かけたら反射的に引っこ抜いてしまうクセはなかなか直らないけれど、今ではなんとか敬意をもってそれができるようになった――陽光あふれるバークレーの地に根を下ろそうとしている同志として。つまり、私とカタバミとの争いは「手」の領域の問題で、決して最終的な目的地があるわけではない。むしろ、そこにあるのはこのカタバミとの対話にとことんつき合ってやろうという確固たる決意であり、その決意こそが私たちをひとつの季節から次の季節へといざなってくれるのだ。

このように、議論や言い争いは、他人や自分自身との関係のなかに深く根を持ち、ときどきひょっこりと顔を出しては去っていく周期的なダンスを踊っている。そのことを理解すれば、議論を敵ではなくパートナーとして受け入れることができるようになる。大事なのは、私たちの人間関係のリズムに合わせて混沌と秩序のあいだを上手に行き来し、そのふたつの健全なバランスを保つことなのだ。

意見の対立の利点

真実1　「議論は悪いものではない」
着目すべき問題を教えてくれる道標《みちしるべ》みたいなものだ。
真実2　「議論の目的は相手の心を変えることではない」
みんなの心をまとめることだ。
真実3　「議論に終わりはない」
議論は深い根を持ち、ことあるごとに芽を出して、かまってくれと訴えかけてくる。

議論を雑草のような邪魔者と考えたくなるのはムリもない。誰もくだらない議論なんてしてい

るヒマなんてないからだ！　対立がひとつもない週、あるいは一日でさえ、天国のように思える。自分から対立を求める人なんて、どこにいるだろう？

しかし、議論はうまくすればチャンスにもなる。意見の対立が生じるのを恐れるどころか、楽しみにさえするようになるだろう。生産的対立は、ウィン‐ウィンの結果につながるからだ。

生産的対立は、その結果として四種類の果実を結ぶ。ひとつ目の「安全の果実」は、脅威を取り除いたり、リスクを減らしたり、合意を結んだり、結論を下したりすることにつながる。ふたつ目の「成長の果実」は、世界やお互いについて新しい情報を明らかにし、現実を今まで以上に深く理解することにつながる。三つ目の「絆の果実」は、お互いを結びつけ、相互の信頼を築く機会を与えてくれる。そして四つ目の「楽しみの果実」は、遊び心、冒険、愉快さ、驚嘆にまで重きを置くような、協調性を持った行動のしかたを教えてくれる。

誰にでも、ケンカ、衝突、対立（呼び方はなんでもいいのだが）の結果、お互いが身も心もボロボロになるどころか、むしろお互いを高め合うことにつながって、驚いた経験があると思う。こうしたうれしい驚きの可能性を高める方法こそが、本書でこれからお話ししていく生産的対立の技法なのだ。

この考え方を身につけるのには時間がかかる。でも、あの隣人も言っていたように、これは対立が増えるのを望むか、減るのを望むかの問題ではない。この点に関していえば、私たちに選択権はないからだ。相手との関係がどうにもこうにも行かなくなっているとき、どうつき合っていくのが最善か、という問題なのだ。

生産的対立の技法は、今日《こんにち》のあらゆる切迫した問題へと応用がきく。私たちの世界はますます二極化しつつあり、どんなに冷静沈着な禅師《ぜんじ》だってできることには限界がある。

ここから、本書では生産的対立の「方法論」の部分にスポットライトを当てたいと思う。腹立たしい言い争いを楽しくて生産的な対話へと変えるための八つの会話上の習慣や実践項目を紹介していく。この変化はあなたの日常生活に計り知れない影響を及ぼす。生産的対立の技法を実践すれば、必ずや次の三つのスーパーパワーが手に入るだろう。

1. **意見の対立に腹が立たなくなる。** 意見の対立が行き止まりではなく、未開の地への入口のように感じられてくる。前進への足がかりが尽き果てたように思えても、対話の流れを途切れさせない方法が見きわめられるようになるだろう。

2. **何度も繰り返される腹立たしい意見の対立が少なくなる。** といっても、意見の対立を避けたり、揉み消したりするからではなく、同じ意見の対立が何度も何度もあなたの生活に舞い戻ってくるという悪循環を断ち切れるからだ。意見の対立を根っこごとすっぽりと引っこ抜くすべが身につくだろう。

3. **世界が広がる。** 意見の対立のその先に待っている面白い会話、アイデア、人々、機会からあなた自身を切り離さなくてすむようになるからだ。もう何年も避けつづけてきた恐ろしい相手や考えと積極的に向き合うようになる。自分とは正反対の考え方も、その内側から見ればまったくちがった姿に見えること、あなたが外側から見て思い込んでいた姿よりは悪くないことに気づくだろう。

新しいスーパーパワー

生産的対立の技法は、あなたのほかのすべてのスキルをレベルアップさせるスキルなので、一般的には「メタスキル」と呼ばれるけれど、私はそれを「スーパーパワー」と呼んでいる。

これは、読み書きの能力や批評的《クリティカル》に考える能力と肩を並べるくらい超重要なメタスキルだ。というのも、生産的対立のスキルがほんの少し（たとえば五〜一〇パーセント）改善するだけで、あなたの人生は五〇〜一〇〇パーセントも豊かになるからだ！　なぜか？　コミュニケーション能力や、日々生じる意見の対立を乗り越える能力は、あなたが人生でどんな役割を果たすにしても必ず必要になるからだ。いろいろな役割をこなすなかで意見の対立を生産的なものに変えられるようになれば、その効果は相乗的に膨らんでいき、よりよき友人、より優秀な同僚、より愛情あふれるパートナー、より生き生きとした家族、そしてより一人前の地球市民になれる。これはたぶん、世の中に数あるスキルのなかで、あなたが磨くことのできるいちばん効率的なスキルのひとつだと思う。これがスーパーパワーでなくてなんだろう？　生産的対立の技法を身につけ、磨いていくための道具、ルール、環境をすでに持ち合わせている人なんてほとんどいない。逆にいえば、それだけ大きな伸びしろがあるということなのだ。

まだ半信半疑なら……

あなたが生産的対立に対してまだ半信半疑だとしてもぜんぜん問題はない。何しろ、今の居場所は安全だ。実際、周囲を見回してみてほしい。ほとんどの人はどっちつかずの状態で人生を過ごし、何をするべきなのか、いつ実行に踏み切るべきなのかがはっきりとわかるまでじっと待っている。不信、徒労感、失望は決して心地よいものではないけれど、少なくとも顔がわかっている悪魔だ。しかし、どちらにも足を踏み出せない状態に甘んじる前に、もうひとつだけ、そこから足を踏み出せるかもしれない小話をさせてほしい。

あなたに与えられた選択肢は、（a）感情を隠す、（b）感情を表に出す、の二択ではない。むしろ、『スター・ウォーズ エピソード5／帝国の逆襲』で、ダース・ベイダーがルーク・スカイウォーカーに持ちかけた選択肢に近い。「われらの力がひとつになれば、無益な戦いに終止符を打ち、銀河に秩序をもたらすことができる」。悪くはなさそうでしょう？　ダース・ベイダーの思い描く銀河帝国の場合、秩序とは、確固たる権力ピラミッドを築き、ふたりをそのピラミッドの頂点に、そして残りの全員をその支配下に置くことを意味する。感情を押し殺せば、戦いに終止符を打って秩序をもたらすことができるかもしれないけれど、そのために本当の自分を心の奥底に抑圧することになる。そんなことをすれば、本当の自分が不安、絶望、そして（暗黒面《ダークサイド》とかかわったことによる）青白いしわだらけの肌といった影の姿で、ことあるごとに表に出てくるだろう。そんなことは絶対にしてはいけない！　絶望に屈してはダメだ。完全な混沌でも完全な秩序でもない、第三の道がきっとある。先ほどのゴットマン博士のレシピが正しいとすれば、私たちは八三パーセントの秩序と一七パーセントの混沌を目指せるはずだ。人間関係や会話を生産的なものにするには、秩序と混沌の両方が必要なのだ。

早い話、秩序と混沌のバランスを取ることこそ、本書が後押ししようとしていることなのだ。本書はいわば、あなたに嚙みつき、あなたの心のＤＮＡを組み換えてスーパーパワーを目覚めさせる放射能を浴びたクモだ。衣装をデザインし、気のきいたキャッチフレーズを考える仕事は、あなたにお任せすることにして……。

生産的対立の世界地図

生産的対立の世界はどんな姿をしているのだろう？　ここからは、その世界を具体的に描き出していこう。

第1章では、心のなかに不安の火花がどう散るのかを見ていく。不安はあなたにとっていちばん大事な個人的信念や期待を指し示す道標《みちしるべ》であるという

地図は最初こそぼやけているが、探検するにつれて鮮明になっていくだろう。

ことを説明する。

第2章では、意見の対立との向き合い方を左右するさまざまな「内なる声」を区別する方法について学ぶ。ワクチン接種の是非のように世論を二分する問題の例を使って、白黒の解釈から、例外やグレーな領域の余地が少しだけある解釈へと移ることは可能だということを証明する。そうすれば、一対一の生産的な会話を交わす機会が生まれるはずだ。

第3章では、認知バイアスがいかにして意見の対立を悪化させ、公正な判断（たとえば採用決定など）を完璧に下す現実的な方法がない状況を招くかを見ていく。また、そうした状況になったとき、バイアスによる実害を減らすためにできることも学ぶ。

第4章では、賢い意見の仮面をかぶった憶測、ステレオタイプ、過度な単純化の見分け方を学ぶ。私自身の親友たちとの政治的な会話の実例を紹介しながら、相手の考えを勝手に推測しようとするのではなく、「一人称で語る」ことが、人間関係を壊すか深めるかの差を生むということを説明する。

第5章では、意外な答えを引き出す質問のしかたについて学ぶ。幽霊や超常現象の存在を信じるか信じないかの議論を通じて、会話を意外で新しい方向へと導く質問力について説明する。

第6章では、チーム内に対立した意見を持つ人が必要な理由を学ぶ。銃犯罪や銃規制の提案について議論したエピソードを紹介しながら、みんなで議論をつくり上げれば、意見の対立はより生産的なものになるということを証明する。

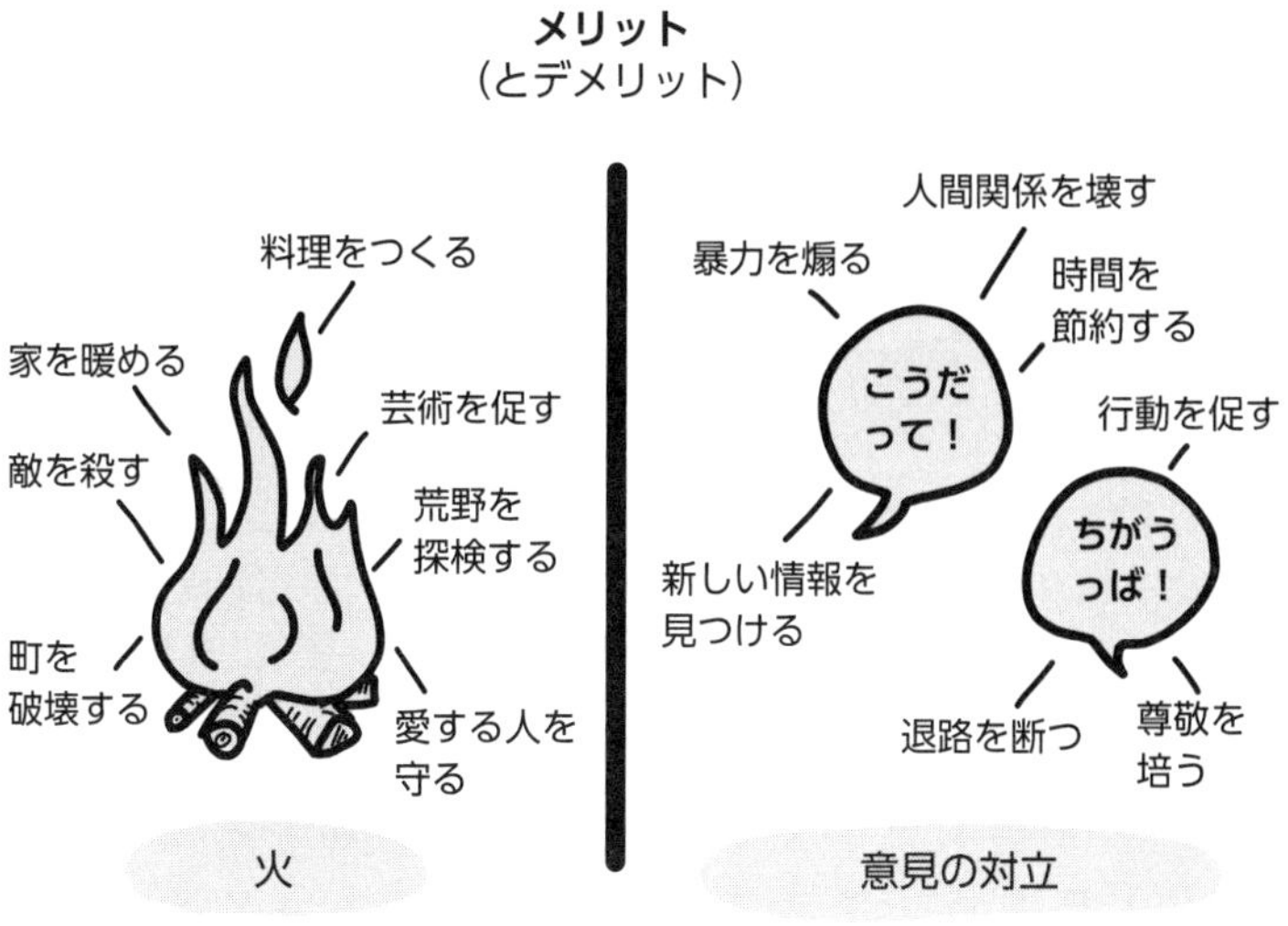

第7章では、議論を行なう物理的な空間や媒体が、結果にどのような影響を及ぼすかを学ぶ。この観点から、移民法の執行に関する激しい意見の対立について分析してみたいと思う。また、互いに意見をぶつけ合うことが許されるばかりか、奨励さえされる「中立的空間」を築くことが重要な理由も学ぶ。

そして第8章では、危険思想という話題にもあえて踏み込んでみたいと思う。口に出すのもはばかられるような話題について、意見の対立を考慮に入れることが重要な理由を学ぶ。

本書の最後では、私がオススメする参考文献をいくつか紹介した。参考文献は、いちばん内容的に近い章ごとに分類してある。

プロメテウスが人類に授けた火と同じように、意見の対立は本質的に善というわけではないので、私たち自身の価値体系と照らし合わせて考慮しなければならない。対立によるメリットは、今日《こんにち》私たちが交わしているような会話の文脈のなかでは教えられてこなかった。なので、非生産的な対立にうっかり足を踏み入れ、対立を悪化させてしまったことで生じる予想外の悪影響に対しては、自分自身で責任を負うしかない。意見の対立は雑草と同じくらい避けようのないものだけれど、この世界から対立を根絶しようとすればするほど、対立は影の世界へと追いやられる。そうして、いっそう強い姿になって次の季節に舞い戻ってくるのだ。

進むべき道ははっきりとしている。意見の対立を認め、受け入れ、住みよい世界をつくるために活かすという強い意志を持って、対立の核心へと分け入る覚悟が必要なのだ。現代の難問に対処するために課された新たな責務のひとつとして、ぜひあなたもこの冒険に名乗りを上げてほしい。

八つの習慣

——生産的対立《プロダクティブ・ディスアグリーメント》を実践するための道

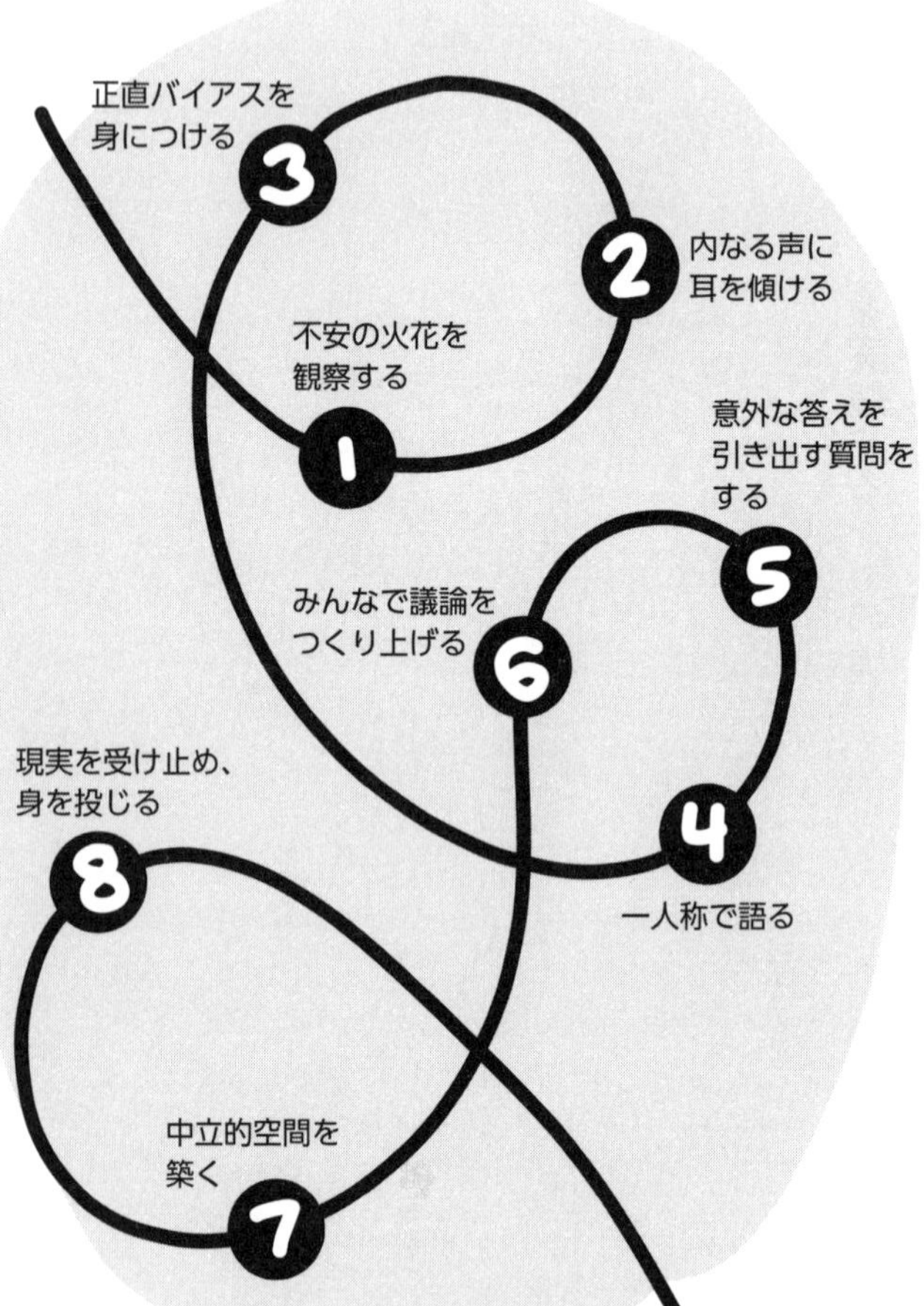

1 不安の火花を観察する
2 内なる声に耳を傾ける
3 正直バイアスを身につける
4 一人称で語る
5 意外な答えを引き出す質問をする
6 みんなで議論をつくり上げる
7 中立的空間を築く
8 現実を受け止め、身を投じる

第１章　不安の火花を観察する

不安は私たちの個人的信念や期待を指し示す道標《みちしるべ》である。

こんな経験はないだろうか？　あなたは家じゅうを駆けずり回って、慌ただしく用事をこなしている。その合間に、フタをして置いておいたコーヒー・カップをテーブルから取り上げ、グイッとコーヒーを口に流し込む。それが捨て忘れた一週間前の古いコーヒーだと気づいたときには、もう後の祭り。あなたは想像するのも恐ろしい物体が口のなかにただよっているのを感じて、口に含んでいた古いコーヒーを体じゅうにぶちまけてしまう。恥ずかしい話、これは私が大学時代に経験した出来事だ。この一件以来、私はいつのものかわからないコーヒー・カップを見ると必ず疑ってかかるようになってしまった。知的な議論とはちがって、実体験は何かについての考えを一瞬で永久に変えてしまうことがあるのだ。

あなたにカビの生えたコーヒーを飲み込んだ経験がないとしても、この話を聞いてきっと悪寒や不安の火花がパッと散ったことだろう。ほとんどの人は、こうした不安の火花の解釈方法を教

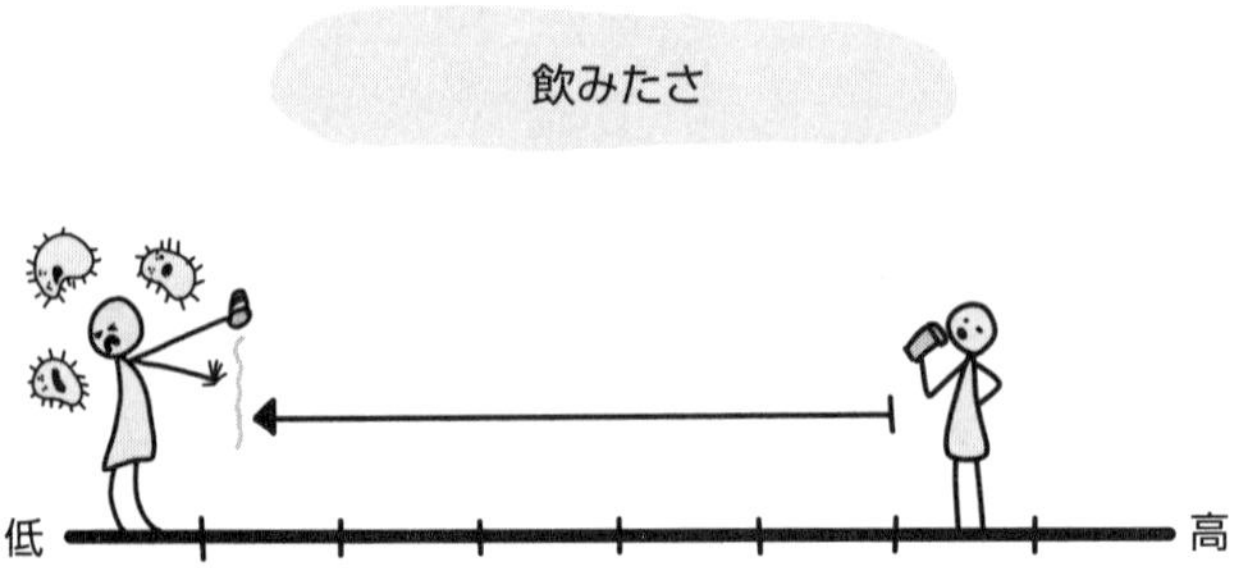

わったことがないので、不安をいつまでも覚えていたり、そこに意味を割り当てたりはしない。しかし、本来はそうするべきだ。こうした不安の火花は、私たちにとって大事な何かが脅かされている感覚を照らす明白な道標だからだ。この道標は個人個人の歴史に根差したもので、全体として、世界に対する私たちの個人的な期待、希望、夢、失望を表わしている。

期待が現実と食い違うのは、

・あなたの大好きな映画、本、曲を誰かが嫌いだと言ったとき。
・あなたの肝煎《きもい》りのプロジェクトが失敗したとき。
・家族の衝撃的な秘密を自分だけが最後まで知らなかったと知ったとき。

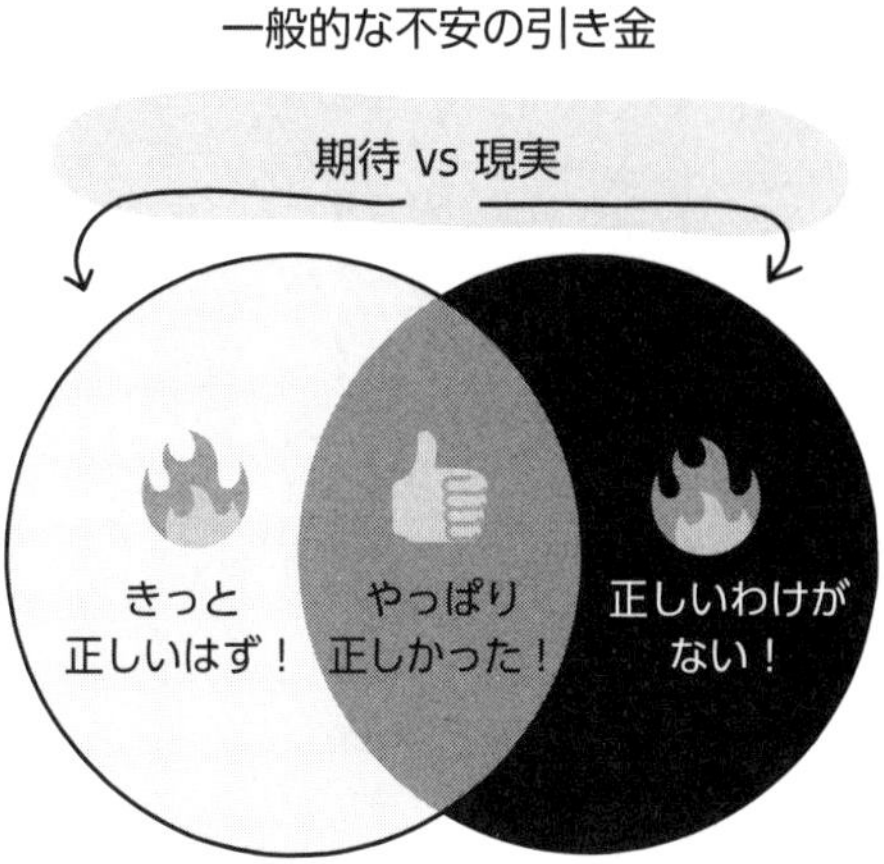

・あなたの根本的な信念が想定外の方法で脅かされたとき。
・ずるを見つけられてしまったとき。
・気まずい状況からうまく抜け出す方法が見つからないとき。

こうした不安の火花をそのままにしておくと、まるで目に見えないプログラムのように、やがて世界との向き合い方を私たちに指図してくるようになる。人々の心を読みまちがえ、新しい情報に誤った反応をし、実世界に合わせて自分自身の期待を見直すのではなく、常に自分の期待に合わせて実世界のほうをつくり替えようとしはじめる。私たちの知識の少なさと世界の大きさを考えれば、これが不安の増加や、ひいては挫折への近道であることはほぼまちがいないだろう。

古い水が入ったグラス[1]

私が本書を執筆するための調査の一環として行なったアンケート（そして私が今でもパーティーでよくする質問）のひとつに、昔から幾度となく交わされてきた議論の例を集めて回るというものがあった。私は、数年、時には数十年（！）にもわたってことあるごとに繰り返されてきた、永遠に正解の出ないひねくれた議論を探していた。恋人、家族、友人、インターネット上の赤の他人との議論など、いろんな種類のものがあったけれど、私が特に興味を持っていたのは、一見すると些細だけれど、人間の深い感情なり信念やアイデンティティの一部なりに訴えかける何かが含まれているおかげで何度も繰り返されてきた議論だった。私は議論が人間の頭のなかで長生きするものなのだと直感し、それ以来、その直感を裏づけてきた。時には、一生頭から離れず、さまざまな人や場面を通じて磨かれていく議論もある。また、兄弟、姉妹、両親、パートナーといった特定の人間関係と結びついている議論もある。そのようなやり取りでは、特定の話題や見方が、議論を呼び戻す目印になる。

私のお気に入りの議論のひとつは、親友のシャロンとイアンが交わしたものだ。ふたりは結婚してもう一〇年以上になるカップルで、物怖じせずにはっきりと意見を言う、自分をしっかりと

質問：まる三日間、ベッドサイド・テーブルに置きっぱなしにしていたグラスの水があるとします。その水を飲まない合理的な理由はあるでしょうか？

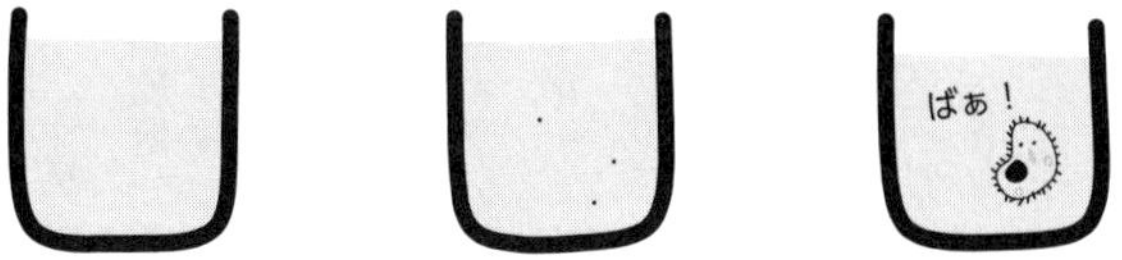

一日目　　二日目　　三日目

持った愛らしい人たちだ。それでも、シャロンが私信を通じてこんな議論を持ちかけてきたときは、さすがに驚いた。「水を何日か置いておいたら腐ると思う？　イアンともう一〇年近くこの議論を続けているんだけど、いまだに意見が合わないの。
ＰＳ、絶対に腐ると思う」

たぶん大学時代に古いコーヒー・カップを口にした経験からだと思うけれど、私は数日もしたら水はまちがいなく完全に飲めなくなると断言した。オーストラリアで育ち、細菌とはどちらかというと寛容な関係を築いてきたイアンは、私たちを鼻で笑い、罵《ののし》った。彼から見れば、現代人が潔癖症文化に甘やかされ、どんどんダメになっているまぎれもない証拠だった。

私は会話が広がるかどうかを確かめるため、おおぜいの人々にこの質問をしてみた。

すぐに回答が来た。その答えはいろいろだった。飲んでも問題ない派の言い分はこうだ。

「君みたいな人間がいるから、地球環境が破壊されていくんだ」

「いったんフタを開けて、口をつけて（私ではなく子どもの場合もあり）、トラックの車内に一週間放置しておいたミネラル・ウォーターでも平気で飲むよ（のどの渇きには勝てないし、捨てるのはもったいないから）。いつのものだったかよく覚えていないときは、ちょっとためらうけど」

「自宅やオフィスに置いておいた水なら危険じゃないし、悪い菌なんてまったく繁殖しないと思う（第一、キッチン・カウンターに置いてある果物にだって、そうすぐには繁殖しないでしょう）」

絶対に飲まない派の言い分はこうだ。

「なんと言われても考えを変える気はない。一晩でも置きっぱなしになっていた水は捨てて、新しく入れ直す。絶対に」

「水の表面に溜まったほこりや粒子でむせるから」

「水なんていつでも入れ直せる。ほとんどゼロに近いとはいえ、具合が悪くなるリスクはある。水を入れ直すのなんてたいした手間でもないのに、どうしてそんなリスクを冒す必要があるのか？」

「この件については、私のなかでもう答えが出ているから、面白くもなんともない。置いておいた水なんて絶対によどんでる。飲んだら数分で死ぬと思う」

ひとつ目の驚き

私は回答者からもう少し詳しい情報を集め、みんなでこの重大な問題を分析できるよう、回答を視覚化してみた（次ページ）。

二次元空間で私たちの本能的な反応や考え方を見てみると、その多様性がよくわかった。また、質問への回答が没個性化されるという追加の利点もあった。この図の小さな点には、名前や顔がついているわけではない（私の技術不足の問題が大きいのだが）。この結果を見ていると、どの点が自分のものだったかさえ忘れてしまう。

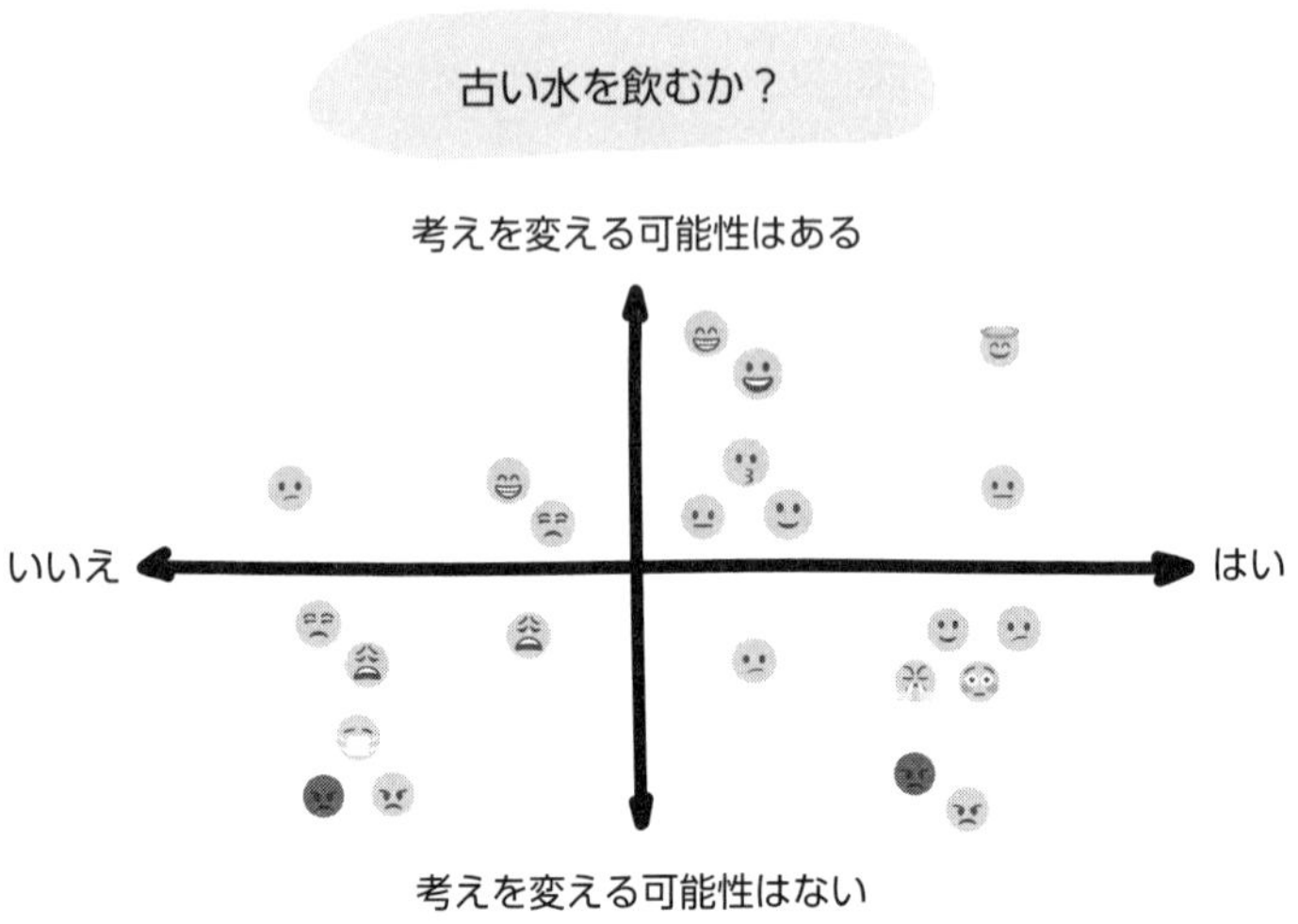

意見を没個性化させることによって、部屋の反対側に行って別の椅子に座ってみるのと同じように、別の意見を持つ自分を想像できるようになる。

ふたつ目の驚き

次に行なったのは、回答者が残したコメントを総ざらいし、みんながそう考えるようになった理由を分類することだった。そのためには、もう何回か質問をやり取りし、回答を分類する必要があったけれど、飲む派と飲まない派が自分の回答の正当化に用いていた信念を分類するのに、そう時間はかからなかった。

全般的に、絶対に飲まない派は、細菌や未知の物質を恐れているようだった。「なかで何が繁殖しているか、わかったもんじゃない」。ネコを飼っている人は特にその傾向が強かった。水の入ったグラスを数分でも家に置いておけば、ネコが汚れた足を水につけて、ネコのウンチに含まれている悪い菌が水に溶け出すと思っていたからだ。私はネコを飼っていないので、そんなことは思いつきもしなかったけれど、いざ聞いてみるとなかなか理にかなっていると思った。ネコがいなくても、細菌が水のなかで繁殖しはじめるのは事実だとわかったが、水のなかで繁殖する細菌が全般的に無害だということは、ほとんどの証拠が示している。

もうひとつ、絶対に飲まない派の回答で多かったのは、味に関する内容だった。古い水の味をカビ臭いと表現する人もいれば、自分には細菌の味がわかり、その味が好きでないと言い張る人もいた。また、水は温度が高くなると味が変わり、塩素が放出されると再び味が変わるという証拠を見せてくれた人も何人かいた。一部の人々が好きだという味は、たぶん微量の塩素だけが含まれた味なのだろう。さらに、この会話から、放置されていた水に二酸化炭素が溶け込み、微妙な味がつくことも学んだ。

飲む派の人々には、細菌に対する恐怖を克服した個人的なエピソードがあるようだった。たとえば、キャンプ経験が豊富な人々、アメリカ国内外の田舎で育った人々、医師や看護師を親に持つ人々だ。ある人のエピソードを紹介しよう。

私は両親がともに看護師で、親戚には医療関係者がたくさんいます。なので、菌とかバクテリアは必ずしも悪いものじゃないという考えのもとで育てられたんだと思います。床に落ちた食べ物も平気で食べますし、泥遊びもしました。キャンプに行って体じゅう泥んこになったこともあります。絆創膏もあんまりしませんね。誰かに指摘されるまでは、それがふつうだと思っていました。代わりに、ヒビクレンズみたいな強い消毒薬で傷を洗って、そのままむき出しにしておきます。たぶん、人間の自然治癒の能力を信じているからでしょうね……。ただ、手はよく洗います。子どもに触れる機会が多いですし、両親が徹底的に手洗いするのを見て育ったので。とはいえ、健康な体と免疫系を持って生まれたという点は、まちがいなく恵まれていると思います。あと、テーブルの上に置いてある食べ物なら、「これなんだろう?」って感じで、だいたいなんでもすぐ口に入れて味見しちゃいますね。これを読んでいる人の半分は、今ごろウエッと思っているかもしれないですけど。

それから、飲んでもおそらくまったく問題ないと頭でわかってはいても、絶対に飲まないといちばん頑なに言い張っていた女性がいた。彼女の言い分はこうだ。

私の場合、古い水に対する強い嫌悪感は、子どものころに形成されました。理由は純粋に味です。その後、不安障害のせいで、水に対して実際に偏執性妄想を抱くようになりました。

それからしばらくは、置いておいた水を飲んでも安全だとは思えなくなりました。不安障害が本当にひどかったころは、水に毒が入っていて、飲んだら死ぬと思い込んでいたことも。今はなんとか不安を抑えることができていて、そこまでひどい強迫観念はないですけど、しばらく置いておいた水を飲むのは今でもイヤです。いちばんの理由は味ですけど、ほこり、ペット、私自身の口内細菌にさらされていた水は飲みたくないんです。

人間は複雑な生き物で、いろんな物事への反応は、その人の長い人生の歴史や複雑な感情に根差している。さまざまな話（特に最後の話）を聞いて、飲む派の人々はこの問題を別の角度からとらえるようになった。そして、一人ひとりの置かれた状況がいやおうなく反射的な反応を決めるのだということを認めるようになった。たとえ、その反応が後から考えればまったく不合理に思える場合でも。

三つ目の驚き

最初の実験にしては、私はこのアンケート結果にまあまあ満足している。面白い話がいくつか聞けるだろうとは思っていたけれど、その過程で、水、細菌、味について新しいことが学べるとは想像もしていなかった。まったく想定外だったのは、私自身が古い水の味に興味を持ち、実際に思い込みを捨ててときどき飲んでみるようになったことだ。飲むときは、二酸化炭素、塩素の抜けた水、かすかに繁殖しはじめた最初の細菌株の味に神経を研ぎ澄ます。実験を始めたとき、私は他人の心を変えようとするのをはっきりと禁止し、私自身は新しい情報を聞いてもたぶん意見を変えるつもりはないと回答した。それでもなお、何かが変わった。私の心が変容したのか？それとも、私の見方が新しい可能性を取り込むような形で広がったのだろうか？

コーヒーが古くなっていないかと疑う気持ちは何ひとつ変わらなかったけれど、この実験以来、水に対する見方は一変したのだ。

実践しよう①

不安の火花を観察する

不安の火花が散るのは、私たちが価値を置く見方が、なんらかの形でそれを脅かす見方と衝突したときだ。その新しい見方が受け入れがたいものだと感じると、「誰かがネットでとんでもないことを言っている。正さないと！」という衝動が働く。

不安の火花がバチバチッと散ると、心のなかで、すべてを燃やし尽くそうとする不安という名この小さなドラゴンが生まれる。これは、意見の対立が生まれようとしている最初のサインだ。この反射的な感情の燃え上がりについて、ほかに何がいえるだろう？　巨大な不安の火花を散らせるものとそうでないものとでは、何がちがうのか？

古い水についての会話からわかるように、まったく同じ情報（三日前のグラスの水）でも、人によって生じる不安はまるで異なることがわかる。カビの繁殖した水を誤飲したとか、水から毒を何度も連想してしまったとかいう過去の経験が、その後の反射的な反応を増幅させてしまうというのは、簡単に想像がつく。逆に、たとえば医者の両親の言葉や田舎暮らしの現実によって繰り返し不安が抑えられるような環境で育った人は、まったくちがう反応をするようになるだろう。不安の火花が散ったとき、目の前のモノが持つ真の性質がそういう反応を引き起こしているのだと早合点してしまうのは正常なことだ。有名な話だけれど、イワン・パブロフは犬が訓練次第でベルの音と夕食を関連づけるようになることを証明した。[2]やがては、夕食自体が目の前に出されなくても、ベルの音を聞いただけでよだれを垂らすようになる。不安の火花が散る様子をじっくりと観察すれば、どうして自分が特定の種類の情報に反射的に反応するようになったかが、おぼろげながらに見えてくる。そのなかには、銃声と身の危険を結びつけるといったように、しごくまっとうな反応もあるだろう。逆に、不合理な思い込みが条件づけられているケースもあるはずだ。じっくり調べてみなければ、どれがどれなのかはわからない。

そこで、１～５の五段階評価を用いて不安を評価してみよう。何かとんでもないものをまちが

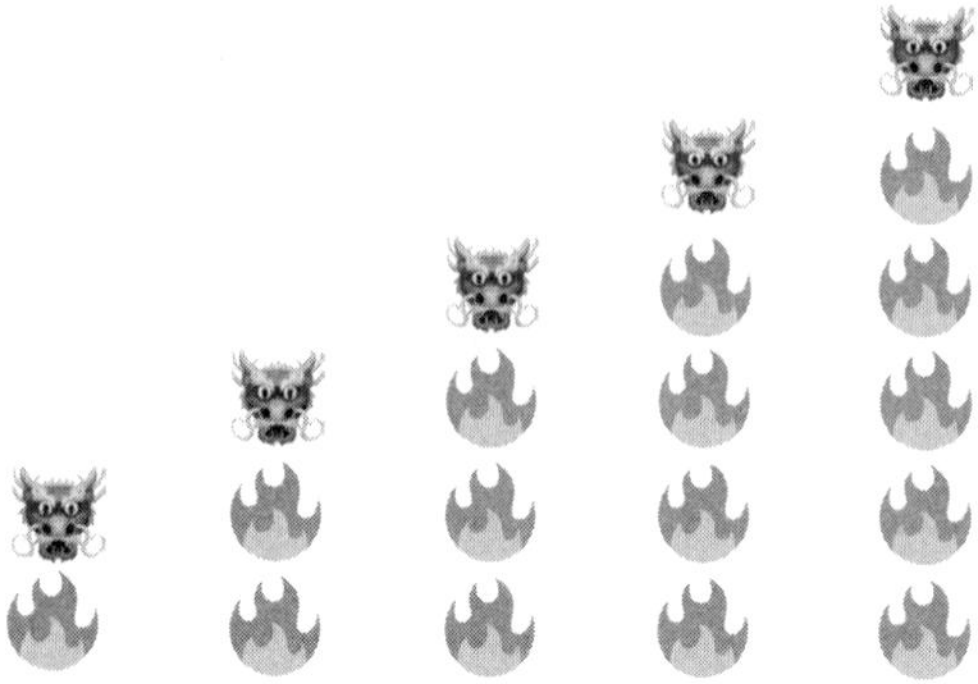

不安を評価してみよう

って口に入れてしまったときの不快感のレベルは？　さらにより一般的に、あなたの頭のなかでふたつの期待や見方が衝突してしまったときの不快感のレベルはどれくらいだろう[3]？

レベル1　簡単に抑えられる。例：お気に入りのシャツを着ようと思ったら、肘の部分が裂けていることに気づいたとき。

レベル2　少し焦る。例：好きな役者が自殺したと聞いたとき。今後半年間、もしくはそのテスト期間の結果次第では一生、乳製品、グルテン、または砂糖を摂取できなくなる疾患を抱えていると知ったとき。

レベル3　軽い危機感を抱く。例：上司から会社の業績が思いのほか悪く、あなたの役職を含むいくつかの役職を廃止せざるをえなくなったと告げられたとき。

レベル４　死ぬまでではないがそうとうなダメージを負う。例：あなたのパートナーが数年前に浮気をし、いまだに関係が続いているかもしれないと知ったとき。不慮の事故で親友を亡くしたとき。

レベル５　最悪の状況に陥る。例：倒れて病院にかつぎ込まれたとき。山火事があなたの住む地区にまで延焼してきたとき。不慮の事故でパートナーや子どもを亡くしたとき。言いたいことはわかるだろう。

不安は主観的なものだ。以上の例はあなたにとっては的外れに思えるかもしれない。その場合は、あなた自身の経験に照らし合わせて、レベルを調整してほしい。

また、不安が必ずしも意見の対立につながるとはかぎらないという点にも気づくだろう。先ほどから論じているような不安は、心のなかのふたつの見方の食い違いによって生じる。時には、あなたの考えと別の人の考えが食い違うこともあるし、現実に対するあなた自身の期待とその期待を裏切るような新しい情報とのあいだに食い違いが生じることもある。

次に挙げるのは、不安の引き金になりうる出来事のリストだ。あなた自身の不安の尺度に照らし合わせて、不安のレベルを五段階で評価してみよう。

・あなたは大急ぎで仕事先に向かっているのだが、いつものルートがなんと工事中で、到着までに一時間は余計にかかりそうなとき。

・あなたの友人が、ペットボトル用のゴミ箱の隣にある可燃ゴミ用のゴミ箱にペットボトルを捨てるのを見たとき。

・子ども時代、誰かにあなたの信じていること（たとえば、サンタクロースの存在）が実は正しくないと教えられ、大人たちが今までウソをついていたと知ったとき。

・霊感の強い友人から、あなたの家には地下室で首吊り自殺をしたらしい前の家主の霊が取り憑《つ》いているから、高額なお祓いを頼んだほうがいいと言われたとき。

・あなたが入りたい大学や、面接まで進んでどうしても入りたいと思った会社から、不合格を告げられたとき。

・母親にあなたとはちがう大統領候補に投票したと言われたとき。

・医師にがんと診断され、余命半年足らずと宣告されたとき。

・あなたの大好きなテレビ番組が急に打ち切りになったとき。

・人生で学校に通ったり、一日も働いたりしたことのない幼なじみが、宝くじに当たって億万長者になったとき。

・ほこり臭いボロ家にひとりきりでいて妙な気配を感じ、悲鳴のような声を聞いたとき。

・星占いで近々悪いことが起こるかもしれないという結果を見た翌日、車のタイヤがパンクして大事故になりかけたとき。

・理想的なおしどり夫婦だと思っていたあなたの友人が離婚すると聞かされたとき。

・あなたの父親だと思っていた人が実の父親でないと知ったとき。
・友人の家を訪ねたら、友人がパシャパシャと自撮りをしながら大量の自国の国旗で焚き火をしていたとき。
・同じ小学校に子どもを通わせる親のほとんどが、子どもにワクチンを接種させていないと知ったとき。
・レストランでたまたま相席した一〇人の集団と仲良くなり、一時間ばかり楽しく会話したあと、全員が性犯罪者リストに登録されていることを知ったとき。
・森の奥深くでキャンプ中、真夜中に少し痒《かゆ》みを感じて目が覚めたので、暗闇のなか懐中電灯をつけたら、あなたの体やテントがアリでびっしり覆われていることに気づいたとき。

今日、知る人ぞ知るベーグル・スライスを職場の人に初めて買っていったよ。
9.3K
3.6K
25K

お巡りさん、事件です[5]！
何を血迷ったんだ[6]？
誰よこれ OK したの[7]。

ベーグルは不安の引き金になりうる？

いったん不安の火花がどう散るかに気づくと、そこかしこで気づくようになる。ベーグルが食パンを切るように縦に切られているのを見たら、あなたは真っ先にどう反応するだろう？[4]

　そのベーグル・スライスがツイッターに投稿されたときの世間の人々の反応と同じだとしたら、あなたの感じている不安はレベル2、もしかするとレベル3まで行くかもしれない。ツイッター上の反応は見ていて笑えた。

　ほかの人があなたの嗜好と食い違うこと

をすると、たとえそれがまったく無害なことでも、反射的に不安を感じてしまうのは珍しくない。
このベーグルのミームは、一日か二日ばかり、ツイッターでトレンド入りした。これはインターネットの面白さを如実に示している好例だ。私たちは、それがどんなにくだらない不安であれ、共通の不安を和らげる社会的なゲームをしている一方で、自分たちの不安をインターネットというプラットフォームに絶えず吐き出しているのだ。

どんなジョーク、物語、ニュースの見出しを組み立てるにしろ、不安を生み出すことは欠かせない。こうした移り変わりの激しい形式では、不安は人の心を大きく揺さぶる。この種の不安は心理学用語で認知的不協和と呼ばれ、[8]私たちは認知的不協和を体験するたび、それをモグラ叩きにしようと（正式な言葉を使うなら「低減」しようと）躍起になる。考えてもみてほしい。マーケティング、興行、あるいはもっとあくどい目的であなたの気を惹こうとする、パフォーマー、出版社、コメディアン、製品、サービス、企業、広告主などはみな、認知的不協和を誘うアイデアを用いて、あなたの注目を得ようとする。あなたに不安を感じさせることができれば、その人やモノがどんな不安解消策を提示しているにしろ、あなたの注目をがっちりとつかめる可能性は高くなる。

ソーシャル・メディアは共通の不安を和らげるのに役立つ。自分側と対立する見方に条件をつけ加えたり（「こんなのは本当のベーグルじゃない」「こんな食べ方をするのはセントルイスだけだよ。ほら、あいつらちょっとヘンだから」）、まるまる否定したり（「ベーグルをパンみたいに薄切りするやつは終身刑だ。例外は認めない」）することで、味方側と結束できるからだ。この反射的ですばやい社会的ゲームの欠点は、不安の解消をソーシャル・メディアに頼りきるようになり、自分自身で不安を解消する訓練をあまり積めなくなってしまうという点だ。ソーシャル・メディアですぐ不安になる人は、そこにひとつの原因があるのかもしれない。

　私たち自身のなかにある認知的不協和を和らげるためにどんな社会的ゲームを使うかによっては、他人をより意地悪で不正確に理解する結果になってしまうこともある。意見の対立には、「何が事実か？（頭）」、「何が有意義か？（心）」、「何が有効か？（手）」の三つの領域に関する対立があったのを思い出してほしい。あなたの仕事はまず、この三種類のうちのどの領域で意見を戦わせようとしているのかを明らかにすることだ。あなたはあるベーグルの切り方が有意義なのかどうかに着目したいと思っているのに、別の人はその切り方が有効なのかどうかに着目しようとしている、なんて可能性もある。個人的な嗜好や価値観について話すときには、意見を言う前に、嗜好や価値観の話なのだということをほかの人も共有しているのかどうか、まず確認したほうがいい。この場合、文化的な背景、伝統、状況についての疑問が重要になってくるだろう。同じように、いろいろなやり方の「有効性」について話しているなら、ほかの人も同じ理解かどうかをまず確認するべきだろう。そうすれば、「この方法はなんの役に立つか？」「目標は何か？」といった疑問が生じるはずだ。頭、心、手の三つの領域によって、掘り下げ方が異なるし、いろんな見方を検証したり、見方の食い違いを解消したりする方法が変わってくる。不安から意

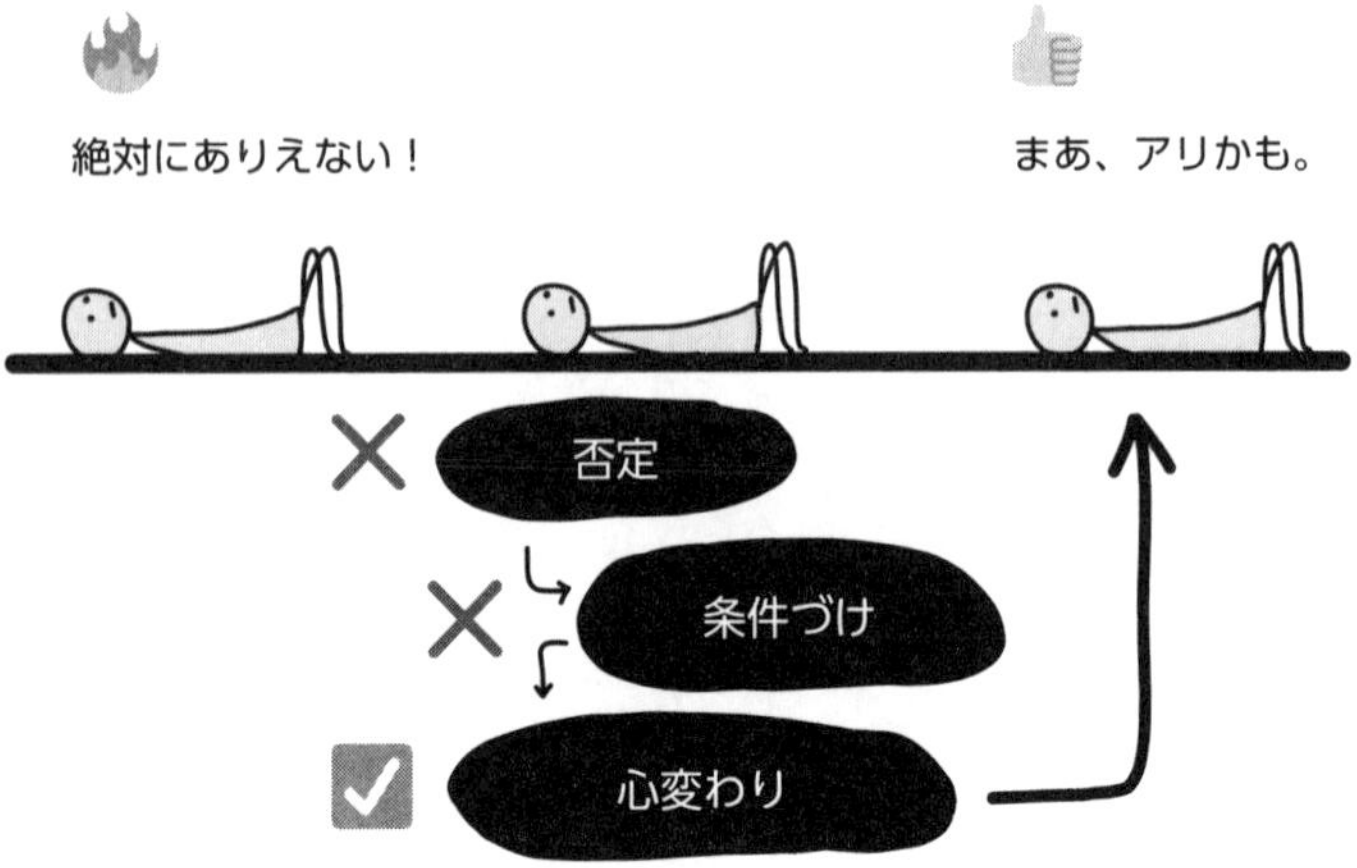

見の対立が生じたことに気づくだけでなく、その不安を五段階で評価した瞬間、あなたは岐路に立ったことになる。そして、その後の数分間がどれだけ生産的な時間になるかは、あなたがどういう認知的不協和の低減方法を選ぶかによって決まるのだ。最初に完全な否定から入ったとしても、もう少しだけ認知的不協和にひたる時間をつくれば、条件づけ、さらには心変わりの段階へと一歩ずつ進んでいくことはできる。

不安のせいで意見の対立をこじらせないためには？

1. 不安に気づいたら、いったん立ち止まってこう自問する。私の感じている不安は、「何が事実か？（頭）」「何が有意義か？（心）」「何が有効か？（手）」のうち、どの領域の問題だろう？
2. 相手にも同じ質問をする。答えは同じ？　それともちがう？
3. お互いが不安を感じている内容を声に出す（これには多少の時間がかかるので、心が落ち着くという効果もある）。お互いの答えを繰り返して、あなた自身や相手に新しい連想が生まれるかどうかを確かめてみよう。
4. 相手の不安に共感できないか、確かめてみる。より認知的不協和が強く、相手の助けが必要なのはどちらだろう？

「何が事実か？」の問題だということで意見が一致したら、こんな疑問について考えるといい。

・この疑問に答えてくれるような、ふたりの信頼する情報源はないか？
・信頼できる情報源の条件は？

「何が有意義か？」の問題だということで意見が一致したら、こんな疑問について考えるといい。

・この問題が私たちにとって重要な理由は？
・過去のどんな経験がきっかけで、こうした嗜好や価値観が身についたのだろう？

「何が有効か？」の問題だということで意見が一致したら、こんな疑問について考えるといい。

・何もしなかったらどうなるか？
・お互いの提案する行動がもたらす結果について、どれくらい確信があるか？

もうひとつ、注意しなければならないのは、部屋（仮想的な部屋の場合も含む）全体の不安（つまり認知的不協和）のレベルだ。人々の経験する認知的不協和の度合いは、その集団がどれくらいベーグルにこだわりを持っているかとかかわっている。ニューヨーカーたちはベーグルの品位が〝汚される〟のを心配するあまり、自分たちの嗜好が脅かされたとたんにカチンと来るかもしれない。ベーグルに対して中立的な集団の人々（私もそのひとり）は、たいした認知的不協和を感じないかもしれない。ベーグル・スライスに前からなじんでいる人々（セントルイスの住民など）は、単純接触効果（人間は自分の慣れ親しんだものを好むという傾向）により、ベーグル・スライスに対する認知的不協和がすでに低減されているので、なんとも思わないかもしれない。

　条件づけや否定以外に、認知的不協和を低減する第三の方法がある。それは、新しい情報を通じて自分の見方を改めるというものだ。「ベーグルをパンみたいに切ったっていいじゃない。ベーグルの切り方なんて人それぞれなんだし」という反応は、社会的ゲームではあまり見かけない。面白味がないからだ。

　ベーグルのツイートを見たときの私の最初の反応は全否定だった（「ありえない。気持ち悪っ！」）。私は面白いツイートをいくつかお気に入りに保存したけれど、そのときは自分では何もツイートしなかった。次に同じツイートが目に飛び込んできたとき、私は一回目には見逃していた事実に気づいた。それはセントルイス特有のブームだったのだ。その瞬間、シアトルで起こった同じくらい奇妙なブームを思い出した。あるとき、ホットドッグの売店がホットドッグにクリーム・チーズを乗せて売りはじめると、私は夜の締めにそのホットドッグを楽しむようになった。

だからといって薄切りベーグルを食べたいとは思わなかったけれど、端《はた》から見るとおかしなローカル・ブームなんていくらでもあると気づかされた。このちょっとした共感のおかげで、私は自分の考え方に条件づけができるようになった（「ほかの人々がこういうベーグルの切り方をするぶんには、たぶん気にならないと思う」）。そして最終的には、自分の考えを改め、ちがいの存在自体に価値があると思うようになった（「世界は広いんだから」）。これは心のなかの認知的不協和を和らげるひとつの方法だけれど、よくよく考えてみれば、完全に無害な他人の行動をそのつどいちいち認めなければならないというのは、変な感じではないだろうか？

私の反応は、私自身が最初に感じた不安レベルの部分的なはたらきによるものだといえる。私はニューヨーカーじゃないし、そこまでベーグル・マニアでもないから、不安を解消するのにそう苦労はしなかった。もともとの認知的不協和の度合いが低ければ、誰かに助けを借りなくても、「何が有効か？」という疑問だけで不安が解消できることもある。もともとの認知的不協和の度合いが高い場合は、それだけでは足りず、対立している人々どうしで不安を解消する別の策を探しつづけなければならないこともあるだろう。

ジョークや社会的ゲームは、その負担を減らす絶好の手段になる。残念ながら、嘲笑、侮辱、否定も一時的には認知的不協和を低減する。この方法は、私たちを巻き込み、その不安のそもそもの種になった通信プラットフォームに依存させるための集団的な戦略なのだ。これらの通信プラットフォームでミーム文化が突如として芽生えたひとつの理由はここにあるのかもしれない。

全員がそうしたネットワークを使って不安を和らげている一方で、不安にさらされる可能性を自分から高めているとしたら、そこには成長という正のフィードバック・ループが生まれる余地がある。

さて、不安のレベル（1～5）と不安の種類（頭、心、手）について話すための言語が手に入ったところで、次は、認知的不協和を和らげるのに、そもそもの認知的不協和を生み出すツールに頼りすぎてしまうクセから脱却する練習をしてみよう。

まず、不安の火花に目を向ける

ある日、妻のケリアンヌから、子どもの学校の休みの日を家族カレンダーに書き込み忘れていたことを知らされた。つまり、その日、ニコが思いがけず家にいることになったのだ。私はいつもどおり仕事に行く予定で、妻にも大事な用事があったので、私が朝にニコの世話をし、数時間だけ出社を遅らせてくれないかと相談された。ニコは責任感の強い子だから、ひとりでお留守番をさせても大丈夫じゃないか、と私は答えた。きっと私の言い方があまりにも素っ気なさすぎたのだろう、こうしたときにありがちなように、八歳児をひとりきりでお留守番させることが合法なのかどうかで大ゲンカになった。

子どもをひとりでお留守番させるのは違法？

　もし不安の火花が散る様子を観察していれば、その日の仕事ができなくなる可能性に関して、レベル1か2の不安を感じていることに気づいただろう。私の最初の反応は、その可能性をすっぱり否定し、いちばん手っ取り早い解決策に手を伸ばすというものだった。ニコをひとりでお留守番させりゃあいい。問題解決だ（私にとっては）。

　が、ケリアンヌにとってはそうでなかった。意見の対立は解消するどころか、悪化する一方だった。

ケリアンヌ「ありえない！　そんなの違法でしょ。それに、ニコを家に残していると思ったら、気が気じゃない。だいたい、何か起きたらどうするのよ？　知りようがないでしょ？」

　もし不安の火花が散る様子を観察していれば、不安を和らげる私の戦略は、ケリアンヌには通用しないとその時点で気づいただろう。それだけでも、ケリアンヌには別の答えが必要だということをとっさに悟ったはずだ。それもそのはずだ。私の不安の根源は、「仕事ができなくなるかも」という心配だったけれど、ケリアンヌの不安の原因は別のところにあった可能性が高いからだ。この時点で、彼女の不安の矛先に目を向けていたら、意見の対立の真の要因がもっと深くつかめただろう。少なくとも、私にしか成り立たない解決策を却下し、ふたりとも満足できる解決策を探しつづけていたと思う。その代わりに、私の解決策がカリフォルニア州で本当に違法なのかどうかという新たな言い争いを始めてしまった。それが彼女の心配の種なのだと思い込んだまま……。

私「違法じゃないよ。まちがいない」

ケリアンヌ「いや、そういう問題じゃなくて。安心できないの。どうして一時間だけ家にいるのがそんなにイヤなのか、わからない。ニコが病気で休んだときだって、いつも面倒を見るのは私でしょ。一回だって協力してくれたことがないわ」

私「家にいるのはかまわないけど、ニコだって一、二時間くらい留守番できるだろう？　もう一人前なんだから」

私は自分の不安の源に注目していなかったので、それがケリアンヌの不安の源と食い違ってい

バスターは協力的なパートナー？

いいえ
今のところは
「いいえ」寄りだけど、
でもね……
はい

るということに気づかなかった。だから、私の提案する解決策ではケリアンヌの問題は解決しないということがわからなかった。最悪なのは、彼女が話し合おうとしている点を無視して、彼女にとってどうでもいい言い争いを続けようとしたことだ。

こうした点にもっと目を向けていたら、ケリアンヌにとって、争点はカリフォルニア州の法律でも、ましてやニコをひとりでお留守番させることの是非でさえもないということに、すぐ思い至っていたはずだ。実際に妻が問題にしていたのは、私に家のことをする気があるかという価値判断のほうだったのだ。このことに気づいたときには（もう少し早く気づくべきだった）、私が今さら家にいると申し出たところで、会話はもう収拾のつかない状態まで悪化していた。私の全般的な態度や、さらにはコミュニケーション能力の欠如までが槍玉に挙げられる始末だ。

一方の人が巨大な不安の源に対処しようとしているのに、会話がその不安を解決するのに十分な戦略へと向けられていないと、十分な解決策が現われるまで、意見の対立はどんどんエスカレートしていく。過去のケンカや他人との比較を持ち出してきたり、怒鳴る、罵《ののし》る、キレる、否定する、といった不健全な解決策に頼ったりして、不安を抑えようとしてしまう。

この私自身のお恥ずかしい失敗例は、特に〝合理的〟な討論に惹かれやすい人々が陥りがちなミスを示している。冷静な合理性を重視する人々は、年がら年じゅうこういうミスを犯している。それが実は意味、価値、目的にずっと深く根差した議論だということは、あらゆる感情的証拠が大声で叫んでいるのに、いちばん単純な議論の形式（「何が事実か？」）にこだわってしまうわけだ。情報に関する意見の対立は、飛び抜けて解決しやすい。真実の源は手の届く範囲に転がっているものだからだ。そこに手を伸ばせば、問題は解決、一件落着だ。でも、この単純な解決策は単純な疑問にしか通用しない。安易な答えに頼りすぎると、単純には対処できない因果関係のもっとあいまいで複雑な部分を見逃してしまう。個人的嗜好（なぜ私は家族よりも仕事を優先していたのか？）、戦略や実際性（ニコにお留守番させるのはこの状況で最善の選択か？）に関する議論は、私たちが普段認めるよりずっと多い。安易な情報中心の論争にこだわったせいで、私は残りの二種類の対立まで深めてしまった。私はいつだって仕事よりも家族を優先していると思っていたし、ケリアンヌに用事があるときは進んで留守をあずかってきたつもりだ。でも、実はそうじゃなかったことを自分の行動でもって証明してしまったのだ。

安易で的外れな論争に飛びつく前に、こう自問するべきだった。「私が家族に十分な貢献をできていない可能性はないだろうか？」。まちがいなくある。「ニコがひとりでお留守番するにはまだ早い可能性はないか?」。まちがいなくある。「このふたつの可能性を払拭《ふっしょく》するためには、どのような疑問を掲げ、行動を取ればいいだろう?」。これらの疑問こそ、私が一日後に頭のなかで今回の言い争いを振り返って得られた収穫だ。そして、それから数週間、ケリアンヌと今後について検討を重ね、ブレインストーミングを行なうきっかけになった。

こういう疑問を掲げることは、当時は自然にできることではなかったし、いまだにたくさんの会話のなかで少しずつ練習しつづけている。長い人生のなかで染みついてしまった会話のクセを変えたいなら、まずは、あなた自身の不安の火花に目を向けてみてはどうだろうか。

第2章　内なる声に耳を傾ける

内なる声とは、両親や社会全体から受け継いだ、不安に対するお決まりの反応。

あなたはワクチン接種の超賛成派で、全員が問答無用でワクチンを接種すべきだと考えている。そんなあなたが反ワクチン派に出会ったら、少し（ことによっては大きな）不安を感じるだろう。これを図で表わしてみよう。

これは認知的不協和を視覚化するひとつの方法だ。あなたの見方との食い違いが大きければ大きいほど、認知的不協和は大きくなる。ある意見に対して感じる不安の大きさが、その見方を抱いている人への印象を左右する。世論を二分するような話題について話し合うとき、自分がとうてい受け入れられないと思っている見方を持つ人を悪魔化してしまうことがあるのは、そういうわけなのだ。

もちろん、これは双方向に働く。二極化という性質からして、双方ともが相手側のスタンスを受け入れられないものだと強く思っている。ワクチン接種には有害なリスクがあると考える人は、

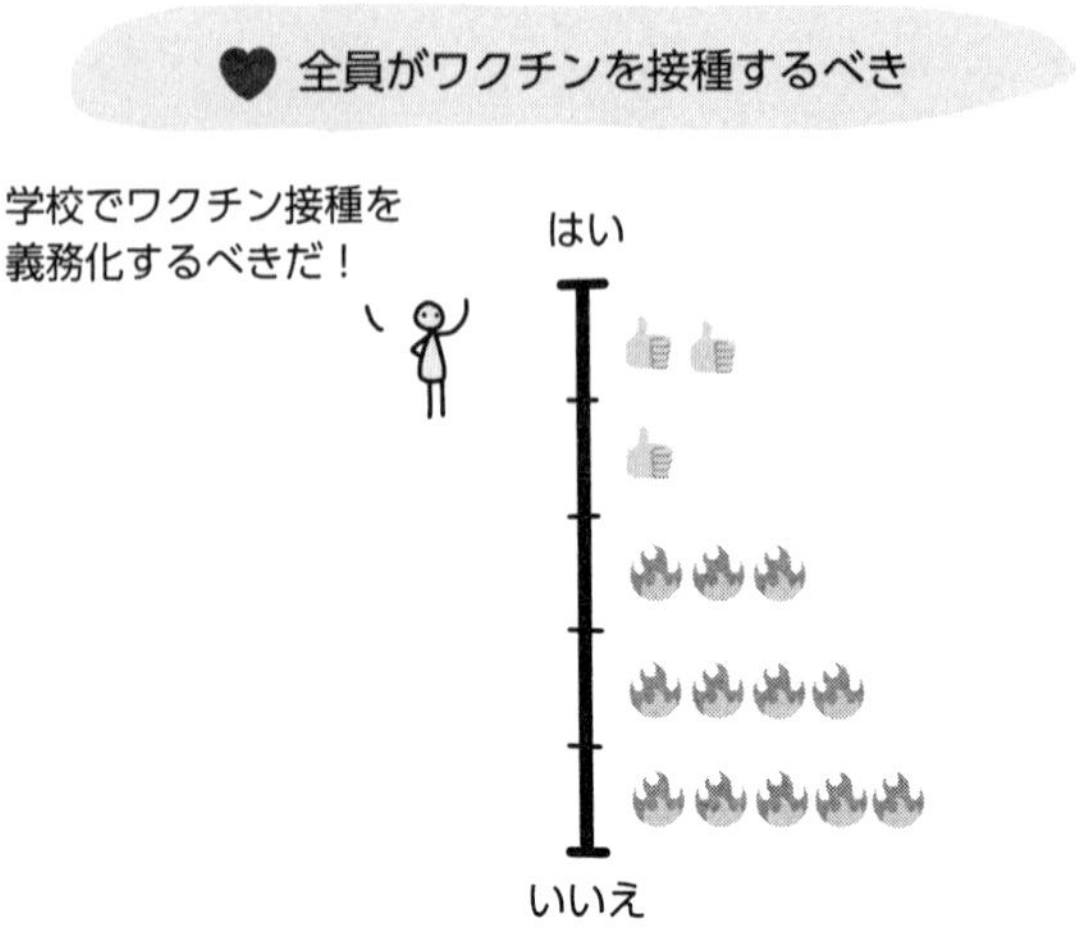
全員がワクチンを接種するべき
学校でワクチン接種を義務化するべきだ！
はい
いいえ

予防接種の問題について次ページの図のように感じているかもしれない（早い話、上の図の逆だ）。

ここでの目標は、たとえどちらの意見にも納得できないとしても、両方の立場から認知的不協和を視覚化してみることだ。この区別は大事だ。誰にだってワクチン接種の問題については持論があるし、どちらかの意見のほうがまともだと信じ込んでいる。それに、相手の議論を論破するだけの時間もたっぷりある。でも、その前に、まずは相手の議論をきちんと理解しておくことが役に立つ。そのためには視覚化が有効だ。

この最初のステップ、つまり相手の考えを〝内側の視点〞から理解するというステップは、相手を性急に悪と決めつけないためにも必要だ。いつの時点で、相手への共感を失っ

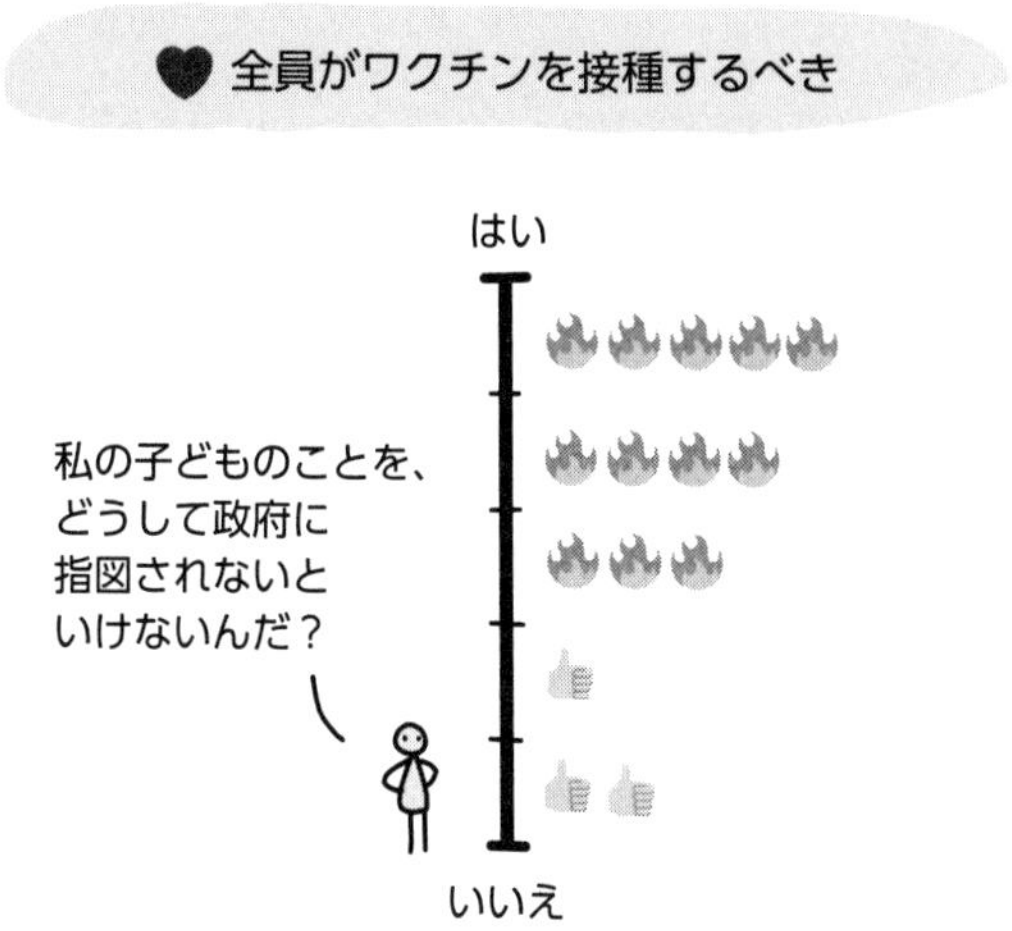
全員がワクチンを接種するべき
はい
私の子どものことを、
どうして政府に
指図されないと
いけないんだ？
いいえ

てしまうのか？　相手には自分たちのことがどう映っているのかをどれくらい深く理解しているだろう？　相手をすぐに悪と決めつけたりしないようにするには、そうした反射的な悪魔化が起こる場所、つまり自分自身の「内なる声」を理解し、そのステレオタイプが本当に正しいのかどうかをじっくりと確かめることが重要だ。

　ジャーナリストのイヴ・パールマンは、彼女のいう「対話型ジャーナリズム」を推進する新会社スペースシップ・メディアのCEOを務めており、世間を二分する話題に関して、フェイスブック上や実世界で双方の当事者どうしを結びつける実験を行なっている。[1]　初期の実験で、彼女はドナルド・トランプとヒラリー・クリントンへの投票者、それぞれ二五人ずつを一カ月限定のフェイスブック・グループに招き、双方に相手側が自分側をどう見ていると思うかを説明してもらった。[2] トランプ派はクリントン派から、「後退的で、田舎っぽく、頭が悪い」、「まるで歩く聖書みたいな信心深い人間」と見られていると思っていた。一方、クリントン派はトランプ派から、「クレイジー」、左翼的なカリフォルニア人、売国奴、金持ち、家族より仕事を優先する人々」と見られていると思っていた。

双方が双方とも、相手から悪魔化されていると思っていると、やり返してもいいと思ってしまう。この悪魔化のプロセスは、本来なら正しいのかどうかもわからない強引な見方を正当化するのに使われてしまうのだ。イヴの実験により、この冷淡で怒りっぽく意地悪なイメージが明かされると、一気に崩れ去った。思っていたほど相手が冷淡でも怒りっぽくも意地悪でもないということにお互いが気づき、悪魔化のプロセスが支配することはなくなった。

相手方への不公正なイメージは、心理学者で経済学者のダニエル・カーネマンがいう「システム1」の副作用のひとつにすぎない。システム1とは、ほとんどの意思決定を最小限のエネルギーで行なおうとする、すばやく直感的で感情的な脳のシステムのことだ。システム1は、思考の習慣や高速で信頼性の高いショートカット戦略に頼って物事を実行する。これはシステム2とは対照的だ。システム2はより熟慮的で論理的なゆっくりとした思考システムであり、大量のエネルギーを使う。私たちがふつう意識的な思考だと思っているものはこちらに該当する。[3]

そんなわけで、システム1が行なうすばやくお手軽で直感的な提案は、不安によって形づくられると聞いても驚かないだろう。ワクチン接種率が低いせいで、あるアメリカの裕福な町で麻疹《はしか》が大流行していることを聞いたワクチン賛成派の人の例でいうと、「彼らを私の家族からできるだけ遠ざけろ。それから、ワクチン接種を義務化しろ！」とシステム1は提案するかもしれない。ワクチン賛成派の人が、ワクチン反対派の人を子ども殺しだと言って責め立てると、ワクチン反対派の人のシステム1は、いわれのない誹謗中傷を避けるために逃げるよう促すだろう。内なる声はたちどころに湧き上がる。それがシステム1の仕組みなのだ。私たちの内なる声は反射的なもので、身の安全と関連する感情的で切迫した言明に満ちていることが多い。ステレオタイプや集団的なレッテル貼りを使って、脅威や機会と自分との関係を分類する。また、時の経過に目を向けないという特徴もある。今起きていることはずっと起きてきたことで、抜本的な対策が取られないかぎり、未来永劫、起こりつづけると思っている。また、力関係に対して敏感であり、自分と脅威との関係性に応じて、逃げるか闘うかの解決策を用いる。上司は怒鳴り声を上げて攻撃する。部下は安全な場所を求めて逃げる。親はおもちゃを取り上げる。子どもは泣く。

それでも、訓練を積めば、一歩下がってシステム1のメッセージに耳を傾け、それを命令ではなく提案ととらえられるようになる。自分自身との対話によくよく注目すれば、不安の火花から自然と湧き上がってくる思考や感情は、ただの内なる声にすぎず、最終結論なんかじゃないということがわかるだろう。本当に必要な思考や感情は、その先にあるはずだ。

四種類の内なる声

システム1には顔がある

大雑把にいうと、反射的な思考を吐き出し、私たちに対立のモードを指図してくる内なる声はぜんぶで四種類ある。どんな人の頭のなかにも、あらかじめプログラムされた内なる声があるけれど、このあとの説明はまったく科学的なものではないので、内なる声について話をしやすくするための雛形みたいなものと考えてくれたらうれしい。内なる声は文化、親、共同体、個人的な体験によって形づくられる。

私がここで紹介したい内なる声というのは、「権威の声」「理性の声」「回避の声」「可能性の声」の四種類だ。この四種類の声は、特に不安や認知的不協和が生じたとき、なんとかしてその不安を抑えようと大声で叫んでくるのだ。

権威の声

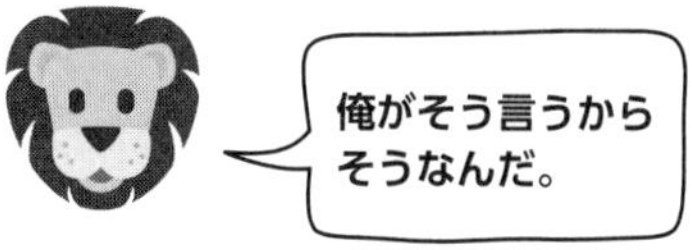

「力こそが正義」「イヤなら帰れ」「文句があるなら出ていけ」
「言われたとおりにしなさい」「これは命令だ！」
「話し合いの余地はない！」「やってもらう分際でうだうだ言うな」
「お前のものは俺のもの、俺のものも俺のもの」

権威の声は、私たちの頭のなかでいちばん原始的で古典的な声だ。意見の対立を強制終了という形で解決する。一方的に話を終わりにし、必要なら悪玉警官だって喜んで演じてみせる。何が誰のものなのかをめぐって対立があるなら、権威の声は「ボクのだい！」と叫び、相手の手からぶんどる。それでダメなら、噛みついたり引っ搔いたり、どんな手を使ってでも自分のものにしようとする。

権威の声を私たちの頭に植えつける文化的背景としては、こんなものがある。

・強さや力が進化上の利点であるという考え。
・孫子の兵法や軍事戦略全般。
・シリコンバレーの定番フレーズ「できるまではできるフリ」
・ナイキのスローガン「とにかくやれ《ジャスト・ドゥ・イット》！」

・砲艦外交。一九世紀の巨大帝国が力を誇示して弱小国家に譲歩を迫った政策のこと。この戦略は、「棍棒《こんぼう》を持って、穏やかに話せば、話はトントン拍子に進む」というセオドア・ローズベルトの有名なセリフに表われている。[4]

・「哀れなるかな、敗者よ！」

私の次男のルーイには、二歳くらいのころ、お気に入りのおもちゃがあった。ロージーというピンク色の列車だ。息子は朝に起きると、いのいちばんに「ピンクの汽車ポッポ〜！」と叫びながら、家じゅうを駆けずり回った。その声を聞くと、親の私たちは必死で最後にそのおもちゃを見た場所を思い出し、息子のところに持っていくのだ。息子がかんしゃくを起こして、壁を蹴ったり、ドシンドシンと家を揺らしたりする前に。人間の頭のなかには、生まれたその日から「権威の声」が刻まれているんだと思う。欲求を抱えた赤ん坊や幼児にデリカシーなんてものはない。もちろん、ルーイにとって、権威の声はまだ重大な脅威が迫ったときにだけ使うようにはなっていなかった。息子の大の仲良し（仮にエリーとしよう）が息子と一緒に近所の喫茶店でお昼ご飯をとっていて、たまたま息子の持ってきた列車で遊びはじめると、とたんに権威の声が姿を現わした。

ルーイ「ボクの列車だい！」

同じく二歳のエリーは、息子がレベル5の不安を感じていることには気づいていなかったけれど、ルーイの突然の怒鳴り声が引き起こした自分自身のレベル5の不安には気づき、こう言い返した。「私のだもん！」

息子はエリーがぎゅっと握り締める列車を力ずくで奪い返そうとした。エリーは叫び声を上げて息子の手をピシャリと払いのけた。この光景を目撃していた私が、親として取りうる戦略は？ひとつは、ケガがないようにだけは注意しつつ、子どもたちに自分で解決させるという方法だ。しかしもちろん、それはそれで不安だった。「静かにしなさい」と子どもたちを怒鳴りつけたほうがいい、と権威の声が私の耳元で囁いていた。そのことに気づくくらいの思考能力はまだ残っていたのだ。でも、それは唯一の声ではなかった。実際、権威の声を黙らせることに特化した声が存在する。それは、次のセクションで紹介する「理性の声」だ。

権威の声は究極の紛争解決戦略といえる。純粋な力には逆らえないから。それが権威のそもそもの存在意義だ。議論を強制終了し、対立をあなたにとって望ましい形で終わらせる。それは進化上まちがいなく有利になる。

権威の声は一対一の戦い以外でも役に立つ。全体主義的な独裁国家は、この戦略を用いて反体制派を黙らせ、時には粛清《しゅくせい》して、国を治める。革命家もまた権威の声を用いて独裁者を転覆させ、国を一からつくり直す。権威の声の唯一の欠点は、必ず戦いが起こり、双方が傷を負う可能性があることだ。なので、権威の声はほぼありとあらゆる対立の解決に使える昔ながらの戦略だけれど、それと同時にいちばん代償の大きな戦略でもある。権力者がすべての反対派と戦わなければならないとしたら、頻繁な交代なしではとうていやっていけない。そこで「理性の声」の出番となる。理性の声は、対立に効率性や計《はかりごと》をもたらす可能性を秘めている。

あなた自身やほかの誰かが「この話はもうおしまい！」「これで終わり！」「ダメと言ったらダメ！」と言うのを聞き、発言者がその権限を行使できる立場にいるとしたら、その人は権威の声を使っていることになる。危険な思想や人物の妨害、検閲、追放に頼っているとしたら、やっぱり権威の声を用いている。もちろん、こうしたやり方にはまちがいなく満足感があるし、あなたにとって有利な裁定で非生産的な対立を終わらせることには即時のメリットがあるけれど、その反面デメリットもある。

理性の声

「どうして？」「証拠は？」「証明してよ」

「それじゃつじつまが合わない」「公平に行こう」

「私が決めたわけじゃない」「そのやり方は正しくない」

理性の声は、文字どおり「理性」を使って話し合いを終わらせるためにある。理性の声は実力行使と同じくらいシンプルなこともあるけれど、ふつうは大義、常識、伝統、慣習など、純粋な力ではなくてなんらかの上位権力に頼ることが多い。理性の声は権威の声のアップグレード版と考えていいだろう。戦わずして勝てる場合もあるからだ。ただし、権威の声を使ってくる人に有効だという保証はない。

鷹と夜鶯《よるうぐいす》の寓話は、この原則を見事に示している。その寓話とはこうだ[5]。

あるとき、鷹が自分よりもずっと体の小さな夜鶯をつかまえた。すると、夜鶯は大きな鳴き声を上げて抵抗する。「哀れな夜鶯よ、何を鳴いている？　私はお前なんぞよりもずっと強い。その気になれば食ってしまえるのだ」と鷹は言う。その鷹は権威の声の権化《ごんげ》だ。

非力《ひりき》な夜鶯は理性に頼り、鷹にこう懇願する。「待ってください！　私じゃ体が小さすぎて、あなたみたいな大きな鷹の食欲は満たせないでしょう。どうです？　離してくれたら、きれいな歌声であなたを幸せにしてみせましょう。そのあと、あっちの大きな鳥を食べるんです」

鷹はこう答えた。「面白い提案だ。だが、お前で腹を満たすほうがいい」

この話の教訓は、「空きっ腹に聞く耳なし」ということだ。たとえ、夜鶯の美しい歌声をもってしても。理性の声はこの問題をどう解決するのか？　答えは単純。数の力だ。

この夜鶯のような鳥が今日《こんにち》まで生存しているのは、鷹に対して有効な防御策を持っているからだ。それはモビング（擬攻撃）と呼ばれる社会的行動だ。鷹が縄張りに入ってくると、それを目撃した最初の鳥がモビング・コールを発する。いわば、ほかの鳥たちに危険を知らせる警報のようなものだ。すると、鳥たちは集団で捕食者に群がり、強制的に追っ払う。力を合わせれば、鷹よりも強くなれるからだ。

理性の声は権威の声の上に築かれ、何よりも権威の声の改良版としての役割を果たす。理性の声はいったん権力の地位を確立すると、権威の声のように絶え間なく戦うという高い犠牲を払わなくてもその権力を維持できるように、上位権力（宗教的なシステム、法体系など）を築けるようになる。この理性という上位権力は、ふたつのことを同時に成し遂げる。ひとつは集団の結束を保つこと（集団は外部の脅威から身を守る盾になるため）。もうひとつは集団を傷つけることなく、集団内部で紛争を解決することだ。

権威の声の改良版として理性の声を使う機関として、次のようなものがある。

・**宗教**　精神的な報酬を得る条件として、誠実な信徒であることが求められる信念体系。理性が崩壊すると、極端な暴力主義に走ることがある。

・**民主主義**　市民が投票によって権力を行使し、市民としての規則に従うという同意によって恩恵を得る統治システム。理性が崩壊すると、革命に頼ることがある。

・**資本主義**　あらゆるものがお金を通じて取引され、その価格によって評価される経済および政治体制。理性が崩壊すると、制裁、買収、ロビー活動、脅迫、賄賂に頼ることがある。

・**科学**　観察、実験、再現を通じて得られる知識や意味の体系。理性が崩壊すると、技術戦争や経済戦争に頼ることがある（今までのなかではいちばん紳士的な手段だけれど、おそらくいちばん効果がある）。

これらの機関に共通しているのは、権力のシステムの上に築かれた合理性のシステムが内部に存在することだ。いずれのシステムにも、何が合理的で何が合理的でないかに関する根本的な信念や付随的な前提がひと通り揃っている。こうしたシステムは、それを信じる人たちにとっては自明で、システム内部では一貫性があるように見える。しかし、何が合理的で許容可能かは、機関によってまちまちだ。ある科学機関の内部では完璧に合理的な命題であっても、ある宗教機関に属している人や、あるいは別の科学機関に属している人にとってさえ、まるで非合理的に見えるかもしれない。

　これらの機関は、内部の合理性のシステムに従う見返りとして、集団のほかのメンバーたちと協力し合うためのツールやインセンティブという形の保護をメンバーに与える。理性の声を使って対立に対処するとき、最大の罪は集団への裏切り行為であり、その究極の罰は集団からの追放だ。たとえば、もし企業が法律で定められた税率に納得せず、政府への税金の支払いを拒めば、そのうち店をたたまざるをえなくなるだろう。カトリック教会の司教がローマ教皇の権威に楯突けば、そう長くは司教でいられない。従業員が勤務時間を守らなければ、近いうちに解雇されるだろう。

　集団内で理性の声の力を高めるメカニズムには、最大の欠点もある。集団内で対立を解決するときと、集団間で対立を解決するときとで、別の戦略が必要になるのだ。理性に基づく集団は、こちらの主たる権力システムを尊重しないほかの集団とは、生産的対立《プロダクティブ・ディスアグリーメント》を実践する余地がない。また、集団外部の人に影響を及ぼすのに、「追放」という最大の罰を用いることもできない。外部の人々はそもそもメンバーではないからだ。

理性の声は、同じ集団に属する人々に語りかけたときに効果を発揮する。

ルーイとエリーがピンクの列車を奪い合っていたとき、理性の声は私たちみんなが属する共通のコミュニティという上位権力に訴えかけることができただろう。その上位権力というのは、いわばその集団内部の全員にとっての文化的規範や〝お行儀〟みたいなものだ。

私がルーイとエリーのケンカを目撃していたとき、理性の声はこんな文化的規範を使ってケンカを仲裁してはどうかと私の耳元に囁きかけてきた。

・みんなで共有する
・順番を守る
・似たようなおもちゃを見つけて遊ぶ
・怒鳴らない
・叩かない

私「ルーイ、いい子だから、エリーにもその列車を使わせてあげてよ」

ルーイ「やだ！」

効果ゼロ。まあ、しょうがない。次に、私は部屋を見渡して、別の列車やおもちゃを探してみた。きっと、エリーは三〇秒もしないうちにピンクの列車に飽きるだろうから、それまでルーイに別のおもちゃで遊んでもらったらどうか。でも、ルーイが持っているのはピンクの列車だ。この世にたったひとつだけの。そうなると、この作戦もうまくいきそうにない。ルーイにとってはほかのおもちゃじゃダメなのだ。なら、エリーは？　何ならエリーの心を買えるだろう？　そのとき、エリーがイチゴ好きなことをふと思い出した。私は元気いっぱいのあやし声をつくって、言った。「ほうら見てごらん、ここにイチゴがあるよ。エリー、食べるかい？」

エリー「うん」

ルーイは、どうしてエリーだけイチゴがもらえるのかと思ったのだろう、突然、遊びの手を止めた。ふたりがイチゴを夢中で食べているあいだ、私はピンクの列車をこっそりと奪い取った。

この光景を端《はた》で見ていた人は、その人が身につけた喫茶店での行動規範に応じて、人それぞれの反応を示しただろう。「喫茶店は子どもが来るところじゃない」派の人はどちらかというと迷惑に感じただろうし、「喫茶店に子どもがいたっていい」派の人はほほえましい光景だと思ったはずだ。しかし、私の連れてきた子どもではなくて、赤の他人の子どもに許可なくイチゴを配って回ったら、どんな反応が返ってくるだろう？　まったく別の規範が働いて、人々の許容範囲を超えた行動と見なされてしまいかねない。あるいは、重大なビジネス目標に関する言い争いをやめさせるために、取締役会議にイチゴを持っていったら？　理性の声は、集団の構造や参加者の文化的規範の内部だけで働くものであり、その集団に浸透している文化的規範の外側で問題に対処しようとしたとたん、完全に崩壊してしまうのだ。

重要な取締役会議で、理性の声が提案する介入方法は、次のようなものになるだろう。

・提案された解決策のひとつを実証（または反証）するためのテストを行なうことに同意する。
・上位権力に訴え、双方が信頼する意思決定者に裁定を下してもらう。または、会議後に引き続き提案を行なえるよう宿題事項《アクション・アイテム》を決める。
・プロジェクトの勢いを削ぐことなく、反対意見を安全な形で記録できるよう、一方の当事者が妥協し、「反対したうえでコミットする」。

こうした介入方法は、イチゴを配るのとはちがうけれど、喫茶店の子どもたちが従っている「みんなで共有する」「順番を守る」「上の判断を仰ぐ」といった基本的な規範に訴えかけている点は同じだ。

理性の声のメリットは、文化的規範を共有し、同じ上位権力を信頼していれば、暴力に頼らずに見方の食い違いを解消するためのツールが山ほどあるという点だ。デメリットは、文化が変容したり、集団が拡大、縮小、またはなんらかの形で進化したりすると、それまで広く受け入れられていた文化的規範が急に主流でなくなり、使い物にならなくなるという点だ。たとえば、少し前まで、親が行儀の悪い子どもを叩くのは、公衆の面前でさえ認められていた。企業にはびこる女性蔑視を野放しにするのもまかり通っていた。

その喫茶店で、私がイチゴではなく叩くという手段に頼っていたら、まわりの人たちからまったくちがう反応が返ってきただろう。同じように、職場環境において何が受け入れられるかは、今やたったひとつの共通のコンセンサスで成り立っているわけではない。そして、受け入れられる行動と受け入れられない行動に関して、より健全な文化的規範を築くための議論は、あちこちで行なわれている。過去には許されていた行動を、一線を越えたものとして否定することさえあるだろう。現代世界ではいろいろな文化的伝統や規範の混合が進み、かつての声なき少数派に発言権が与えられるようになり、まわりの全員が自分たちの規範をふつうと考えているとは言い切れなくなってきている。合理的な人間が「受け入れられる」と考えるものは、いわば動く標的であり、全員がこうした境界の再定義を認めるより道はない。反面、その境界というのはコンセンサスによって引かれるものであり、普遍的で絶対的な道徳観によって形成されるものではない、ということもわかる。

すべての理性の声が届くたったひとつの客観的な権力機関なんていうものは、残念ながら存在しない。科学研究で人生の目的についての葛藤が解消できないのと同じで、法廷の規範では人間関係における対立は解決できない。規範どうしのぶつかり合う集団の垣根を越えて、理性を適用しようとすれば、怒鳴り合いや不満へとまっしぐらだ。そうして最後には、徒労感だけが残る。

ここでの教訓は、理性の声には、上位権力の判断を仰ぐ過程で、信頼できる権威の声が必要だということだ。理性の声は、理性が頼りにする上位権力に対して共通の信頼を持っていて、同じ集団や機関に属している人々との意見の対立を解消するのにいちばん向いている。理性の声がうまく機能していないときは、まず自分と相手の両方が共感できる集団を見つけよう。そのうえで、ふたりの解決しようとしている認知的不協和がその集団のうちの少なくともひとつにとって大きな懸念であるということを確認し合うといいだろう。

さて、そこで登場するのが三番目の声、「回避の声」だ。二極化した現代社会では、回避の声にますます頼りがちになっている。権威と理性が通用しないなら、会話自体をまるまる避けるのが、残された唯一の道というケースもあるのだ。

回避の声

「唯一の最善手は、何もしないこと」
「遠慮しておきます」
「私は関係ないから！」

人との議論や意見の対立に興味を持っていると言うと、いちばんよく返ってくる反応は、「なるべくなら議論は避けたい」というものだ。その気持ちがわかるとしたら、あなたは例外ではない。いやむしろ、物言わぬ多数派の一員だろう。これは「対立回避型」の人々の常套手段だ。この用語は人によってよい意味にも悪い意味にもなるけれど、とりあえずここでは、みんながある程度は使っている地味だが効果的な戦略を表わす中立的な用語だという前提で話を進めよう。

対立回避型の人々は、権威の声や理性の声の欠点に気づき、そもそも対立に参加すること自体を拒否することで、対立へと対処することを選んだ人たちだ。「戦いたいなら、どうぞご勝手に。でも、私は巻き込まないで！」。職場でちゃんと仕事をしていない人を見かけたけれど、何も言わない。パートナーのタオルのたたみ方が気に食わないけれど、黙っておく。クリスマス・ディナーの席で親戚が人種差別的なことをベラベラとしゃべりはじめたけれど、黙らせたり道理立てて説得したりはせず、聞こえないフリをする。出馬した政治家が両方とも嫌いなので、選挙に行かない。どの選択肢もイマイチに見えると、回避の声が「黙っていたほうがいい」と大声で叫んでくる。すべての選択肢が同じくらい悪く見えると、何もしないのが唯一の正気の選択に思えてくるのだ。

『代書人バートルビー』は、『白鯨』でおなじみのハーマン・メルヴィルによる比較的無名の短篇小説だ。[6] 当初、主人公のバートルビーは質のよい仕事をバリバリとこなすのだが、ある日、文書の校閲を手伝ってほしいと頼まれると、ただ「遠慮しておきます」とだけ答える。たちまち、彼はどんな要望にもこの言葉で答えるようになる。上司にとってはうんざりなことに、彼はみるみる仕事をしなくなり、しまいには事務所の窓かられんがの壁をボーッと眺めること以外、何もしなくなる。語り手は何度もバートルビーを説得し、彼について知ろうとするが、ことごとく徒労に終わり、結局はあきらめてしまう。明らかに、バートルビーは対立回避戦略を絵に描いたような人物だ。とりわけ、権威の声や理性の声を通じて対立に挑もうとする人に対して、回避の声で対応するのが実はどれだけ効果的なのかを、ユーモラスに描き出している。

　回避の声は経験によって獲得する声だ。まだ二歳のルーイがおもちゃをひったくられ、今はもうこの件でケンカするのをやめておこう、と決心するなんて考えにくい。

　回避の声が権威の声や理性の声と一線を画すのは、身を隠すその能力だ。回避に関する表立ったルールなんてないし、ルールを破ったことへの罰則もない。対立回避を基本理念《コア・バリュー》として会社の壁に描いたり、年次の対立回避会議やらワークショップやらを開いたりするフォーチュン500企業なんて聞いたこともない。それでも、『見て見ぬふりをする社会』[7]の著者のマーガレット・ヘファーナンによれば、「職場の人々が持ち出すのをはばかっている問題はありますか？」とたずねると、八五パーセント以上の従業員があると答えるという。[8]

対立を回避するという選択は、回避した人自身にとっても大きな代償をもたらす。かつてのスウェーデンの中立主義的な政策は、一国が集団的な回避の声に耳を傾けることを選んだ最近の事例だ。スウェーデンがこの立場を取ったのは、ナポレオン戦争で敗北し、フィンランドを含む領土の三分の一をロシアに割譲したことによる。しかし、第二次世界大戦でナチス・ドイツに港へのアクセスや一部の資源を与えることになり、その中立主義的な姿勢に猛批判が集まると、スウェーデンはＮＡＴＯの加盟国になることを選んだ際、中立主義政策の一部をひるがえした。最終的には、回避の声もほかの声と同じように説明責任が求められるのだが、それまでにちょっとした時間差がある。回避の声は、短期的な結果を最適化するためのひとつの方法にすぎないのだ。

スウェーデンの歴史の例で見たように、回避戦略がもっとも有効なのは、かかっているものが小さいときだ。世界が文字どおりの戦争状態にあるわけでも、自分が完全に不公平な要求を突きつけられているわけでもないかぎり、対立に加わらないという選択は、対立好きな人々を不快にさせること以外、たいした悪影響を及ぼさないだろう。何を言っても変わらないと思うなら、何も言わないでおこうと思うのが人間の性《さが》だ。どうせ同じ結果になるなら、やきもきしなくてすむほうがいい。

この戦略の唯一の問題は、回避したからといって肝心の問題自体が解決するわけではないという点だ。いつの間にか問題がなくなることを期待して、対立をまるまる回避するだけなので、問題はしばらく身を隠している。回避の声は、地中の奥深くに隠れ、根を張り、芽を出すタイミングを密かにうかがっているカタバミの根っこに似ている。回避という戦略は生産的対立の技法にとって重要とはならないけれど、正しい方向性を指し示している。権威の声や理性の声が通用しないこともあると認めているからだ。必ずや、もっとよい方法があるはずだ。そして、実際にある！　それは……。

四つ目の声

これまでの三つの基本的な声（権威の声、理性の声、回避の声）は、どれも私たちの文化から受け継いだものだ。どの声を使っても、その場の対立を部分的に収めることはできるけれど、茎を持って雑草を引っこ抜くのと同じように、その解決策は一時的なものにすぎない。どの声も影の副作用をもたらす。その副作用はいつまでも居座り、やがて不死鳥のようによみがえって、これまでの進展をぜんぶチャラにしてしまう。

権威の声はいろいろな選択肢の検討を妨げるので遺恨《いこん》や二極化を生み出してしまう。排除された選択肢は永久に消えるわけではない。見えないところにじっと潜んでいて、機会が訪れたとき、いっそう強力な形となって戻ってくるのだ。

理性の声は、実用性や効率性の名のもとで近道をし、高コストで影響の小さい問題は後回しにしてもいいと考える傾向がある。ビジネスの世界では、この欠陥はカット・ラインという形で姿を現わすことが多い。カット・ラインを上回るものは人材や予算を割り当てられ、実行に移される。カット・ラインを下回るものは翌四半期の計画プロセスへと延期される。個人のレベルでいうと、理性の声は、自分の弱みを克服するよりも強みを最大限に伸ばせ、という定番の単純なアドバイスに集約されている。制約が多く、競争の激しい環境では、これは完全に合理的な計

目に見える世界
もう何年もこのヤクの毛を刈っていないけど、もう一、二年待てるよね？
たぶん。
冗談じゃない！
隠れた世界

画だ。それでも、優先順位の低い問題や克服されていない弱みが少しずつ積み重なり、融合し、新たな枝葉を伸ばして、いっそう強力な形となって舞い戻ってくるのだ。

対立と向き合わずに対立を避けようとするのは、一時的には対立の不安を和らげることになったとしても、根本的な問題の解決にはならない。

この三つの戦略は、何千年も前から人間の意思決定を突き動かしてきた。すると、副作用や優先順位の低い問題は長い時間をかけて積み重なり、いっそう解決が難しくなった。さらに、現代世界は毎日のように問題に見舞われている

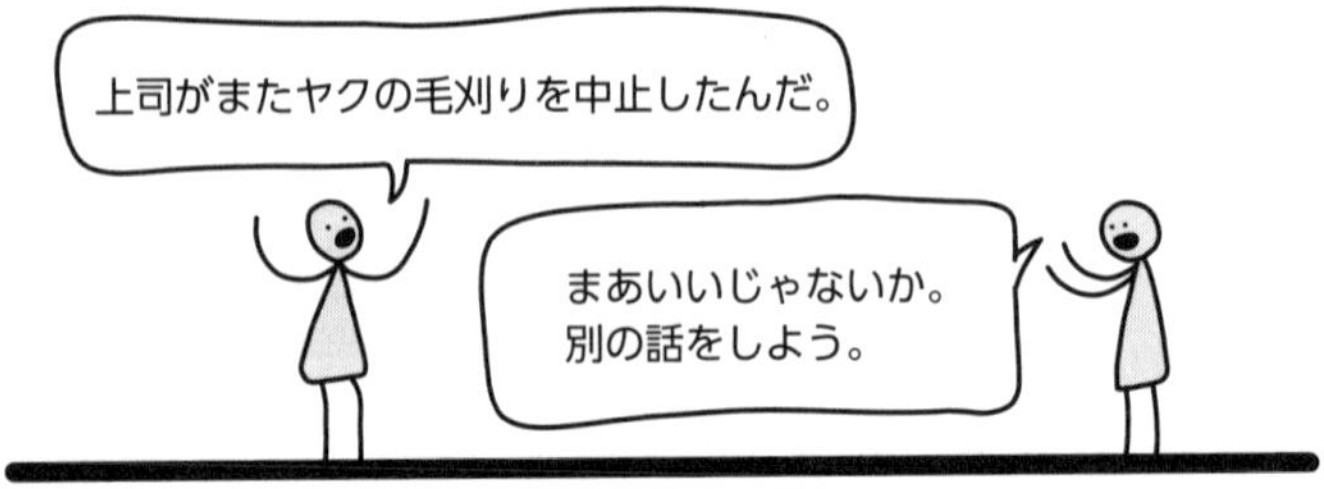
上司がまたヤクの毛刈りを中止したんだ。
まあいいじゃないか。
別の話をしよう。

ように見える。気候は変動し、テクノロジーは私たちの注目を細分化して売り、住宅ローン、教育費、医療費はうなぎのぼりになるなか、給料はどんどん減っていっている。私たちの物理的空間やネット空間は、日に日に失礼な言動、不安、怒りで満ちていっているようだ。そして何より、私たちは意見、経験、価値体系の異なる人々と、大事な問題について侃侃諤諤《かんかんがくがく》の議論をする能力を失ってしまった。

対立の解決をすっぱりあきらめてしまったせいで、おおいなる移住が起きている。私たちがかつて愛したコミュニティ、空間、会話の場がすっかり有害で不愉快な場所、ひどいときには危険な場所へと変わった結果、多くの人がそういう場所からの脱出を本気で検討したり、すでに実行に移したりしている。そう考えると、火星への入植が日に日に望ましい選択肢のように思えてくるのは、なんら不思議ではない。

私たちは、自分自身の運命や日々の現実への対処能力に不安を抱いている。かつての自分に戻るため、私たち自身にもっと時間をかけなければならないと気づきはじめている。それでも、私たちは賢くなっているわけでもないし、それどころかこの問題の解決の糸口に少しずつ近づいていっているわけでもない。なぜか？　この問題について話す手段さえ持ち合わせていないからだ。増えるのは怒鳴る機会だけ。誰かに面と向かってではなくとも、枕に顔をうずめて。

可能性の声

「何を見逃しているだろう？」「ほかに考えられることは？」

「今あるものでほかに何ができるか？」

「ほかに新しい見方を提示してくれる人を会話に招けないだろうか？」


四つ目の声、その名も「可能性の声」は、最初の三つの声とは異なる方法で対立と向き合う。私たちの議論のしかたは今やうまく機能していない。そこで、今日《こんにち》の会話の環境に備えた新しい会話や心の習慣が必要になる。最初の三つの声は、対立を問題とみなして、対立を解決しようとするけれど、可能性の声は対立を生産的なものにしようとする。ちょうどガーデニングの達人が、雑草は愛されていない花にすぎず、おいしいパイの材料となる甘い甘い木イチゴをつけることもあると気づくのに似ている。

対立は、丁寧に耕してやれば、庭へと受け入れられ、すっかり庭の一員となった木イチゴのようになる。水を与えられ、たっぷりと栄養を吸収し、健康になって、自らの役割を果たせるようになる。庭によっては、木イチゴは全面戦争の理由になる。ほかの植物をすべて犠牲にしてでも、この有害な植物を根絶やしにしようと考える理由になるのだ。でも別の庭では、木イチゴは主役かもしれない。木イチゴと戦うのではなく、共存する方法はある。木イチゴとの戦いを、木イチゴ、庭、家主の三者にとってメリットのある協力関係へと変えることはできるのだ。そうなれば、木イチゴを引っこ抜く理由なんてもうなくなるだろう。

権威、理性、回避の三つの声は、対立を根絶やしにする方法を見つけることを私たちに習慣づけてきたけれど、可能性の声は逆にそうしないよう私たちにはっきりと促す。安易な解決に飛びつくのを思いとどまり、対立を生産的なものへと変える別の方法を見つけるよう促すのだ。可能性の声は、意見の対立を私たちのまだ理解していないことがあるというサインととらえ、単純に対立を取り除こうとするのではなく、対立から何かを学ぼうとする。私たちの対立解決の習慣や、それに伴う会話の習慣は、リスクを冒すことよりも短期的な勝利のほうがずっと重視される環境から進化してきた。その短期的な勝利、つまり

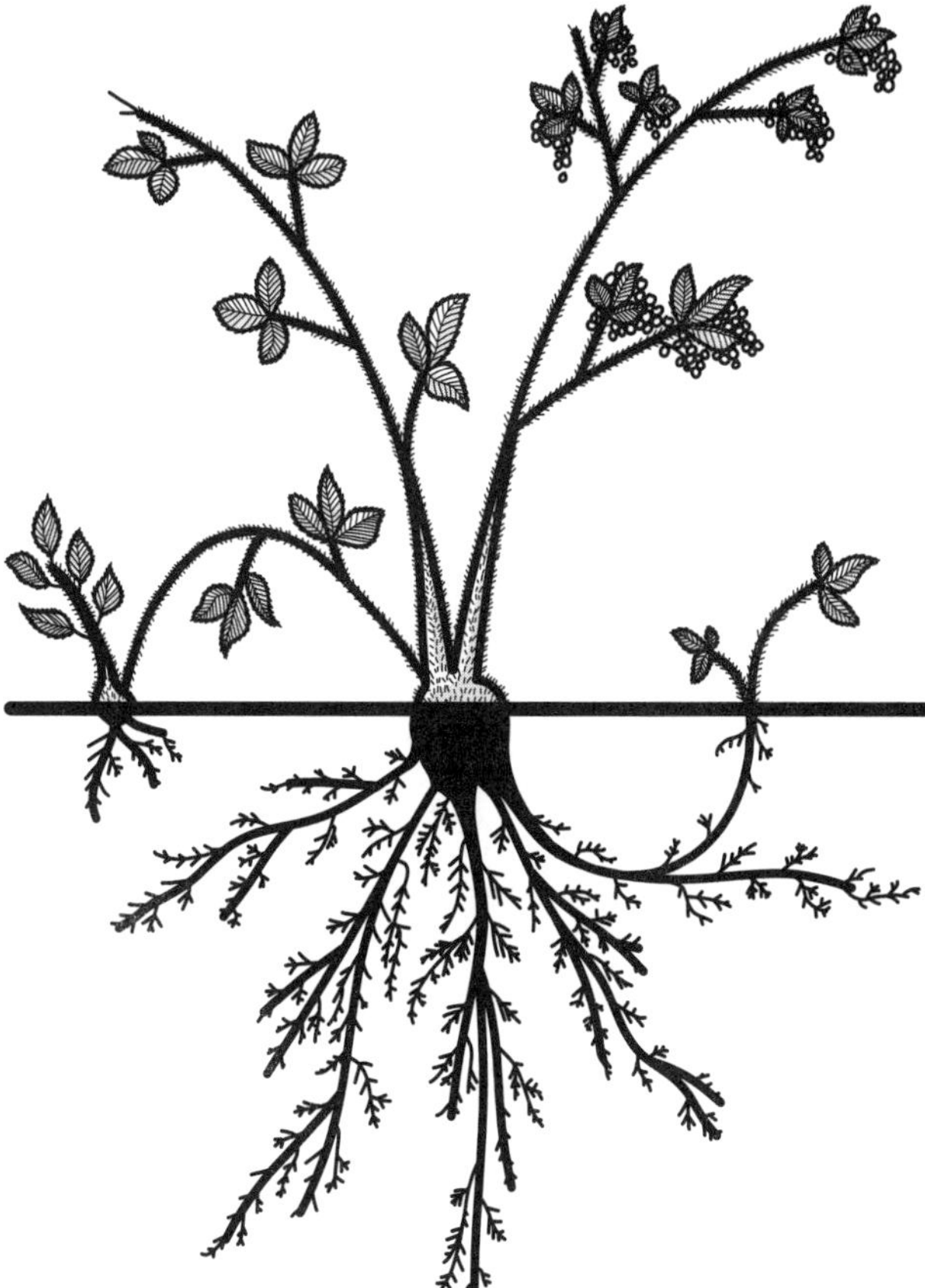

対立の解決こそ、本書で私たちが疑いはじめているものだ。私たちが収穫しようとしている対立の果実は、決して「解決」という果実ただひとつなんかではないからだ。

実際問題として、可能性の声は、意見の対立を足がかりとして、不協和の根源を探す。そして、意見のちがいが存在するという事実に驚かなくなるまで、深い好奇心をもってほかの見方を探っていく（たとえその見方が自分と食い違うものであっても）。

文句があるなら出ていけと人々に命じる代わりに、あなたの意思決定プロセスの背景をきちんと示し、その欠点や改善点を指摘してもらう。

難しいプロジェクトを先延ばしにする長所と短所を合理的に説明する代わりに、どうすれば既存の制約のなかで、共通の目標に向かって前進できるかを提案してもらう。

あなたのパートナーがしつこく持ち出してくる慢性的な不満に関係する愚痴を無視する代わりに、その不満を深く掘り下げ、愚痴の根底にある本当の願望を理解する。

腰や腕をギシギシいわせて庭の木イチゴと格闘する代わりに、木イチゴをベリー・パイへと変える方法を考える。

ストア哲学には、可能性の声を一言で言い表わした格言がある。「障害こそ道なり」だ。

まずは、対立を解決しようとする人々や回避しようとする人々が認めたがらない事実を認めよう。短期的な勝利では世界の政治的分断を埋めることはできないし、気候変動に関する議論をすべて封殺して、自分たちの解決策を押し通しても、気候変動の問題は解決しない。現在提案され

邪魔な岩だ！
粉々にしろ！
財宝の一割を
報酬にして、
岩をどけてくれる人を
雇おう。
人生に岩なんて
もういらない。
この岩から何が
学べるだろう？

ている解決策では、メンタルヘルス、構造的な虐待、企業の腐敗、過激派によるヘイト・クライムといった問題について深く掘り下げることなんてとうていできない。短期的な勝利に対する私たちの文化的な固着こそ、こうした問題がそもそも存在する原因のひとつなのだ。

もちろん、そんなに簡単に短期的な勝利への深い執着を手放すことなんてできないだろう。短期的な勝利は私たちの習慣的な思考プロセスにとって〝飴《あめ》〟みたいなものだからだ。でも、可能性が議論のなかで占める割合を少しずつ増やしていくことはできる。可能性をうのみにするのではなく、いろいろな可能性を心のなかで思い浮かべ、可能性の声に本音で語ってもらう機会を与えることはできるのだ。

実践しよう②

内なる声に耳を傾ける

権威、理性、回避、可能性の声は、一人ひとりの頭のなかでまったく同じ形をしているわけではない。これまでの骨組み的な説明を読み、あなた自身にとってどう響くかを振り返ることが大事だ（時には、内なる声の起源をあなたの人生にいる特定の人物にまでさかのぼれることもある。

私はよく友人に冗談を言うのだけれど、子育てというのは実は、子どもが大人になって家を出たあとでも、親の声が聞こえるように、内なる声を子どもの頭にインプットするプロセスにすぎないのだと思う)。この四つの声の特徴によって、失敗をしたとき、こんなんじゃダメだと自分を叱り飛ばすのか、しょうがないと自分に同情するのかが決まる。成功をしたとき、その成功を自分にふさわしいと思うのかどうかが決まる。そして、なんらかの認知的不協和や不安に出くわしたとき、この四つの声が緊急の助言をしてくる。

この四つの声が語りかける相手は？

そう、あなただ。唯一、あなただけに語りかける。

今、内なる声はなんと言っているだろう？　こちらの問いかけに興奮しているだろうか？　それとも、「バカじゃない？」と言っているだろうか？　どっちにしろ、頭のなかの声にしばらく耳を傾け、それが権威、理性、回避、可能性のうちのどの声なのか、考えてみてほしい。そして、こう問いかけてみよう。

今、緊急性が高いのは何か？

今、起ころうとしていることは何か？

今、これの代わりにできることは何か？

この答えが私にとって最善だということは、どうすればわかるか？

何もしなければどうなるか？

その答えは、言葉、画像、感覚、音といった形をとるかもしれない。すぐにピンとくるかもしれないし、突き止めるのがものすごく難しいかもしれない。この〝自問自答〟の習慣は、決して心を病んでいるサインなんかじゃない。〝頭のなかの声〟と聞くと、確かに心の病を思い浮かべるかもしれないけれど、誰にでもこうした声はある。自分自身に語りかけるのは完全に正常なことで、誰だって深く考えずに行なっている。その声が自分自身の内側からではなく、宇宙人、政府、私たちの現実を破壊しようとたくらむ次元間の存在から聞こえてくると本気で思っているなら、いちどメンタルヘルスの専門家に相談したほうがいいかもしれないけれど。

頭のなかのものと外の世界のものを区別する自信がある程度あるなら、内なる声に語りかけることで、貴重な発見があるかもしれない。自動車通勤の最中に自分とさりげない自由な会話をしてもいいし、内なる声に手紙を書き、その答えを日記に記録してもいいだろう。本書の目的に照らすなら、とりあえず内なる声に名前をつけるだけでも十分だろう（権威、理性、回避、可能性でもかまわないし、不服なら、ポーラ、レイチェル、アンナ、パイパーなど、お好きな名前をつけてもかまわない）。ここでの唯一の目標は、内なる声について語り、内なる声の話に耳を傾ける手段を手に入れることだ。あなたが自分の時間で内なる声とどんな話をするかは、あなたとあなたの声だけの秘密。さあ、肩の力を抜いて、内なる声との対話をはじめよう！

第3章　正直バイアスを身につける

自分自身のバイアスを素直に認めないかぎり、バイアスは影で私たちを操ってくる。

バイアスがまったくない想像上の世界なら、次の三つのステップは毎回スムーズに進むだろう。それは、まず自分の見ているものを理解し、次にそれが自分自身にとって持つ意味を確かめ、最後に取るべき行動を決める、というステップだ。ところが不幸なことに、この各ステップで、私たちは時間と労力を節約するため、脳の特殊なトリック、その名も「認知バイアス」に頼ろうとしてしまう。そのせいで、本当はそこにないものが見えてしまったり、見たものの意味を勘違いしてしまったり、その場の状況にふさわしくない行動を取ってしまったりする。

ふたりのあいだの意見の対立は、ふたりが見たもののちがい、ふたりの考える意味のちがい、ふたりが取るべきだと考える行動のちがいによって生まれる。そして、そのちがいの原因となるのが、こののっぴきならない認知バイアスなのだ。なので、認知バイアスの役割、認知バイアスと生産的対立《プロダクティブ・ディスアグリーメント》との関係、認知バイアスへの対処法について、共通の理解を築いておくこ

とがどうしても欠かせない。

この観察から行動までのサイクルの各段階は、それぞれ頭の領域、心の領域、手の領域と結びついている。たとえば、何かを見ているとき、私たちは直接的な証拠と向き合うことになるので、「何が事実か?」(頭の領域)について考えている可能性がいちばん高い。その証拠を私たち自身のメンタル・モデル、信念、嗜好と照らし合わせて確かめているときは、「何が有意義か?」(心の領域)について考えている。そして、すべての意味を理解し、いよいよ飛ぼうと(行動に移そうと)しているときは、「何が有効か?」(手の領域)について考えている。

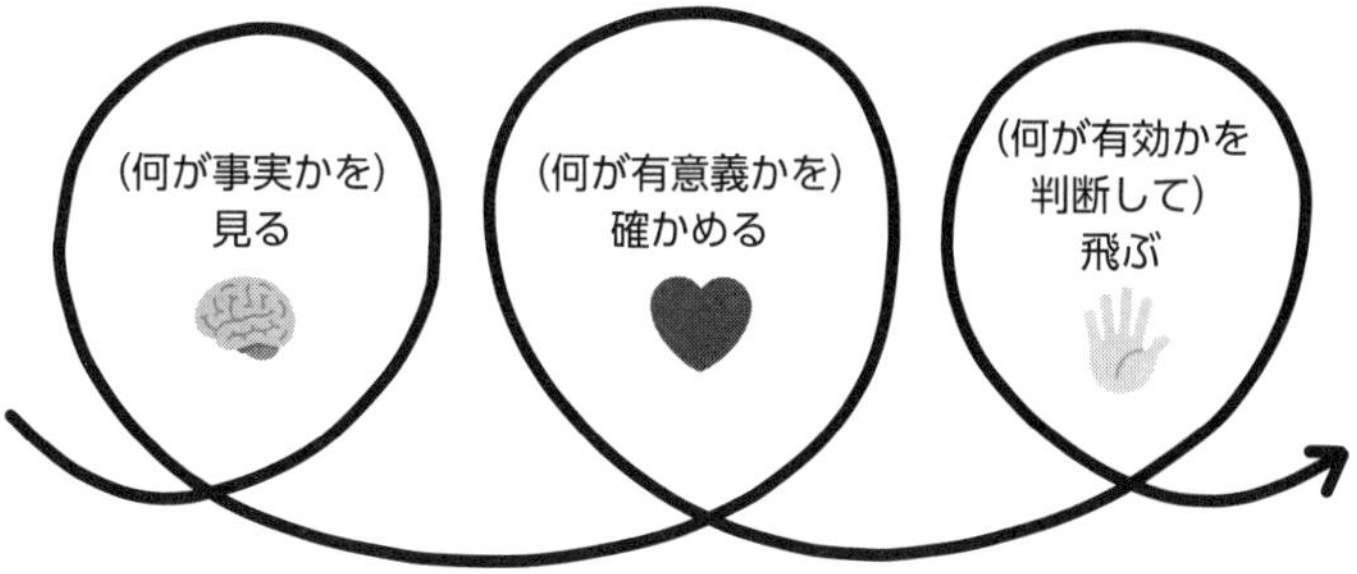

　さて、ここにバイアスはどうかかわってくるのだろう？　実は、大きくかかわってくる。どんなにがんばっても、人間の認知能力には限界がある。完璧な客観性をもって見たり、確かめたり、飛んだりすることなんてできない。認知バイアスに関する研究が本格的に始まって以来、ダニエル・カーネマンをはじめとする心理学者たちは、人間と客観的な世界観とのあいだに、二〇〇以上の認知バイアスが介在していることを発見してきたのだ。

特によく取り上げられる認知バイアス

利用可能性ヒューリスティック　意思決定の際、とっさに思い浮かんだ選択肢しか検討しないこと。なので、思い浮かばなかった選択肢は、理由はどうあれ、圧倒的に不利となってしまう。

・誰かが下した決断について考えるとき、私たちにとって明らかに見える選択肢が相手にとっても明らかとはかぎらない。そのせいで、相手が明らかに優れている選択肢をわざと避けたのではないかと思い込んでしまうこともある。

・よいことや悪いことが起こる確率を予測しようとするとき、パッと思いつく可能性（めったに起こらなそうな派手で極端な可能性）のほうを、本当はずっと起こりやすいのにパッとは浮かばない地味な可能性や退屈な可能性よりも重視してしまう。

内集団ひいき　集団外部の人々よりも集団内部の人々をひいきし、「疑わしきは罰せず」の態度で接しようとすること。

・あなたとはちがう大学の名前が書いてあるシャツを着ている人よりも、あなたの出身大学の名前が書いてあるシャツを着ている人のほうを信頼しやすい。

・人口統計学的に自分と同じ層やコミュニティに属する人々に投票したり、雇用したり、そういう人々のアイデアを前向きに検討したりする傾向がある。

損失回避　自分がまだ持っていないものよりも、すでに持っているものの価値を高く評価し、自分の持っているものを手放さないためなら、それを一から購入する場合よりも多くの金額を払うこと。

・誰かがあなたにクッキーの箱を手渡したあと、返してくれと言うと、クッキーの箱がテーブルに置いてあっただけの場合よりも多くの金額を払おうとする。

・お金を失うのを避けるためなら、同じ金額を稼ぐためよりも多くの手間をかける。

バイアスは私たちの判断を歪め、意見の対立の機会をたくさん生み出す。ふたつの大雑把で体系全体におよぶ世界の単純化が、対立に火をつけるうえで大きな役割を果たす。私たちは自分と似た人々に「疑わしきは罰せず」の態度で接し、自分とちがう人々はそれより疑ってかかる。また、自分と似た人々は矛盾だらけの複雑な人間だと考え、自分とちがう人々は動機が単純でわかりやすい人間だと決めつける。そしてこのふたつの単純化から、いろいろなステレオタイプ、偏見、差別の習慣、外国人への嫌悪を生み出してしまう。

とすると、世界の問題はみんなバイアスのせいなのか？　残念ながら、そんなに単純な話ではない。ほとんどの人は、バイアスの最大の問題はその存在そのもので、バイアスを取り除けば万事解決すると言うだろう。しかし、評判の悪さとは裏腹に、認知バイアスは役立つことが多い。認知バイアスは、単純に修理すればすむ人間の思考の欠陥というわけではない。デバッガーを実行し、バグを見つけ、名前をつけ、チケットを発行し、私たちの思考パターンからバグを体系的に根絶するなんてわけにはいかない。バイアスは避けられない。それどころか、バイアスを避ければ避けようとするほど、私たちは自分自身のバイアスが見えなくなり、判断に歪みが生じるのだ。

バイアスがなくならないのは、それが私たちの思考方法にとって欠かせないものだからだ。脳が最近聞いたばかりの情報を自動的に重視するようにできていなければ（親近性バイアス）、会話についていくのはずっと難しくなるだろう。誰かとまったく無関係な話をしている最中であっても、脳が妙なものや変わったものを見つけたときに反射的に大声で叫んでくれなければ、車で幹線道路をすっ飛ばすのはずっと難しくなるだろう。バイアスが存在しなければ、私たちはたいへんな目にあう。なんのフィルターも、そこから物語や判断を引き出す手段もないまま、怒濤のような情報をただ浴びつづけるしかなくなり、どんなに小さな判断をするにしても、情報や選択肢の山を前に身動きが取れなくなってしまうだろう。バイアスはそんな情報過多や不確実性のダメージを和らげるために進化した。ノイズや混乱にまみれ、意味すら見失われがちなこの世界のなかで、見て、確かめて、行動するのに役立つ習慣的な思考パターンを生み出してきたのだ。

権威の声は、私たちのバイアスに「うせろ」と命じるが、通用しない。理性の声は、私たちのバイアスの一つひとつに名前をつけ、素性をばらされたバイアスが荷物をまとめて出ていくのを期待するけれど、バイアスは居座りつづける。そして回避の声は、バイアスに見て見ぬふりをするけれど、バイアスはそこにある。これらの戦略では、私たちの頭のなかやコミュニティに実在する認知バイアスに対処することはできない。ここでもやっぱり、新しいアプローチが必要だ。

前に進む唯一の道は、バイアスが人間性にとって必要な永久不変の一部であるということを受け入れ、最終的には歓迎することだ。周囲の世界を認識する人間の能力には限界がある——その事実を正直に認めることが、私たちにできる最善の努力なのだ。私たちの見えていない全体像の一部をみんなで協力して埋めていく。自分が見逃しているかもしれない新しい見方にいつだって心を開く。人間の限界を認めれば、そんな可能性がきっと目の前に開けてくるはずだ。

認知バイアス・チート・シート

本書のアイデアは、私が二〇一六年に開始したとあるプロジェクトから生まれた。私はウィキペディアの「認知バイアスの一覧表」ページにものすごく雑然と記されていた世界の全二〇〇以上の認知バイアスをまとめようと考えた。[1] 結局、私が書いた記事は、心理学から経済学、学界まで、いろんな分野の一〇〇万人を超える人々に届き、認知バイアスについての専門知識があるというよりは好奇心がある多くの人々に読まれた。

その記事で、私は今と同じ主張をした。つまり、私たちのバイアスはみな人間の脳の問題を解決するために存在するのであって、私たちの思考の〝バグ〟というよりは、いろんな面で役立つショートカットに近いのだ、と。確かに、バイアスには副作用もあるけれど、その副作用を取り除くためには、何よりもまず、バイアスが私たちのために解決してくれる問題にはそれ以外の解決方法がないということを認めるよりないのだ。

そこで、私はこの世の全バイアスを、私たち自身の知性を制限する宇宙の三つの難題へと凝縮した。ここでいう私たちというのは、個々の人間、人間の集団、生物、機械、エイリアン、想像上の神々も含む。現在知られている二〇〇種類以上のバイアスはみんな、これらの難題を乗り越えるためにある。純粋な進化上の必要性から、私たちはこうした難題の存在を埋め合わせるためのスキル、慣行、習慣を磨いてきたというわけだ。その三つの難題というのは、次のとおりだ。

1. 情報の過多　世界には処理しきれないくらいの情報がある。一人ひとりが時空のなかで独特の位置を占めていて、自分自身の位置について知っていることと比べると、時空のほかの位置について手に入る情報は圧倒的に少ない。私たちの目にそもそも何かが見えるのは、それ以外のほとんどの情報が先にふるい落とされているからなのだ。

2.　意味の不足　どんな情報も、私たちの共感できる物語をまとうまでは意味をなさない。情報はバラバラな状態で順不同に私たちのもとに届く。点と点を結んで、情報に意味を与えるのは私たちの仕事だ。こうして、私たちは世界における自分の位置を確かめるのだが、ほかの人々も同じように点と点を結ぶという保証はない。

3.　時間や資源の不足　私たちは時間、資源、注意力、体力、機会の制約のなかでいろんな物事を成し遂げなければならない。時間や資源が無尽蔵にある人なんてこの世にはいない。つまり、現実問題として、いつだって部分的な情報だけで行動を起こすしかないということだ。

この三つは宇宙の巨大で複雑な難題であり、完全に解決することはできそうにない。私たちにできるのは、そして私たちが今までしてきたのは、こうした解決不能な問題の制約のなかで行動することだ。そこでバイアスの出番となる。バイアスは手持ちの情報を最大限に活かそうとする。この三つの難題にはそれぞれ、おおまかに言って、問題を回避するのに役立つ認知バイアスのカテゴリーが三〜五種類ある。それらを累計したものが、現在知られている二〇〇あまりのバイアスということになる。

難題、戦略、バイアスの関係性

難題：時間と資源の不足（手の領域）
戦略：計画を守る
バイアス：損失回避

職場でよく見かける意見の対立について考えてみよう。「仕事Xに誰を雇うべきか？」。これは従来の意味でいえば対立には思えないかもしれないけれど、よく考えてみてほしい。人事採用というのは、煎じ詰めれば候補者と面接官とのあいだの議論にほかならない。もしも候補者が面接官に対し、自分がその仕事に適任だと納得させることができれば、候補者の勝ち。もしも面接官が納得しなければ、候補者の負けだ。ただし、ここには共通の目標もある。面接官と候補者の双方が納得できる結果を出し、その結果を踏み台にして、両者がいっそう前に進むための仕事関係を築くことだ。とはいえ、このうまく機能する場合もある対立のなかにも、バイアスが忍び込む余地はたくさん残っている。

一九九八年、私がまだアマゾンに勤めていたころには、同社の従業員は二〇〇〇人程度だった。当時のアマゾンはまだ書籍とCDしか販売していなかったけれど、急成長期を迎えると数え切れないほどの面接が必要になった。七年後に私が退社するときには、従業員はとうとう一万五〇〇〇人を超えた。当時はそれでもすごい数に思えたけれど、最後にチェックしたとき（二〇一九年）には、従業員は全世界で六〇万人を超えていた。まるで面接地獄だった。最初は、本来の仕事の邪魔になるので面接が億劫でたまらなかった。難しすぎるというのも面接嫌いのひとつの要因だった。限られた時間と情報だけで採否を判断するなんて不可能にさえ思えた。私自身まだ青二才で、正しい判断力なんて持ち合わせていなかったというのもある。私自身が自分の仕事をごまかしごまかしやっているのに、どうして赤の他人の評価なんてきちんとできるだろう？　アマゾンを退社して以来、私はツイッター、スラックなど、いくつもの急成長期の新興企業《スタートアップ》に勤めてきた（初期のテクノロジー系新興企業はだいたい急成長しているものだ）。たぶん過去二〇年間で一〇〇〇人以上を面接してきたと思うけれど、それはテクノロジー業界ではさほど珍しいことではない。

そこで、こんなシナリオについて考えてみよう。あなたは面接官のひとりとして、チームのプロジェクト・マネジャー候補を面接しているところだ。プロジェクト・マネジャーは、複雑に絡み合った巨大プロジェクトのさまざまな変動要素を常に把握できる冷静沈着な人物でないといけない。また、部署の内外の数々のチームと折衝する機会もあるので、優れたコミュニケーション能力も必要になる。さらに、何ひとつ取りこぼしがあってはならないので、超がつくほど細かい注意力も必要だ。あなたはたった一時間の面接だけで、その応募者の採否を提案しなければならない。その判断は、チームの将来的な生産性、応募者のキャリア、チーム内や会社全体の人間関係に、予想もできないような形で影響を及ぼすだろう。さあ、やってみよう。

難題①　情報の過多

情報過多は頭の領域や「見る」の部分に影響を与える。

まずもって、適性のある候補者の大部分を検討することさえできない。そういう人々を全員見つけ出す簡単な方法がないからだ。できるのは適性のある候補者がたぶん見てくれるだろうと思う何カ所かに求人広告を出すことだけで、考えられるすべての場所に求人広告を出すことなんて不可能だ（仮にできたとしても、すべての応募書類に目を通すことなどできないだろう）。

私が採用責任者を務めた役職には、たったひとつの求人枠に五〇〇人から応募が集まることもあった。その場合、第一関門として、まず応募書類を複数人で分け、めいめいで目を通し、目に留まった人をピックアップすることが多い。何が目に留まるかは、往々にしてその人のバイアスの影響を受ける。一人ひとりがその役職にふさわしい人間像を頭に思い描いていて、そのイメージに合うような〝興味深い〟特徴に目を留めることになる。だが、必ずしもそのすべてが応募者の能力と直接関連しているわけではない。

現実的に検討しきれない数の選択肢がある場合には、私たちは次の五つの戦略（五〇種類のバイアスがこれに含まれる）を用いて、より扱いやすい数の選択肢へと絞り込む。

戦略1：文脈に頼る

物事を認識したり記憶したりする能力には限界があるので、最新の文脈を用いて、何に注目するかを決める。

戦略2：思いつきを受け入れる

最近考えた物事や接した物事は、しばらく考えていない物事よりも、頭のなかで準備状態となっているので、引き出しやすくなる。

戦略3：奇妙な側面を増幅する

私たちの脳はふつうとちがう物事や意外な物事を重視する。そういうものは重要である可能性が高いからだ。奇妙な物事は、脅威とチャンス、どちらのケースもある。

戦略4：新しくて今までとちがうものに注目する

新しいことが起きたり、何かが変化したりすると、重要な可能性があるということで脳が大声で知らせてくる。私たちは変化そのものに加えて、変化の方向性にも注目する。それがよい変化なのか悪い変化なのかの判断に役立つからだ。

戦略5：覚えておくべき重要点を探す

考えなければならない情報量を減らすため、あとで思い出す必要がありそうな情報にだけ注目する。

情報過多に対して正直バイアスを身につけるには、何よりもまず、私たちの選択プロセスに偏りがあって、すべての可能性を公平に検討していないという事実を受け入れることだ。そうすれば、この事実を前提にして、多数の選択肢を最有力候補へと絞り込むのにどのツールやプロセスが最適なのか、話し合うことができる。すると、どんなツールを使うにしても、常にそのツールをいっそう改良していくことができるようになる。

これを正しく行なえば、誰かにそのプロセスは公平じゃないと指摘されたところで痛くも痒くもない。そんなことは先刻承知だからだ。弁解に終始する必要はなくなり、一、〇〇〇パーセント公平になることはないと知りつつも、その意見を参考に、プロセスを少しでも公平にする方法について考えられる。その結果、不完全なプロセス、予算や時間の制約など、あいまいな領域どうしの折り合いのつけ方について話し合えるようになるのだ。

難題②　意味の不足

♥パターン・マッチングは心の領域や「確かめる」の部分に影響を与える。

私たちは認知バイアスを用いて、取り留めのないデータの点どうしを結んで、私たちにとって意味のある物語へと変える。このショートカットのデメリットは、意味を探す過程で、錯覚を呼び起こしてしまうことがあるという点だ。情報の隙間を先入観、一般化、ステレオタイプで埋め、その結果どれが自分の創作部分なのかを忘れてしまう。

私が経験した面接のほとんどは、長さが三〇分か一時間だった。事前に電話選考を行なうこともあるし、面接の途中で新たな疑問が浮かんできたときには、補足の面接を行なうこともある。その後、ふつうはその候補者について面接官全員と議論を行ない（書面または対面で）、判断を下す。これが、こうした大きな判断を下すのに使われる典型的な情報の量だ。本当はこれでも情報が足りないくらいなのだけれど、人事選考に一日の最大半分も取られる役職を続けていると、多すぎると感じることも多い。なので、「文句なしの採用」か「採用見送り」かを裏づける「物語」を自分で構築するしかないのだ。

こうした物語は、性別、民族、宗教、年齢に関するステレオタイプに基づいたパターン・マッチングを通じて構築されることがいちばん多い。こういう生まれ持った特徴に基づいて差別を行なうことはまぎれもなく違法だ。だからといって、差別が起こらないわけではない。こうした特徴に対するイメージは、そもそも無意識に抱かれることが多いからだ。情報が限られているなか、ひとりの人間をまるまる評価する方法なんてないので、面接プロセスの最中に評価される性格特性、能力、対人スキルを示す別の手がかりを用いることになる。こうしたステレオタイプを用いて、人々に思考パターンや将来の行動を投影するわけだ。また、私たちは自分にとってなじみのない情報よりも、なじみのある情報を重視する。その点、雑談は相手との共通点を探るさりげない方法であり、その人に対する全般的な意見を左右する。

たとえば、「その候補者は〝この問題をどう解決したのか?〟という私の質問に対して、説得力のある答えを出せなかった」とか、「エンジニアのチームを率いる能力がありそうには思えなかった」とかいうフィードバックを例に取ろう。自分の出した意見を評価しているときでさえ、私たちにはこういうフィードバックを無意識のバイアスと結びつける簡単な方法がないのだ!

かつて私が働いたことのある職場で、何人かの採用責任者に聞いてみたところ、今私が言ったようなことは百も承知であり、残念ながら避けようがない状況だということを一様に認めた。特定の資質だけに注目して評価してほしいと面接官に念を押すことはできるけれど、ステレオタイプは私たちの思考プロセスに深く根づいているので、ステレオタイプがあると認識しただけで消せるものではない。ステレオタイプを完全になくすことはできないとしても、どうすれば反射的なステレオタイプ化が引き起こす弊害を少しでも減らせるだろう？　私たちにできるのは、そう自問することだけなのだ。

限られた情報に基づいて意見や物語を組み立てるときには、次の五つの戦略（現在知られている一〇五種類の認知バイアスに相当）が、ノイズだらけのこの世界に意味を与える方法を見つけるのに役立つ。

戦略6：情報の隙間を埋める

私たちは情報の隙間を一般化、ステレオタイプ、憶測で埋め、断片的なデータを意味のある物語へと変えようとする傾向が強い。ところが、あとから見ると、元来のデータと私たちの埋めた情報の区別がつかなくなってしまうことが多い。

戦略7：なじみのあるものをひいきする
私たちはなじみのある（または好感を持つ）物事や人々のほうが、そうでない物事や人々よりも本質的に優れていると思い込む。

戦略8：経験と現実を同一視する
一般的に、私たちは自分の経験したことが客観的な現実なのだと考え、現在の気分、マインドセット、思い込みをほかのすべてのものに投影してしまう。

戦略9：頭のなかで計算を単純化する
確率や数値を自分にとって考えやすくなるよう単純化する。

戦略10：過信する
自分の影響力を信じ、自分のしていることが重要だと感じる。

限られた情報から物語を構築する人間のクセについて、正直バイアスを身につけるには、何よりもまず、個人的なレベルでバイアスをどうこうしようとするのをやめることだ。それぞれがった、ステレオタイプを持つ多様な面接官たちに候補者を評価させれば、最悪の判断ミスを指摘し、修正できるはずだ。それでも、ステレオタイプや一般化は完全にはなくならない。自分が気づかずにしている一般化や投影がほかにもないか、常にアンテナを張り、それを指摘されたとき、弁解に終始しないようにすることが大切なのだ。

難題③
時間や資源の不足

制約は手の領域と「飛ぶ」の部分に影響を与える。

私たちには、必要なことをすべてこなせるだけの時間、資源、注目が無尽蔵にあるわけではない。なので、手持ちの情報に基づいて手っ取り早く結論を出し、先に進む。バイアスを使って物語をその場の判断へと変えるのだ。この習慣のデメリットは、十分な検討が行なわれていない性急な判断が大きくまちがっている場合もあるということだ。とっさに飛びついた反応や判断のなかには、不公平で、独善的で、かえって生産性の低いものもある。

ふつう、〝意思決定者〟であることは、リーダーにとって欠かせない資質だと考えられている。

アマゾンは、「とにかく行動する《バイアス・フォー・アクション》」を同社の一四項目のリーダーシップ・プリンシプルのひとつとして正式に明記した。アマゾンのウェブサイトでは、このプリンシプルがこう定義されている。

とにかく行動する（Bias for Action）[2]

ビジネスではスピードが重要です。多くの意思決定や行動はやり直すこともできるため、大がかりな分析や検討を必要としません。計算されたリスクをとることも大切です。

アマゾンのジェフ・ベゾスは二〇一六年の「株主への手紙」で、「デイ1」企業（常に初心を持って運営している企業を表わした彼の造語。こちらが彼の好み）と「デイ2」企業（すべてわかったつもりになっている企業）の運営のちがいについて語り、この考え方について説明した。

高速度な意思決定[3]

「デイ2」企業は高品質な意思決定をしますが、そのスピードは遅い。「デイ1」の活気と勢いを保つには、なんらかの方法で高品質かつ高速度な意思決定をしなければなりません。

（中略）

そのためには第一に、画一的な意思決定のプロセスを使わないことです。意思決定の多くはいくらでも元に戻せる両方向への扉です。そうした意思決定には気軽なプロセスが使えま

す。（中略）

第二に、たいていの意思決定は、おそらく本来ほしいと思っている情報の七割程度で行なわなければなりません。九割が集まるまで待っていたら、たいていは遅すぎるでしょう。（中略）軌道修正が上手なら、まちがいは思ったほど痛手にならないかもしれない。でも、遅いことは、まちがいなく高くつきます。

第三に、「反対したうえでコミットする（Disagree and Commit）」という言葉。この言葉に従えば、大幅に時間が浮きます。たとえコンセンサスがまとまっていなくても、ある方向性に確信があるときは、こんな言い方をするといい。「なあ、この点では反論があるのはわかっている。だが、一緒に賭けてみないか？　反対したうえでコミットしてみようじゃないか？」。この時点では誰も確実に正解がわからないので、すぐにイエスという答えが返ってくるでしょう。

これは一方通行のプロセスではありません。上司だって同じです。反対したうえでコミットするというのを、私はしょっちゅうしています。（中略）

第四に、深刻なズレの問題を早めに見つけ、なるべく早く上に報告することです。チームによって目標はちがうし、見方が根本的に異なることもある。一定のズレがあるわけです。どれだけ議論しても、会議を重ねても、そうした根深いズレは解消しません。上への報告がなければ、こうした場合のお決まりの紛争解決メカニズムは「消耗戦」です。こうなると、

体力のある者勝ちになってしまう。（中略）

「根負けしたよ」は意思決定プロセスとしては最悪です。やたらと時間がかかるし、何より体力を吸い取られる。すぐに報告するほうが得策なのです。

ジェフ・ベゾスは、型破りで、賛否両論があるけれど、ものすごく実践的なアドバイスをすることでよく知られている。彼は意思決定にまつわる時間や資源の制約にとりわけ強いこだわりがある。あらゆる情報について検討し、一つひとつの意思決定にかかわる全員を説得するだけの時間があるとは思っていないし、その努力すらしない。「反対したうえでコミットする」のだ。それが両方向に開く扉だとすれば、途中でまちがいだとわかり、くるりと引き返さなくてはならなくなる可能性が三〇パーセントくらいあるとしても、意思決定にコミットするということだ。この考え方には、私たちの人事採用の例にとって明らかな意味合いを持つ。企業のなかには、「文句なしの採用でないかぎり不採用」の経験則《ヒューリスティック》に従うところもある。優秀な候補者だという絶対の自信がある場合にかぎって、採用するようチームに促すのだ。この方法は、企業がまだ小さくて、一つひとつの採用がビジネス全体に大きな影響を及ぼす場合には重要だ。でも、あなたの会社がアマゾンで、年間数万人（一日にすると数百人）の人々を雇っているなら、時間の制約は現実的な問題であり、真剣に考慮するべきだ。

フェイスブックの初期のモットーは「すばやく動き、どんどん破壊せよ」だった。[4] シリコンバレーなどの業界では、「できるまではできるフリ」というモットーもよく聞く。さらには、「早めに失敗せよ」というモットーもある。こうした格言はどれも、「とにかく行動する」ことを促すものだ。正解の確率がさして上がるわけでもないのに、行動をためらったがために、確実に意思決定を遅らせてしまうよりはよっぽどましだからだ。

こうした意思決定の態度を取り入れてきたのは、アマゾンやフェイスブック、人間の脳だけではない。それは私たちの文化、私たちの価値体系の一部でもある。

時間をかけすぎることによるコストや、すばやく動くことによるメリットがあるときは、次の三つの戦略（三四種類の既知のバイアスに相当）が、先延ばしせずに行動する自信を高めるのに役立つ。

戦略11：最後までやり遂げる

私たちは途中で軌道修正するよりも、すでに時間と労力を捧げた物事を完遂しようとする。

戦略12：今までの考え方を守る

私たちは今までの考え方に反対されると、自分の考え方を疑うのではなく、反射的に自己弁護することが多い。

戦略13：安全を取る

ほかの条件が同じなら、ふつうはなるべくリスクの低そうな道を選ぶ。

不確実な状況下で行動する必要があることを認めるにあたって、正直バイアスを身につけるには、ジェフ・ベゾスのアドバイスを胸に留め、まちがえたとわかったときにくるりと引き返さなければならなくなる可能性を認めることだ。アマゾンのリーダーシップ・プリンシプルのなかに、この点を見事に言い表わしている私のお気に入りの原則がある。プリンシプルその4にこうある。

多くの場合、正しい（Are Right, A Lot）[5]

リーダーは多くの場合正しい判断を行います。強い判断力を持ち、経験に裏打ちされた直感を備えています。リーダーは多様な考え方を追求し、自らの考えを反証することもいといません。

一見すると、この原則は私たちが今まで言ってきたことと矛盾するように思える。でも、説明を読むと、リーダーは多様な考え方を追求し、自らの考えを反証することもいとわないからこそ、多くの場合、正しい判断を下せる、とわかる。リーダーが「多くの場合、正しい」判断を下せるのは、自分がまちがえたとき、そのことに気づき、正しい考えに改めようとするからだ。一言でいえば、それが正直バイアスを身につける近道なのだ。

実際、どうすればバイアスをなくせる？

この疑問の背景にある欲求は、私自身よくわかる。求職者の面接の例でいえば、なるべくバイアスを減らしたいと思うのは理にかなっている。そうすれば、それだけ優秀な候補者を雇えるからだ。

白人が人種差別について語るのが難しい理由について説明したロビン・ディアンジェロの著書『白人の脆さ（*White Fragility*）』は、あらゆるバイアスの中心にあるパラドックスについて、深く、そして饒舌に記している。

人種差別に毅然と反対する大人になると（多くの人が実際にそうだ）、ほかの人々を人種的にいっそう不利にするような人種的特権が自分たちにあることを認めなくなる。そして、その前提を中心としたアイデンティティを築くことが多い。

この矛盾がとりわけ厄介なのは、白人が人種差別に道義的に反対すればするほど、人種差別の問題に加担しているということを頑として認めなくなるという点なのだ。[6]

この理論は、バイアスを減らすという私たちの目標と関連する重要な点を浮き彫りにする。デイアンジェロが言わんとしているのは、私たちは人種差別が世界の非常にリアルな問題だと感じると、その問題と距離を置く自分自身のアイデンティティを築こうとするということだ。人種的な意味で「私は色がわからない《カラー・ブラインド》」という表現は、自分には人種差別的な傾向がないと自称する人を指して使われるようになった。それがゴールだと思っているからだ。彼らの意図そのものには偽りはないのかもしれない。自分自身を人種差別と切り離せば、他人の人種差別を指摘し、問題提起しやすくなるからだ。

残念ながら、人種差別の影響が私たちの思考だけでなく制度、意見表明の機会、環境にまで及ぶ場合には、「色がわからない」ことなんてありえない。自分を人種差別に対して〝意識が高い〟人間とみなすと、ますます人種差別を直視しなくなる。私たちは人種差別が永続する仕組みを持つ世界に存在している。つまり、白人はそもそも白人であるという理由だけで、数えきれないほど人種差別の恩恵を受けている。通った学校。教えてくれた教師。親のついた仕事。観た映画。読んだ本。政府の法律など。そのすべてが白人優位を支える人種差別の影響を受けているのだ。

私たちがこうして暮らしている世界のなかで、なるべく人々の助けになるには、どうすればいいだろう？　私は個人的にディアンジェロの提案が気に入っている。それは、私たち自身や世界に関するそうした前提の一部を自分のなかに取り込むことだ。彼女が自分自身や社会のなかにある人種差別をなんとかして受け止めようとしている人に持つよう勧めている前提の一部を、頭、心、手の三つの領域に分けて紹介しよう。

何が事実か？

・人種差別は私たちの社会に埋め込まれた多層的なシステムである。[7]
・誰もが人種差別のシステムへと社会的に組み込まれている。
・人種差別は避けようがない。
・私が社会に溶け込んでいることを考えると、私自身が人種差別の問題を理解していない可能性が高い。

何が有意義か？

・人種差別は複雑なものであり、人種差別に関するフィードバックのニュアンスを事細かに理解しなくても、そのフィードバックを裏づけるのに事足りる。

・れっきとした反人種差別はたいてい不快感を伴う。その不快感は成長の鍵であり、むしろ望ましいものだ。

・私の属する集団の歴史は私自身と切り離せない。歴史は重要である。

何が有効か？

・バイアスは暗黙で無意識のものである。自分のバイアスに気づくには、継続的な努力が欠かせない。

・人種差別に関するフィードバックを返すのは難しい。フィードバックをどういう状況で言われたかは、フィードバックの内容そのものとは関係ない。

・罪悪感の唯一の特効薬は行動である。

・私が完全に人種差別の当事者でなくなることはありえない。

・人種差別は有色人種の人々を常に傷つけて（時には死に追いやってさえ）いる。人種差別の流れを止めることは、私個人の感情、自我、自己像より重要である。

彼女のメッセージはかなりはっきりとしている。白人はより人種差別的でない人間になろうとする努力をあきらめたほうがいいのか？　ノー。白人が完全に人種差別とは無縁でいることはできるだろうか？　ノー。ここでのキーポイントは、人種差別やバイアスに関していえば、不快感は成長の鍵であり、むしろ望ましいものだということだ。人種差別について考えるのをあきらめるのは（回避の声）、その不快感を解消し、住み慣れた世界に戻る方法のひとつだ。当然、成長にはつながらないし、望ましい方法でもない。

不快感は成長の鍵であり、むしろ望ましいものだ。

さあご一緒に。不快感は成長の鍵であり、むしろ望ましいものだ。

あなたが人間なら、この主張を読んでまちがいなく不安の火花が散ったことだろう。そして、権威、理性、回避の声が飛び交い、この主張にどう反応したものか、提案をぶつけ合っていると思う。すぐには同意できなくても、それぞれの声に耳を傾けてみてほしい。

私たちはいつだってバイアス、人種差別、性差別、外国人差別、なんとか差別におかされていて、その傾向は一三二ページで紹介した宇宙の三つの難問に対する立ち位置や向き合い方から生まれる。こうした事実に向き合いつつも、正気を保つにはどうしたらいいだろう？

ヒントは、バイアスを取り除けるなどとは考えないことだ。

不快感は成長の鍵であり、むしろ望ましいものだ。不安は成長の鍵であり、むしろ望ましいものだ。この不快感や不安の正体は？　答えがほしい、問題を解決したい、不快感や不安がなくなってほしいという欲求だ。まちがいをなくしたい。悪を善で置き換えたい。謎を解きたい。陰《いん》を陽《よう》に変えたい。脅威から逃れたい。輪っかを閉じたい。意見の対立を解消したい……。

この輪っかを閉じたいという欲求は、私たちの心理に深く刻み込まれている。もし文章が——

——こんなふうに途中で中断したらどう思うだろう？　なぜベーグル・スライスはこんなに一部の人の不安を煽るのだろう？　この緊張と緩和との行き来があるからこそ、私たちは冗談に笑い、音楽に合わせて踊り、毎朝ベッドから起き上がって一日の予定を立てるわけだけれど、それとまったく同じ理由で、物事を未解決のまま宙ぶらりんにしておくことがものすごく難しくなる。信じられないくらい不快だからだ。

理性の声は、問題の解決策を見つけるか、問題の解決をすっぱりあきらめるかの二者択一を私たちに迫ってくる。どっちにしろ、不快感にけりをつけたがるのだ。でも、宇宙における人間の生物学的・社会的な限界と向き合うとき、最終的な解決なんてない。でも、問題を無視するわけにもいかない。私たちにとって必要なのは、自分の不快感を正直に認め、心のなかに宿らせつづけることだ。なぜなら、不快感こそが成長の道筋を指し示してくれるからだ。最終的な〝完全成長〟の状態までたどり着くことなんてないとしても、それでもやっぱり、私たちはこの道を進み、正直バイアスを身につけるしかない。そうすれば、問題認識と問題解決のあいだに居場所を見つけられるから。たとえ疑問を未解決のままにしておいたとしても、この世の中で腐らず生きていく能力を失うことなく、その未解決な状態への不快感を受け入れることができるはずだ。

実践しよう③

正直バイアスを身につける

正直バイアスを身につけるための四つのステップを紹介しよう。本章のほかの内容をみんな忘れたとしても、これだけは覚えておいてほしい。

ステップ①：参加する　正直バイアスを身につけるには、何よりもまず、自分自身がバイアスに無頓着であることを自覚し、バイアスなんて存在しないというフリをするのをやめよう。この難問に挑むかどうかを決めるのはあなただ。

ステップ②：観察する（初級）　バイアスや盲点を隠したり無視したりすることにかける時間や労力を減らそう。［例］本章の情報を読み、いろいろなバイアスについて知る。防衛本能が働いたとき、（ａ）本当に今、危険が迫っているのかどうか、（ｂ）新しい見方から少しでも何かを学べないか、を意識する。

ステップ③：修復する（中級）　あなたのバイアスや盲点のせいでうっかり生じてしまった被害を特定し、修復しはじめるまでにかかる時間や労力を減らそう。［例］盲点の存在に気づいたら、それを詳しく掘り下げ、あなた自身やほかの人の盲点のせいで過小評価された（または害を受けた）人々やアイデアを見つける。そうしたら、その害の修復方法を探す。

ステップ④：正常化する（上級）　ほかの人があなたの盲点を指摘し、そのせいで生じた害をあなたに修復させるまでにかかる時間と労力を減らそう。［例］あなた自身と正反対の情報や見方を積極的に探す。あなたの賛成しかねる見解をいちばんよく代弁している人を招いて、生産的対立を実践する。あなた自身の信念をあえて反証してみる。

基本的に、ステップ②～④は、私たちのバイアスによって生じる害を減らそうとしているという点では共通している。ただ、初級では入ってくる情報に対して受け身で対応しているのに対し、中級と上級では、バイアス探しに対してどんどん積極的になっていっている。まず、バイアスの存在を受け入れ、この事実に向き合うという参加表明をした時点で、ステップ①はクリアだ。以下に紹介するのは、あなた自身と取り結ぶバイアスの受諾契約書だ。そのまま採用してもいいし、あなたの美的感覚に合わせて修正してもかまわない。これは前述の『白人の脆さ』に書かれている契約を、人種差別だけではなくて、あらゆる形態のバイアスが含まれるよう編集したものだ。以下の文章を読んで、あなた自身の言葉で自由に言い換えてほしい。

［正直バイアス受諾契約書］

私は自分自身のバイアスを受け入れられるよう、次のような努力をする。

①私自身に限界や独特な見方があることを認める。
②多種多様な見方を歓迎する。
③ほかの人から私の盲点を指摘されているあいだ、黙って耳を傾ける。
④そうすることによって必然的に生じる不快感を贈り物だと思ってありがたく受け入れる。

注意力、意味、時間、資源、記憶の制約によって、時には目に見える形で、時には目に見えない形で、これからも特定の種類の情報を体系的に無視する戦略的なショートカットに頼らざるをえなくなることがあるだろう。私自身も含め、誰もバイアスからは逃れられない。戦略的なショートカットに頼らなければ、不確実性によって身動きが取れなくなってしまうからだ。

また、私が頼らざるをえない戦略は、一部の人々にとって不利となり、有害になるような種類の情報を構造的に無視することにもつながるだろう。そうとうな努力を惜しまないかぎり、その事実には気づかない。

バイアスを避けようとするのは、主に不快感を解消するためだ。それがひいては現状維持につながる。

不快感の解消と成長を混同してはならない。正直バイアスに不快感はつきものだ。不快感こそが成長の鍵であり、むしろ望ましいものだ。

私のバイアスは環境によって強められる。そこには私が暮らすコミュニティ、私が世界の情報を得るために使っている製品やサービス、私の所属する組織までもが含まれる。

バイアスに特効薬はないが、正直な内省、入念なフィードバックの要求、どんな形であれフィードバックに真正面から向き合うという意欲によって和らげることならできる。

バイアスは時として人の命さえ奪う。バイアスは避けられないが、バイアスへの対処をあきらめるという選択肢はない。これは不快な認識だが、どこへ行くにも胸に留めておく必要がある。

私自身の思考や行動からバイアスを取り除くのをあきらめることは許されない。自分の思考プロセスを一〇〇パーセント信頼できないのが事実だからといって、思考停止状態になることを自分に許してはいけない。

未来予測を専門とするスタンフォード大学教授のポール・サフォーは、「強くこだわらない強い意見（Strong Opinions Weakly Held）」という人気論文を記した。[8] このタイトルは今や、テクノロジー業界の多くの人々にとって一種の呪文みたいになっている。断固たる行動と不完全な思考の受容、その両方に片足ずつを置きつづける方法について、やや直感に反するとはいえ実践的なアドバイスを提示している。

直感がどれだけ不完全であれ、直感を信じて結論を導き出す。これが「強い意見」の部分だ。そうしたら、自分自身の誤りを証明する心構えを持つ。これが「強くこだわらない」の部分だ。大事なのは、クリエイティブな疑いを持つこと。自分の直感と食い違う情報、まったく別の方向性を指し示すような証拠を探すこと。やがて直感が働いて、新たな仮説が瓦礫《がれき》のなかから立ち上がってくる。すると、その仮説はまたもや容赦なく斬り捨てられる。このプロセスを通じて、欠陥だらけの予測から有用な結果が導き出されるまでの速さに、あなたはきっと驚かされるだろう。

モハメド・アリの有名なアドバイス「蝶のように舞い、蜂のように刺せ」と似ている。[9]「蝶のように舞う」というのは、目の前の状況にはまる考え方を常に探し、すばやく頻繁に考えを改める心構えを持て、という意味だ。かたや「蜂のように刺す」というのは、それでも自分の考え方を強く信じて決断を下し、その決断に基づいて断固たる行動を取れ、という意味だ。

私たちはこうした行動を取り、なおかつ自分自身の盲点についてフィードバックを求め、なおかつ自己弁護に走ることなくその盲点と向き合い、なおかつあらゆる手を尽くして盲点を修正していかなければならない。これは皮肉な努力でも不毛な努力でも無益な努力でもない。ロビン・ディアンジェロはこうまとめ上げている。

それは一生がかりの乱雑なプロセスだが、私の公言する価値観と実際の行動を一致させるために必要だ。これは深く心を揺さぶり、変容を促すプロセスでもある。[10]

正直バイアスを身につければ、お互いがありのままの現実を見ていると思い込んでいるときに起こりがちな非生産的な対立を人生からなくせるだろう。家族、パートナー、同僚、友人からあなたの考え方を否定されたときには、相手がまちがっていると即断する代わりに、「相手には見えていて自分が見逃しているものはないか」と自問するのがいい。

　反射的に「こっちが正しいに決まってる！」と言う代わりに、「私にはあなたに見えているものが見えていないみたいだ。よければ詳しく説明してくれない？」と言おう。もしかすると、相手が言っているとあなたが思っていることは、相手の真意とはちがうかもしれない。情報が不足していればそんなこともわからないのだ。だから、怒る前に好奇心を持とう。そうするだけで、あなた自身と、ほかの人々、考え、世界との関係が劇的に変わる。ふだんならあっさりと無視してしまうような新しい見方に触れる機会が増えるからだ。きっと、不安を引き起こす認知的不協和の種類が変わり、今までよりも頻繁にはっきりと可能性の声が聞こえるようになるだろう。

第4章　一人称で語る

他人の人間性、視点、推論を正しく推測するのは難しい。
なので、みんなに自分で自分の考えを語ってもらうのがよい。

生産的対立《プロダクティブ・ディスアグリーメント》についての実験中に気づいた特に意外な事実がある。人々が自分自身の視点から語るのをやめて、他人の視点を憶測で語るようになると、とたんに議論がおかしな方向へと暴走していってしまうということだ。「あなたは◯◯だ」とか、あるいは「あなたは◯◯と思っているでしょ」という言い方は避け、「私は◯◯だと思う」という一人称の言い方をいつも心がけるべきなのだ。この紛争解決のアドバイスはいろんな形で耳にするけれど、「言うは易《やす》く行なうは難《かた》し」とはこのことだ[1]。

私たちは他人の考えを予測するのが苦手だ。このことはさっき紹介した認知バイアスや戦略的なショートカットの多くにありありと見て取れる。特に、戦略6（「情報の隙間を埋める」）と戦略8（「経験と現実を同一視する」）のふたつは、とりあえずステレオタイプと一般化を用いて物語を築き、それから自分自身の心の状態を他人や周囲の世界に投影するのに役立つ。すると、私たちはどの部分が世界から得た情報で、どの部分が自分で創作したものなのかをすぐに忘れてしまう。

私たちは自分と視点の異なる人々の視点を代弁するのがあんまり得意ではない。相手の視点を過度に単純化し、欠点を誇張し、空白をステレオタイプで埋めてしまうのだ。その解決策は単純だ。私たちの責任は自分自身の意見を語るところまで。他人の意見はその人自身に語ってもらえばいい。

絶対に反論しようのない意見とは？

自分自身の見方、嗜好、価値観、真意について、一人称で本音を語れば、ほかの人が絶対に反論しようのない事実がつまびらかになる。自分自身の本心をいちばんよく知っているのは、本人なのだ。一方、他人の本心を代弁しようとすると、自分に語る筋合いのない物事について憶測するはめになるので、ほかの人々によって完全に論破されてしまう可能性がある。

なので、心のなかの問題について、お互いの思っていることを憶測で語ろうとしたとたん、意見の対立がこじれてしまうということはよくある。

政治の例を見れば、こうしたまちがいを犯し、信じられないくらい非生産的な対立に迷い込むのがいかに簡単かがわかるだろう。近年もっとも生産性が低く、不愉快きわまる大議論が勃発したのは、二〇一六年のアメリカ大統領選の最中だった。[2]

実をいうと、本書の旅は、二〇一六年の大統領選の時期に私を激しい不安に陥れた政治的会話が引き金になったといっていい。私はそのときの会話でどん底の気分を味わい、会話のしかたを見つめ直さなければと思うほど非生産的な状況に陥り、その結果、とうとう独自の生産的対立の技法を見つけ、磨いていくにいたったのだ。もちろん、政治のような一般的な話題についても、私には持論があるし、バイアスが入り込む余地だってある。そうした部分についてもなるだけ包み隠さず書くつもりなので、少しだけつき合ってほしい。

私には高校時代からとても仲良くしている友人が何人かいる。私たちは高校のクロスカントリー・チームに所属するへっぽこランナー時代に出会い、自由な思想を信条としてよくつるんでいた（現実的というよりはちょっと夢見がちなところがあったけれど）。うち三人は宗教心が厚く、ふたりは無神論者だった。ふたりはカフェインすら取らなかったけれど、別のふたりは酒好きで、たまに遊びでドラッグにも手を出した。何人かは結婚して子だくさんの家庭を持ちたいと思っていたが、残りはあんまり結婚願望がなかった。一人ひとりビックリするほどちがっていたけれど、全員がお互いの個性を尊重する大切な仲間だという中心的な価値観を共有していた。もちろん、古今東西の似たような友人グループと同じで、議論をふっかけたり、からかい合ったり、たまには口論したりすることもあったけれど、すべては善意からだった。善意は、今ではすっかり過去の遺産になりかけているとはいえ、少人数の友人グループのなかにはまだちゃんと残っている。

「善意」はラテン語の bona fide（真正の）に由来し、やり取りの結果にかかわらず、なるべく公平で、オープンで、正直であろうとする誠実な意図のこと。

それから二五年。みんな別々の街や国に移った。友人のひとりのジャレドはエクソン社の弁護士となり、五人の子どもをもうけてドバイに住んでいる。ネイサンはテキサス州で特別支援教育の教師を務めていて、やっぱり子どもが五人いる。クリスはフロリダ州で倉庫管理の仕事をし、ジミーはヴァイス・メディアやアルジャジーラといったクライアントのために、アメリカだけでなくヨーロッパやアジアの辺鄙《へんぴ》な場所で、写真や映像の撮影をしている。私はどちらかというと腰が重いほうで、アマゾン、ツイッター、スラック、パトレオンといったテクノロジー企業や新興企業《スタートアップ》、おまけに私自身の会社でもいくつか働き、今では妻やふたりの子どもとともにベイ・エリアに根を下ろしている。たぶんもうお察しのとおり、二五年でいっそう左寄りになった友人もいれば、右寄りに傾いた友人もいた。その板挟みになってさんざん苦労させられたのは、ずっど真ん中をがっちりと貫いてきた友人のクリスだ。冗談半分での冷やかし合いはあったけれど、相手を尊重した生産的な方法でまるきりちがう意見をぶつけ合えるというのが、私たちの何よりの自慢だった。

そんな五人での政治的な会話は、二〇一六年七月に始まり、選挙期間中ずっと続いた。その間、三万単語以上の言葉がやり取りされ、そのほとんどは同じ政治的出来事を別々の視点から解釈し合う、という形で進んだ。とうとうその日、一一月八日がやってきて、結果が出揃った。ジミーと私はクリントンに投票し、クリスは無投票だった。ネイサンはふたり以外の記名候補者に投票し、ジャレドは投票先を黙っていた。選挙が終わると、みな一様にショックを受けた。政治的意見こそバラバラだったけれど、全員がクリントンの勝利を信じて疑わなかった。

現実に向き合えなかった。頭のなかで何かがプツンとはじけた。五人の会話が再開し、それぞれが別の視点から原因分析や未来予測などを始めた。でも私は、「ショックだ。アメリカ人でいることが恥ずかしい。憎悪が勝ったんだ。きっとアメリカは多くの人にとって居心地の悪い国になる。少し時間をくれ」と言ったきり、貝のように口を閉ざしてしまった。私は完全に使い物にならない唯一の声の言いなりになっていた。回避の声だ。私はただただ立ち去り、葛藤なんてそもそも存在しないフリをした。私とは世界観がちがい、私ほど葛藤していなかった友人たちは、私を慰め、今回の出来事がきっと最終的には世界にとってプラスになるよ、と励ましてくれた。「きっと目を覚ませという警鐘だと思うよ」とジャレドは言った。「せめて、ネガティブな面ば

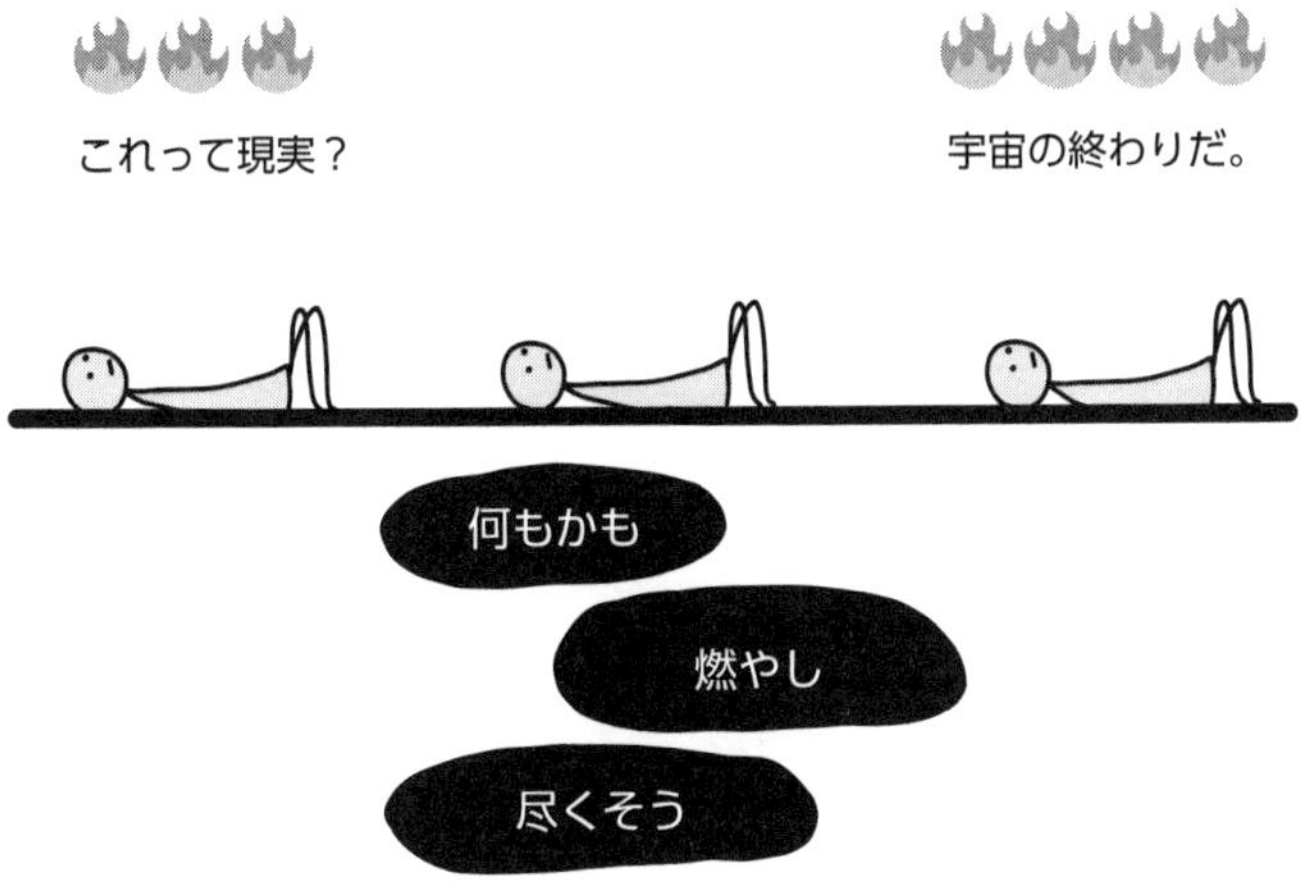
これって現実？
宇宙の終わりだ。
何もかも
燃やし
尽くそう

かりじゃなくポジティブな面もあると考えよう」

でも、私にはまるで理解できなかった。「今はムリだ。ゴメン。頭を整理する時間がほしいんだ」。私はひたすら同じ言葉を繰り返した。普段ならもう少し論理立てて話せるのはわかっていたけれど、とにかく頭が真っ白だった。どれだけ時間がかかるのか見当もつかなかったが、私は戻ってくるという約束もしないまま会話の輪から抜けた。幾重もの不幸が重なって、私にとって頼みの綱である理性の声がすっかり声を失った。過去半年間の集大成となるたったいちどの全国的なイベントで、私は生産的で理性的で正直な会話への信頼を失い、だんまりを決め込んでしまったわけだ（二年後、当時の会話のスレッドを読み直してみると、友人たちは当時の私が深く考えていなかった核心をいくつか突いていたのがわかる）。

一方で、トランプ政権はそれから数週間、数カ月、数年と続いた。心のどこかでは、逃げ回っていたって満足のいく結論にはたどり着かないとわかっていたけれど、理性で何がどうなるとも思えなかった。誰より親しく、信頼していて、深く尊敬している友人と、たった一回の投票判断について半年間、合計三万単語やり取りしてもなんら影響がないなら、トランプに投票した六二〇〇万人の人々や、投票に行かなかったおよそ一億人の有権者と心を通わせるのに、いったいどれだけの単語と理性が必要なのだろう？

　最悪だったのは、その一億六二〇〇万人の人々に、自分の正しさを納得させる方法がわからなかったことではなく、何を納得させたいのかがさっぱりわからないという事実に気づいたことだ。私はほかの多くの人々にとって完全に明白なことを見逃していた。激しい集団的な認知的不協和が存在していた時期とは異なり、自分たちが正しいかどうかを確かめる道具さえあるとは思えなかった。考えを改めるのが不可能だとしたら、その考えを固着させたものはなんだろう？　理性？　そうとは思えない。もしそうだとしたら、理性の力で考えを変えることもできるはずだから。暴力は人々に投票させる妥当な戦略とはいえないし、かといって投票に行かない、政治の話をしないというのは、まちがいなく現在の問題を悪化させるだけだ。私は自分の国が沈みゆく泥船だと本心から思っていた。でも、私は沈む船に手を差し出すどころか、ただ手をこまねくばかりだった。そして突然、私にも沈没の原因の一端があるような気がしてしょうがなくなった。こんなことになった原因は？　私は何をしてしまったのだろう？　そして、仮にもこの流れを逆転させる方法があるとしたら、私に何ができるだろう？

可能性の声が初めてまともな言葉を囁きかけてきたのは、そのときだった。それは静かな声だった。結論をなるべく先送りしろ。相《あい》矛盾する見方をしばらく頭のなかで共存させるんだ。我を失って、ちゃぶ台をひっくり返したりなんかしちゃダメだ。

そんな考えが浮かんだとき、五人のなかでいちばん右寄りだったネイサンが、大統領選のあいだじゅうずっと、「トランプにもクリントンにも投票する価値がない」と主張していたのを思い出した。結局、彼は記名候補者の欄に「我ら人民《ウィー・ザ・ピープル》」と書いて投票することを選んだ。それは彼だけではなかった。二〇一六年の選挙では、ひとつ前の二〇一二年の大統領選挙のときと比べて記名候補者投票の数が七倍に急増した。理性の声に耳を傾けていた私にとって、この投票行動はまるで理解不能だった。いやむしろ、腹立たしいくらいだ。アメリカの投票システムは、自分がいちばん望ましいと思う結果に投票するのを促すような構造になっていた。記名候補者に投票するのはまったく投票しないも同然で、投票しないのは国に影響を及ぼすという望みを丸ごと放棄するに等しいと思った。選挙日までの討論中ずっと、この選択肢は私にとって完全な問題外にしか思えなかった。

実際の選挙とたっぷり距離を置き、反射的な不満がいくぶん和らいだ今になってみると、ネイサンの言葉が前とはちがうふうに聞こえてきた。もし仮に、目の前の選択肢がどれも不服なら、誰にも投票しないという形で、一票を否定的な意味で使うことはできないか？　私の頭のなかの理性の声は、それは望ましい結果を得るための最善策ではない、ときわめて合理的に指摘してい

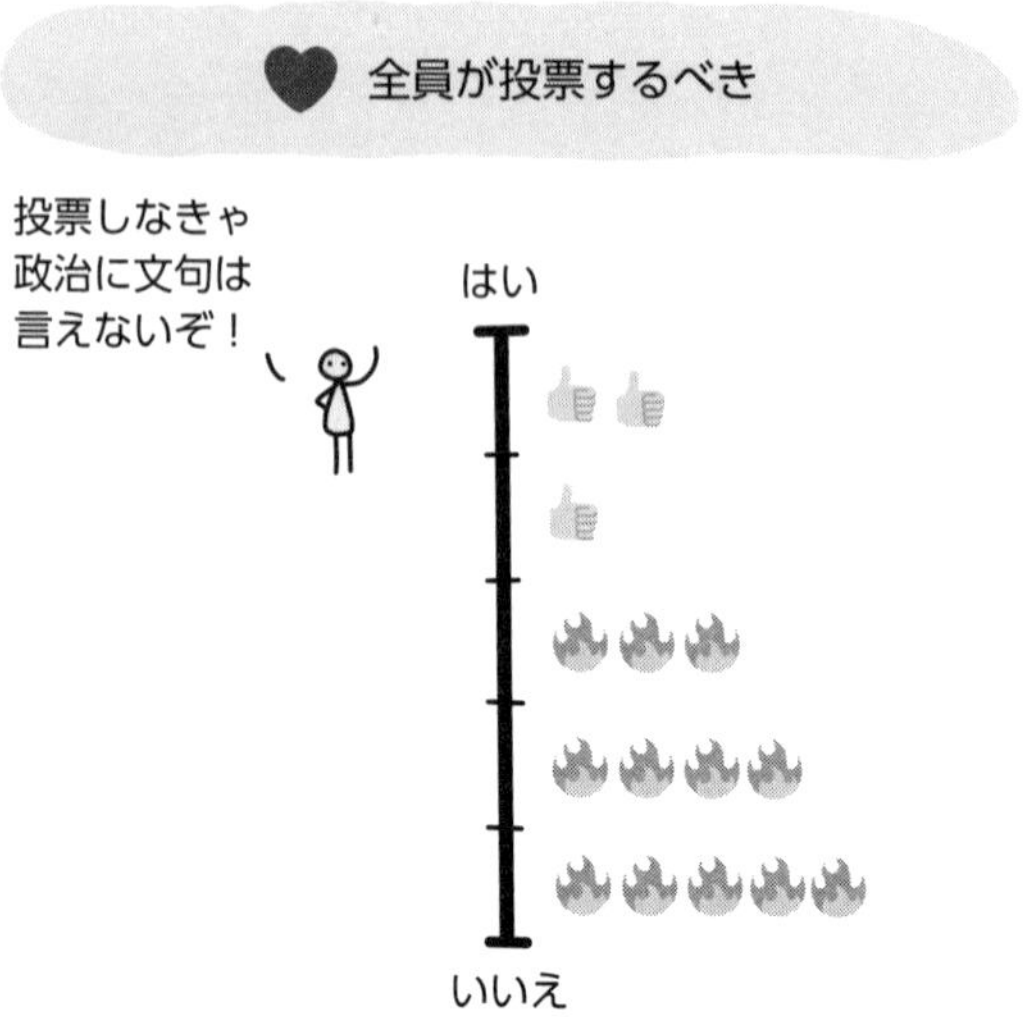
全員が投票するべき
投票しなきゃ
政治に文句は
言えないぞ！
はい
いいえ

た。それでも、全員に投票権があるシステムのなかで、ネイサンは自分の政治的スタンスを表現する唯一の手段として、投票しないという方法を選んだ。彼が自分の票をそう使うと選んだのなら、それがまちがった票の使い方だと言う筋合いが私にあるだろうか？　彼の心に私の考え方を押しつける権利があるのだろうか？

　可能性の声のおかげで、私はある可能性に気づいた。全員に自分の意見を述べる機会を与えるのが民主主義の目標だとすれば、投票しないのは、もしかすると自分自身の意見を表現する立派な手段のひとつになりうるのではなかろうか？　ここで「もしかすると」という言葉を使ったのにはワケがある。可能性の声は、ある考えが絶対的に正しいかどうかを即断する必要なんてないと考えるからだ。

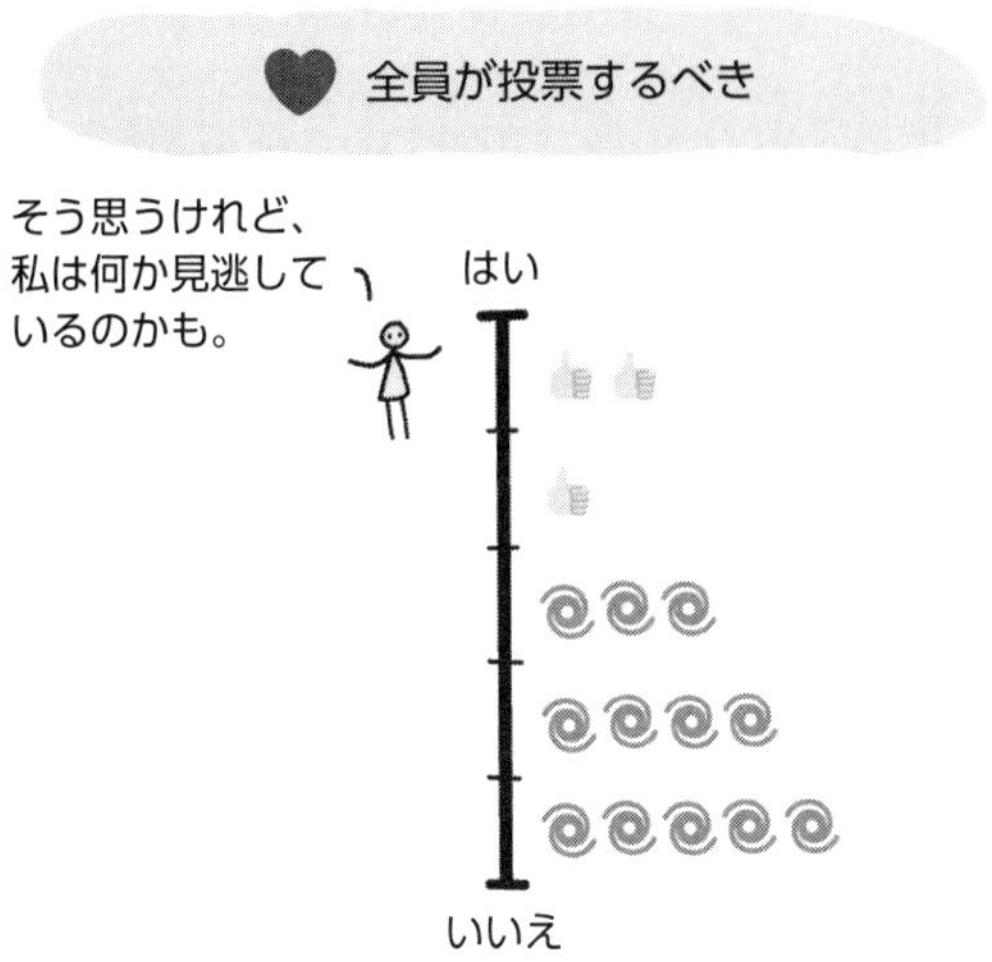
全員が投票するべき
そう思うけれど、私は何か見逃しているのかも。
はい
いいえ

可能性の声は、実際の心拍数や血圧に感じ取れるようなとてもリアルな方法で、不安を煽って切迫感を高めたり、反対意見をつぶすよう勧めてきたりはしなかった。むしろ、私自身の時間でじっくりと掘り下げ、より深く理解できるような無数の可能性を切り開いてくれたのだ。

ひとり一票

可能性の声に耳を傾けることの副次的な効果のひとつとして、オープンな疑問がそこらじゅうに見つかるようになる。普段、理性の声に耳を傾けているときは、「このパンドラの箱を今すぐ開けていいものだろうか？」「この会話から何か得るものがあるか？」などと問うだろう。これらは論理的な疑問で、主に目標や目的に沿った活動を行なっているときにはおおいに理にかなっていた。でも、私は政治的な会話をするとき、もう頭のなかに終着点を用意しておくのはやめた。ひたすら自分の知らないことを探ろうとする好奇心だけに従い、混乱から離れようとするのではなく、むしろ向かおうとするわけだ。私はこの感覚を、相矛盾する考えが未解決のまま共存しうる「心の中立的空間」という言葉で表現している。

この民主主義にそむくとも思える不可解な「無投票」行動が急に広がったのはどうしてなのだろう？　私はその理由がもっと深く知りたくなり、道徳的義務の性質を調べることを思い立った。機会があったら友人や家族にアンケートを取ってもいいし、自分が感じているほかの道徳的義務と比較するのもいい。私は気楽な集まりや私自身のソーシャル・メディア・チャンネルで、「投票する道徳的義務はあると思う？」と訊きまくった。その答えは人それぞれだった。

一部の人は投票する道徳的義務があると訴えた。

本当に理解に苦しむよ。投票は義務だと思う。この国に住んでいるというだけで、たくさんの特権や恩恵がある。そのなかには必死で勝ち取ったものもある。これだけの恩恵を与えてくれるシステムに、面倒だからといって参加しないのは、ただの怠慢だと思う。

民主主義への共通の献身だと思う。投票した人は民主主義のプロセスにたとえ微力ながらも投票する道徳的義務はあると思う？

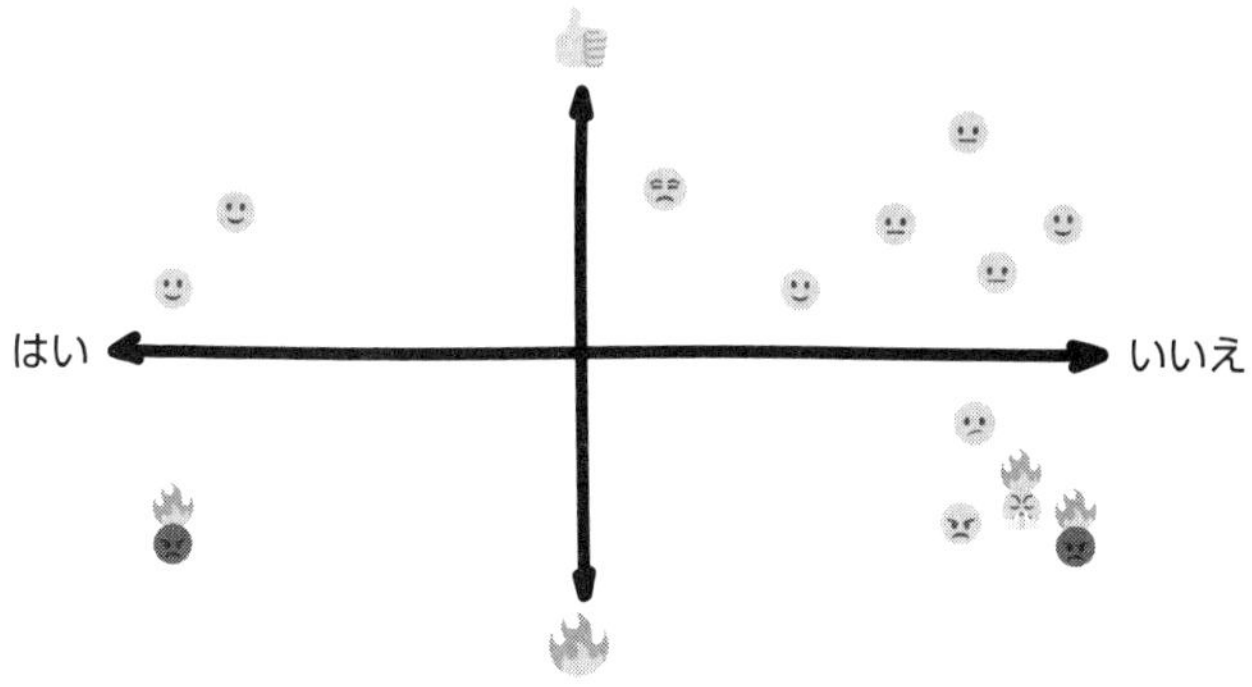

かかわっている気分になるし、投票率が高ければ、選挙結果にそれだけ多くの人々の意思が反映されていると思える。投票率が低ければ、みんなの意思が反映されていない、だから不当だ、と言って結果を片づけやすくなる。実際の投票内容や選挙結果に及ぼすその影響とは無関係に、個々の票が民主主義自体を強化するんだ。

もう少し強硬な主張をする人もいた。

投票しない人は身勝手だし怠慢。あれこれ理屈をつけてその身勝手を正当化したつもりになっているけど、身勝手は身勝手だ。小さな投票行動ひとつで地域の弱者に手を差し伸べられるかもしれないのに、まるで自分が実世界に及ぼせる影響よりも、選挙制度に対する自分の感情のほうが大事だといわんばかりだ。

民主主義制度が与えてくれる特権は受け取っておいて、投票はしないというのは、練習や試合には参加しないくせに、チームが勝ったらトロフィーをよこせと言う選手みたいだ。

投票しないという選択に条件つきで賛成する人もいた。

投票しないという選択自体もひとつの票だと思う。問題を理解していないときや（知識不足）、適当な選択肢がないとき、ほかの人々に任せたほうが正しい判断をしてくれると信じているときは、投票しないまっとうな理由がある。

会話が進むにつれて、丁寧なコメントは影を潜め、過激なスレッドが熱を帯びはじめた。ある人物はこんなかなり挑発的なたとえを持ち出した。

投票しろというのはセックスしろというのと同じ。男性は自分が妻を養ってやっているんだからセックスに応じるのは妻の義務だと思っているでしょ。レイプじゃないけど、同意のうえでの行為かといえば、それともちがう。ノーと言う権利はあるの？　それとも、強制ありきの話?

確かに、いったん道徳的な総意ができあがると、それに従わなければというプレッシャーは大きくなる。いずれにしても、このコメントをきっかけに、会話は新たな方向へと脱線していき、ふたりがレイプのたとえを持ち出した人物に食ってかかった。

投票をレイプにたとえるような人と真剣な話ができるとは思えない。

暴力的な性行為と投票を同列に扱うなんておかしい。どうしてそんな当たり前のことにも気づかないのか、さっぱりわからない。

権威の声が働いて、この会話の方向性を排除しようとしている点に注目してほしい。そして、会話がいっそう熱を帯びたおかげで、より頑固な意見が飛び出した。

投票しても何も変わらないとか、ふたりの悪魔からましなほうを選ぶのなんてごめんだ、とかいう人は、自分自身しか見えていない。あなたより社会的に弱い立場にいる人たち(LGBTQ、有色人種、貧困者など)を見ようとしていない。リバタリアンが嫌いなひとつの理由は、そういう人が自分で自分のニーズを満たせる立場にいるからだ（たいていは白人で裕福）。彼らが投票を放棄すると、本当に困っている人たちがしわ寄せを受ける。この国は虐げられている人たちを受け入れるという理念に基づいて建国されたはず。裕福で、自分だけが高みの見物をして満足している人は、人種や収入の特権がない人々に対して、消えろと言っているのと同じこと。自分自身のためだけでなく、コミュニティのためにも投票するべきだと思う。

この会話はさほど特別というわけではないし、いろんな話題について日々ソーシャル・メディアのあちこちで交わされている会話よりは、たぶんかなり穏やかなほうだと思う。でも、この会話は平凡ながらとてもタメになる。これまでに紹介してきた概念を完全に網羅しているからだ。人によっていろいろな見方が存在するし、その多くがお互いにぶつかり合っている。一人ひとりが自分の認知的不協和と格闘し、それが別々の不安を引き起こしている。そして、一人ひとりの内なる声は、自信満々な理性から、力ずくの誹謗中傷、誹謗中傷に対する弁明まで、意見の対立を解消するさまざまな戦略を提案しているのがわかる。すると、議論はだんだんと加熱し、やがて完全に収まった。きっと、多くの人は面倒事に巻き込まれたくないと思い、会話からすっぱりと手を引くことを選んだのだろう。

この会話を生産的なものにするには、いったいどうすればよかったのだろう？　会話を個人的な誹謗中傷から生産的対立へと差し向けるため、私に何ができただろうか？　参加者たちを健全で高機能な社会に暮らしたいという共通の願いに沿ってひとつにまとめる方法はなかったか？　ここにはどのような成長、絆、楽しみの果実が潜んでいるだろう？

可能性の声が答えを与えてくれないなら、こうした会話は時間のムダだろうか？　今すぐに人々の考えを変えたいと思っているなら、これを失敗と呼ぶのは簡単だ。でも、あなたが難題を冒険への呼びかけへと変える生産的対立の実践に興味をお持ちなら、この会話は決して時間のムダなんかではない。それは開始点、第一歩なのだ。この会話を続けていれば、いつか実りある成果が生まれるかもしれない。こうした状況で「解決」を求めるのは、往々にして希望的観測というものだ。たった一回の会話で自分の心が変わることなんてない、というのは誰だってわかっている。なら、どうしてたった一回で他人の心を変えられるはずがあるだろう？

その後、私はレイプのたとえを持ち出した人物の話を詳しく聞いてみた。そこで、彼女には投票を控える宗教的な理由があることを知った。私はまったく知らなかったのだけれど、エホバの証人は聖書の記述から、完全な政治的中立を保つ義務があると考えている。彼女と教会の関係、教会外部の人々に嗤《わら》われた経験、彼女と教会自体との複雑なかかわり……。そんな話を聞いたおかげで、彼女がどうして同意についてあれほど頑強な態度を取ったのかが理解できたし、この話題については一筋縄ではいかない複雑な立場がありうるのだということを深く理解できた。

今にして思えば、私の質問のしかたがまずかったのだとわかる。ほかの人々がどうすべきかではなくて、あなた自身がどうすべきだと感じているかをたずねるべきだった。実際、会話の枠組みを見直し、自分の見方を一人称で語ってもらったところ、一人ひとりが独自の見方にたどり着いた経緯がずっとわかりやすくなったのだ。

実践しよう④

一人称で語る

一人称で語るというのは、①他人の考えを勝手に代弁する、②集団の見方を憶測で語る、というふたつのよくある悪習を避けるということを意味する。このふたつの悪習を断つのは、まちがいなくあなたが思うより難しい。（だってほら、今、私もやっちゃったでしょう？）たとえば、「子どもにワクチンを接種させないなんて、君はまわりの子どもに病気を移そうがどうでもいいと思っているんだね」と私が言ったら？　私はあなたの行動を見て、あなたの心のなかの考えを憶測で語っていることになる。憶測が当たる場合もあるけれど、あなたが心のなかで実際にどう考えているかは、あなたのほうがよくわかっているはずだ。私が一人称で語るとしたら、代わりにこう言うだろう。「僕が子どもにワクチンを接種させたのは、それが僕の子ども

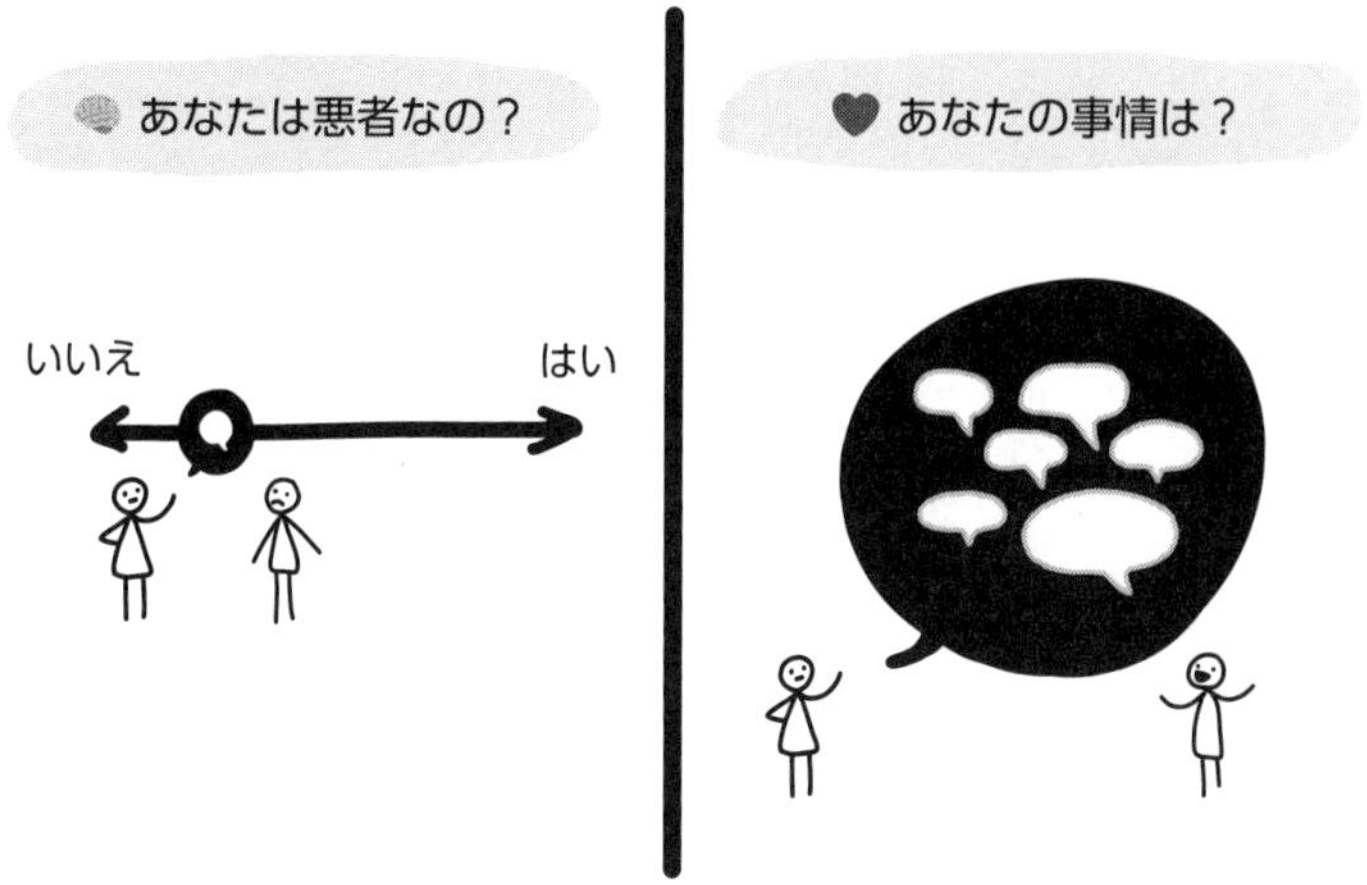
あなたは悪者なの？
いいえ
はい
あなたの事情は？

にとって最善の選択だと思ったからだ。君が子どもにワクチンを接種させないのはなぜ？」。こう訊けば、私自身では想像もつかない理由を相手が明かしてくれるかもしれない。

　相手が目の前にいず、直接質問できない場合は？　集団の考えや動機を憶測で語るというふたつ目の悪習に陥りがちなのは、そんなときだ。大小さまざまな新聞紙やオンライン刊行物のコメント欄は、集団に関する憶測で満ちている。いくつか抜粋してみよう。

> ワクチン接種に反対する親たち——この際だから、タダ乗り屋、いや伝染病推進派と呼ばせてもらおう——は、ワクチン接種が子どもの病気根絶に貢献するのではなく、子どもにとって有害であるという誤解により、私の子どもやみんなの街をリスクにさらしている。

ワクチン接種を推し進めている人たちは、自分たちが要求することの意味合いを本当に考えたことがあるのだろうか？　常に、どの場所でも、いちばん病弱な人々のために全員が生活や行動を変えなければならないということだ。彼らが要求していることは、ワクチン接種で収まる話ではなくて、それよりもはるかに大きな意味合いを持つのだ。

——『ワシントン・ポスト』意見記事、二〇一九年四月三〇日[3]

——『ザ・ワクチン・リアクション』意見記事、二〇一九年四月一一日[4]

この種の憶測の問題点のひとつは、どちらの側も、自分の理解できない人々に関してあまりにも冷酷無比な一般化をしていて、しかもそれを集団全体にまで膨らませてしまっているところだ。人間はたったひとりの考えを推測するのさえ苦手だけれど、集団全体の考えを推測するのは大の苦手だ。でも、一人称で語ることに専念すれば、勝手な憶測はやめ、そのぶんワクチン接種の賛成意見または反対意見を語ってくれる人々を探すという問題に力をそそげる。そういう人が見つかったら、自分の考え方や行動のしかたを一人称で語ってもらえばいい。

他人の考えを憶測で語るのをやめれば、相手の行動の意図がわかっているといわんばかりの安易な結論に飛びつくのではなくて、相手の考え方について何かを見逃している可能性を真っ先に考えられるようになるはずだ。

♥ 相手の言い分は、きっとね……

一人称だけで語るようにすれば、次のことができるようになるだろう。

①他人についてただ語るのではなく、他人を会話に招くことができる。

②他人の意見に関するあなた自身のメンタル・モデルをずっとすばやく改善できる。

③あなた自身の意見をより正確に表現できるようになり、相手があなたの考えを歪曲して伝えたり、憶測で語ったりすることが少なくなる。

他人の考えを代弁するのをやめ、一人称で語ることのもうひとつの副次的な効果は、議論の際に集団へのステレオタイプに頼らなくてすむようになるということだ。たとえば、移民がアメリカに入国するために難民保護のシステムを悪用しているかどうかについて議論するとしよう。本書のガイドラインを真剣に受け止めるなら、移民を探し出して会話に招き、自分自身の行動の動機について一人称で語ってもらう必要があるだろう。ただし、それでもその移民は自分の見方を語っているのであって、全移民の見方を代弁しているわけではない。移民の問題について憶測なしで語るのに十分な見方が集まるまで、いろんな人々を会話に招きつづけよう。そうすれば、会話に新しい次元が加わり、会話が現実に根差したものになる。当然、こんな新しい疑問が次々と浮かんでくるはずだ。

・最近の移民の話を聞くには、どこへ行けばいいだろう?
・私の言っている移民というのは、特定の国からの移民なのか、それとも移民全般なのか?
・同じ国からの移民だとしても、国を去る理由は一人ひとりちがうのではないか?
・移民全体の意見として、たったひとりの意見をどの程度まで信頼できるのか?

集団に関するステレオタイプやレッテル貼りを使い、はっきりと立証されていない意図、動機、行動をこうだと決めつけてしまうと、意見の対立はたいてい非生産的なものになってしまう。でも、可能性の声が投げかける疑問に従えば、会話の質はずっと面白いものへと変わる。特定の集団について、個人差を無視した一般化した方法で語るという戦略的なショートカットは、問題をあまりに単純化して理解している証《しるし》だったと気づくかもしれない。そのことに気づけば、問題をきちんと見つめられるレベルの理解を築くのは、あなた自身の責任なのだとわかる。もしかすると、本当の答えを見つけるための疑問さえまともに掲げようともしていないことに、はたと気づかされるかもしれない。それはそれでいい。誤った考えを他者に投影して、その影を攻撃していないだけでも上出来なのだから。

第5章　意外な答えを引き出す質問をする

意外な答えに最大の情報あり。

私たちのバイアスは、過剰な選択肢や不確実性に惑わされず、いち早く物語、決断、行動を導き出すためのメンタル・ツールだ。早く答えがほしいという焦りと、最善の答えを見つけたいという欲求——そのふたつを両立させる最高の道具のひとつが「優れた質問」だ。優れた質問は優れた答えを引き出す。そして、最高の答えは、それまで本当の意味では理解していなかった事実をあぶり出しにして、私たちをあっと驚かせてくれる。

幽霊は存在するか？

幽霊をお気に入りのトーク番組に呼び出して、私たちの質問に答えてもらえたら楽しくないだ幽霊は存在すると思うか？

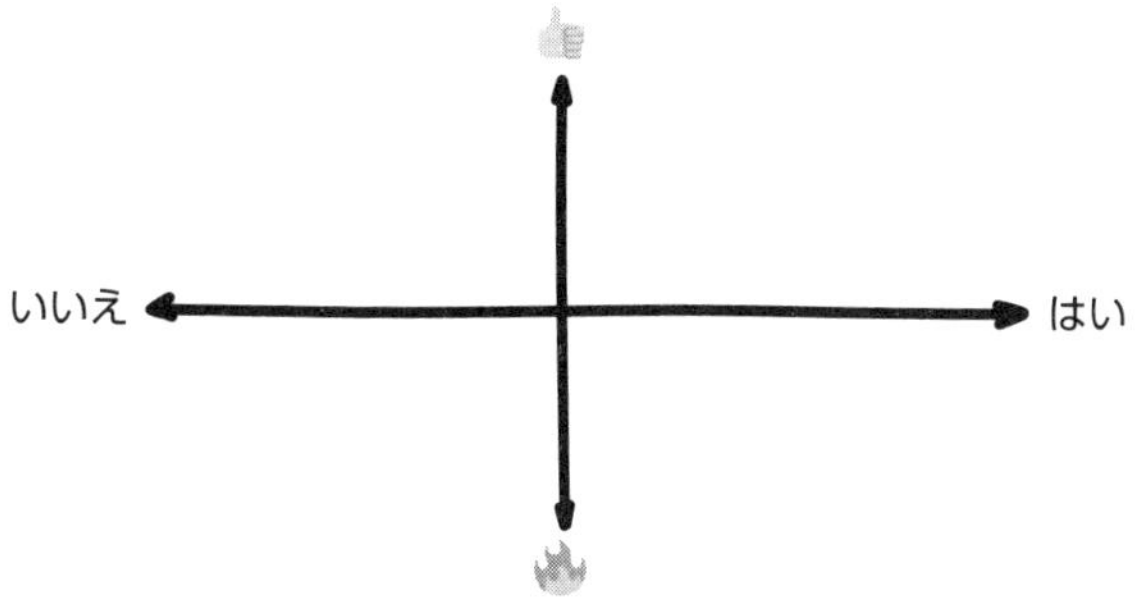

ろうか？　あなたたちはいったい何者？　どうしてここにいるの？　昨日の昼は何を食べた？

きっと数々の論争が解決するだろう！

幽霊が地上をさまよっているのは、この世にやり残したことがあるから？　なぜ幽霊は白装束なの？　幽霊は次元と次元のあいだをさまよっていて、ふとしたときに人間が存在する次元に顔をのぞかせるの？　人間が幽霊に驚くように、幽霊も人間に驚くの？　幽霊は人間の想像の産物を現実世界に投影しただけのもの？　それとも、悪魔、天使、宇宙人？

さて、あなたはどうだろう？　幽霊は実在すると思うだろうか？　あなたの考えが上図のどのあたりに位置するか、書き込んでみてほしい。

私自身の幽霊に関する意見は、本書の執筆中に行なった実験の結果もあって、この一年間でだいぶ変わった。その点については、もう少しあとでお話ししようと思う。ただ、ひとつだけ言えるのは、もし一年前に幽霊は存在すると思うかと訊かれたら、存在しない、それも万にひとつも存在するとは思わない、と答えたということだ。幽霊の存在については、ここ何年間か友人たちとたくさん激論を交わしてきたので、友人たちが何よりの証言者になってくれると思う。もう少し具体的にいうと、私は幽霊が存在するという考えには絶対に反対だったけれど、新しい情報を受けつけないというほどじゃなかった。幽霊が私の好きなトーク番組に出演し、私の溜飲《りゅういん》が下がるまで質問に答えてくれたら、そのときはもちろん改心していただろう。

もっと昔までさかのぼれば、私はずっと否定派というわけではなかった。むしろ一回だけ、瞑想中にある種の〝存在〟を感じたことがある。あれは幽霊といえば幽霊だったのかもしれない。当時は一〇〇パーセントなんらかの霊を見たと信じていたけれど、今は一〇〇パーセントちがうと思っている。経験や記憶って複雑なものでしょう?

小学二年生のころ、近所の子どもどうしで降霊術のまねごとをして遊んでいたとき、裏山に何かがあるから探せという〝お告げ〟が出た。探してみたら、ガラクタが満載の宝箱が埋まっていてビックリ仰天した。高校時代にはタロット占いにハマり、夜な夜なレストランに出かけては店内の客に占いをしてあげていた。あるとき、私がある男にタロット・カードを読んであげると、男はつい最近死に別れた愛馬からのメッセージだと言って号泣しはじめた。

私は臨死体験にもすごく興味があって、どうしても天使や〝あっちの世界〟の存在と会話がしてみたかった。ある午後、いつものとおり、瞑想中に天使を召喚して少し会話をしてみようと思った。目を開くと、金属面に反射した何かのようにキラキラと輝きながら、なんと天使が天井をすり抜けて寝室に舞い降りてきた。私はここぞとばかりに、ずっと用意しておいた質問を投げかけた。「僕は何者?」。すると、天使は輝く紙切れを手渡してきた。ただの白紙だった。そして、天使はすぐにいなくなった。答えを知りたくてうずうずしていた高校生の私は、あと一歩で答えを受け取れるところまで行ったのに、結局はなしのつぶてだった。どんなにがっかりしたことか！　当時の私はこの体験を、幽霊、天使、宇宙人、あるいは異次元の存在との直接的な遭遇ととらえていた。わざわざこっちの世界に顔を出したくせに、何も言わずに帰っていくなんて。期待を裏切られてショックだったけれど、私は心の底から幽霊や天使などが実在してほしいと思っていた。人間の心というのはそれくらい複雑なのだ。

だが、幽霊も幽霊でまた複雑だ。一四世紀のヨーロッパでは、死者の魂が地上をさまよっているというのが主流の幽霊観だったが、歴史を見渡してみると、幽霊に関して数々の伝承や民話がある。お化け、幻影、生霊、妖怪、亡霊、心霊……。そうした存在は古今東西を問わず人間の前に姿を現わしてきたのだ。

幽霊の概念は魂という概念と相性がよくて、古くは古代エジプト、いやもっと前の時代から、いろいろな宗教に取り入れられてきた。地上を離れた霊魂は冥界へとのぼり、食事や捧げ物で冥界での暮らしをまぎらわせることが多い。幽霊はホメロスの『オデュッセイア』や『イーリアス』に登場し、『イーリアス』では、普段はおとなしくしているがときどき現われては預言や助言をしてくる「煙」と表現されている。幽霊は「煙のように、地の下へと去《い》ってしまった、微《かす》かな叫びを立て」とある。[1] キリスト教には聖霊という概念があり、神、イエスと並び、三位一体の三つ目の要素とされている。

科学が革命を巻き起こすまで、幽霊という概念は必ずしもほかの主要な信念体系と矛盾するわけではなかったが、非常に強力な測定手段の登場や、物質とエネルギーへの理解の深まりによって、人類の世界観は一変した。世界各地での幽霊の目撃情報や、ゴースト・ハンターを取り上げたリアリティ番組の人気とは裏腹に、これまでのところ幽霊の存在を示す決定的な証拠は見つかっていない。と、こんな疑問が浮かんでくる。幽霊に関する見方や解釈がこんなに多様だとしたら、果たして幽霊について生産的な対話をすることなんてできるのか？ できるとしたら、どうやって？ そこで、先ほど紹介した四種類の声という観点から検証してみよう。このあとの考察を読みながら、どの声があなたの頭のなかの声と共鳴するか考えてほしい。

権威の声

権威の声に従っている人は、幽霊の存在を信じる（または信じない）よう誰かに強《し》いるかもしれないが、一般的に、権威の声で相手の信念に関する要求を通すのはすごく難しい。せいぜいまちがった信念を持つ人を遠ざけるか、両手で耳をふさいで「ああ、うるさい、うるさい」と言うことくらいしかできない。

理性の声

幽霊の懐疑派がこの話題になると決まって持ち出してくるのが理性の声だ。もし幽霊が実在するなら、なぜ科学機器ではっきりと検出できないのか？　もし幽霊が実在しないなら、科学的な知識がある人も含めて、これほど多くの人が霊体験を報告するのはどうしてなのか？　論理だけではこうした矛盾を説明できないし、そうしようとしたとたん、認知的不協和が生じてしまう。

これまで、科学界では幽霊の正体を暴く試みがあまた行なわれてきた。医師のジョン・フェリアーは一八一三年の著書『幽霊の理論に対するエッセイ（*An Essay Towards a Theory of Apparitions*）』で、幽霊の目撃は目の錯覚によるものだと主張した。[2]　一九七六年創設の「懐疑主義的調査委員会（Committee for Skeptical Inquiry; CSI）」[3]は、幽霊を懐疑的に扱うべきものの代表格に挙げていて、超常現象番組「ゴースト・ハンターズ」の出した結論をことごとく「憶測と当てずっぽう」の類《たぐい》だと一蹴している。[4]　では、ＣＳＩの活動の結果、幽霊を信じる人々はひとりでも懐疑派に変わっただろうか？　評価は難しいけれど、かえって幽霊の存在を肯定する組織をいっそう意固地にさせ、さらには攻撃的にさせたという証拠がある。一九七七年、ＦＢＩの強制捜査により、サイエントロジー教会（The Church of Scientology）がCSIは中央情報局の隠れみの組織だと称するCSI会員の手紙を偽造し、それをメディアに送りつけてCSIの評判を失墜させようとしていたことが発覚した。超心理学会（Parapsychological Association）は、超常現象に関する科学研究の意欲をくじくおそれのある攻撃的な懐疑主義を推進したとしてCSIを批判した。CSI会員のひとりであり、天文学者、SF作家のカール・セーガンは、合理性の背後にあるせめぎ合いを認めた。

たしかに懐疑主義者はときどき高飛車になって、人を見下したような態度をとることがある。そういうケースは私も見聞きしているし、それどころか、今にして思えば我ながら愕然《がくぜん》とするのだが、私自身ずいぶん不愉快な口のきき方をしたこともある。この問題は、どちらの側から見ても、人間の未熟さがほの見えてくるのだ。科学的懐疑は、たとえどんなに慎重に行使されたとしても、傲慢《ごうまん》で押しつけがましく、思いやりを欠いて、他人の感情や深い信念に対して無神経な印象を与えることがある。もちろんサイコップだって完全ではないから、こうした批判もいくらかは的《まと》を射ているだろう。それでも私は、サイコップは重要な社会的機能を果たしていると思う。まず、メディアが問い合わせをできる著名団体としての役割がある。とりわけ、ニセ科学がとんでもない主張をしたとき、それにニュース価値があるかどうかを尋ねることができる。

「独立調査協会（Independent Investigations Group; IIG）」は世界最大の超常現象調査組織を自称し、カリフォルニア州ロサンゼルスにある同協会の実験室で、適切な観測条件のもと、超能力や超常現象体験を実演した人に対して一〇万ドルの賞金を提供している。[6] ＣＳＩと同じく、科学的証拠を用いて超常現象に対する懐疑主義を煽っているが、対立的な手法ではなく協力的な手法を用いているので、攻撃を誘発する恐れは低い。一方、敵の縄張りにのこのことやってきて、自分の信念を実証してくれる参加者を見つけるのは難しいこともあって、熱心ながらも成果の見えない調査が数年間続いたあと、組織の活動は尻すぼみになった。

回避の声

当然、幽霊の話題をいっさいがっさい避けるという方法もありうる。結局のところ、幽霊は自分が日の当たらない身であってもまったく問題ないようだし、幽霊を信じようが信じまいが、私たちの日々の関心事にはさしたる影響もないだろう。ただ、幽霊の話題を避ければ幽霊に関するムダな会話や非生産的な会話は減るだろうけど、探る価値のある話題全体を実質的にシャットアウトしてしまうことになる。

現時点では、私は個人的に、幽霊とは人間の想像力によって力や声を与えられた未解決の疑問の総称であるという考え方が気に入っている。その意味では、この世にやり残したことがある人間の魂という概念とそこまで相容れないわけではない。大部分が私たちの頭のなかにあるという点を除けば。この説に従うなら、幽霊は満足のいく答えを寄せつけない哲学や修辞学の大きな未解決疑問のそうとうな割合を占めることになる。「幽霊は存在するか？」という疑問を未解決のままにしておく行為こそが、幽霊が存在する余地を生み出し、私たちの脳はそのスペースを幽霊のようなプレースホルダーで満たすのだ（時には視覚的な形で、時には音声の形で、そしてまた時には単なる第六感という形で）。幽霊はまぎれもなく未解決の疑問であり、現実と可能性のあいだをさまよっているのだ。この考え方には、私自身の奇特な信念体系を矛盾なく満たす心理的な美しさがある。幽霊の概念がどの文化にももれなくある理由（未解決の疑問がない文化なんてないから）と、にもかかわらず私のお気に入りのトーク番組に一回も姿を現わしてくれない理由（それだと先ほどの疑問が解決してしまい、意味がない）を部分的に説明できるからだ。

以上が幽霊に関する私自身の現在の見方だ。昔は今とはかなり意見がちがい、「幽霊は存在する！」と「幽霊は存在しない！」の白黒思考に近かった。でも、可能性の声を使ってたくさんの

幽霊は実在すると思う？

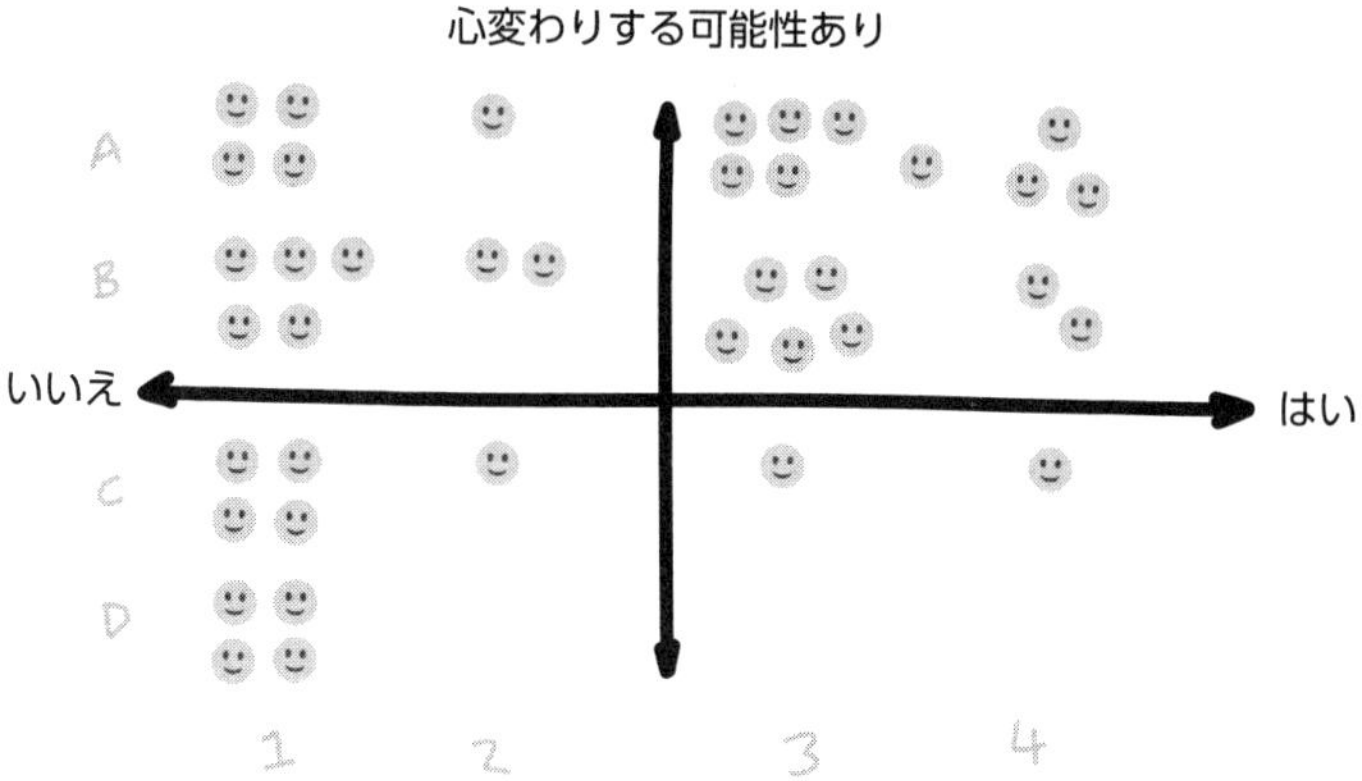

人に幽霊関連の質問をしたおかげで、今の考え方へとたどり着いた。私は相手を萎縮させないよう、「幽霊に関するあなたの信念を変えてやろうとか、そういう意図はいっさいないので安心してください。ただ、あなたの考えを知りたいだけなんです」と伝えることだけは欠かさなかった。

私は次の文章について意見を述べてもらった。

幽霊はこの世に実在するものであり、私たち生きた人間によって体験できる。

単なるイエスとノーの回答だけでなく、もう少し詳しい情報を得るため、回答者には上のチャートのなかで自分の意見にいちばん近い座標を選んでもらった。すると、アンケート回答の分布は上の図のようになった。

アンケート結果から全体的な結論を出すとこうなる。回答者のうち、幽霊の存在を多少なりとも信じている人は全体の四八パーセントで、信じていない人は五二パーセント。全体の七五パーセントの人々が自分の信念と矛盾する情報にも耳を貸す気があると答えたけれど、そう答えた人々の割合は幽霊の肯定派のほうがかなり多かった。幽霊の否定派は、自分の信念と異なる情報に耳を貸すことに消極的な傾向が高かった。

否定派のコメントをいくつか紹介しよう。

電気の存在は信じているし、物質やエネルギーが急に生まれたり消えたりすることはないと思うから、空中になんらかのエネルギーが残っている可能性はあるけど、それが〝幽霊〟だとは思わない。

幽霊を信じる理由はまったくないけど、いたらぜひ会ってみたい。

幽霊なんて絶対実在しない。生命以外の何かが存在してほしいという人間の想像力の産物でしょう。ただ、今夜、妻とこの件で話をしたら、幽霊や宇宙人についての妻の考えについて、なかなか面白いことを学んだよ。だから、会話や学習のきっかけになったという意味では感謝。

急に頭がおかしくなってきた。（中略）私はC1かな。どう考えても幽霊は存在しないし、そうとう強力な証拠を見せてくれないと、幽霊が存在するとは納得できないと思う。ただ、一回だけ幽霊を見たことがあって、そう考えるとB4かも。（中略）不思議だけど、このふたつの確信が混在しているというのが正直なところ。

条件つきでC1。超自然的な存在がものすごく怖くて、ホラー映画や怪談話は受けつけないくらいだから、正直いうと、幽霊が存在する証拠なんて聞きたくない。私の信じているものが芯まで揺さぶられて、精神状態に影響が出るほど、生きていくのが怖くなると思う。超自然的な存在に対して確固たる科学的見解を持っていたほうが、生きるのはラクになるでしょ。

C1。筋金入りのD4の家庭で育ったから、うちの家族では幽霊は存在することになってた。家族の多くがその信念を裏づけるような霊体験をしていたから、実は幽霊を信じていないと〝カミングアウト〟しなきゃならないのは私のほうだった（なんの得もなかったけど）。だから、1までたどり着くのはかなり長い道のりで、今でも幽霊についてはしょっちゅう考える。子どものころからそう植えつけられてきたからね。Dになりきれない理由はそれ。

現実主義と論理的思考が私の神秘主義的な感性を邪魔している。

何回か見たことがあるよ。けど、「信じている」とまでは言えないね。

対して、肯定派の意見はこうだ。

A3。自分では見たことがないけど、見た人を知ってる。存在しないという意見も否定はしないけれど、何かが存在しないことを証明するなんてムリだから、たぶん意見が変わることはないと思う。ただ、言い合うつもりはまったくなし。

昔からずっとA3かな。科学が幽霊の存在を裏づけてくれたらうれしいけど、個人的な体験を踏まえると譲歩するのは難しいかも。

個人的な体験から言ってC3。でも、私たちが幽霊だと思っているものが本当に死者の霊かと言われると、一〇〇パーセントの確信はないね。

早く出たくてしょうがない家を訪れたことが何回かあるんだ。僕のなかのエンジニアは、もしかすると空中に無臭の化学物質がただよっているせいじゃないかとも思ったけどね。ほら、一酸化炭素中毒が似たような影響を及ぼすだろう？　ただ、多くの文化や時代に共通した幽霊の形や記述があるのもまた事実だし。（中略）そこに惹かれるんだ。

私自身（それから、歴史上の数々の社会）の体験したことがウソだなんて、どうして他人様に言い切れるでしょう。だって、人生は意外性の連続だもの！　ここにいる人たちと同じで、私も誰かに認めてくれなんて言いません。この疑問は、合理性の外側にある「知」とかかわっていると思うんです。

実体験より。幽霊はいる。

人間としてどれだけのことが体験できるかはわからないし、それがおたくの言う幽霊かどうかはわからないけど、まあ、いるだろうよ。

信じたい。見たような気がするし。でも証拠はないから、4までは行かないかな。

私が特に注目したのは、人生を通じて幽霊に対する考えが二転三転した人たちの物語だ。「考えが変わった場面の一つひとつに物語がある」とある人は述べた。

理性の声は、こうした種々雑多な物語を、そのすべてで成り立ったたったひとつの話へとまとめ上げるのが好きだ。それが理性の声の飽くなき目標なのだ。なぜなら、一つひとつの物語を理解するには、その物語を、理性の使い手に力を与える上位権力まで上がってくるすべての物語と結びつける必要があるからだ。このやり方の最大の問題は、その場で筋が通らない物語を受け入れるか却下するかの選択を迫られると、理性の声はたいてい却下するほうを選んでしまうという点だ。その選択は長期的に見ると大きな代償をもたらす。より説得力のある意見につながっていたかもしれないのに、新しい情報や見方をあまりにも長く無視しつづけるはめになるからだ。

その点、可能性の声はすべての物語をひとつにまとめるのではなく、むしろ相《あい》矛盾する見方をなるべくたくさん集め、議題に上げて考察しようとする。

幽霊に関していえば、エネルギーについて話す人もいれば、気体について話す人もいる。たとえ筋が通らなくても個人的体験を信じる人もいるし、科学的な再現性を重視する人もいる。心に矛盾があったっていいと思う人もいれば、信念の一貫性をずっと重視する人もいる。これらの事実を踏まえると、どんな質問を掲げるのがよさそうだろう？

浮かんだ質問はふたつだ。幽霊を信じるかどうかは、非科学的な体験が引き起こす認知的不協和や不安の度合いと関係があるのか？　科学的な矛盾を気にする人々は、誰かの直接体験を聞いて額面どおりに信じやすい人々と比べて、幽霊を信じない傾向にあるだろうか？

私たちの信念が神秘や科学との関係性によって部分的に決まるとしたら？　この説を検証するため、私は二回目のアンケートで次の三つの質問をしてみた。

星占いは内省や意思決定の手段として役立つと思いますか？


（ａ）はい。星々は現実的な形で私たちに影響を及ぼすと思う。

（ｂ）はい。ただし、どちらかというと自分を見つめ直す娯楽の手段という意味合いが強い。

（ｃ）いいえ。とはいえ、星占いの考え方も面白いとは思う。

（ｄ）いいえ。こんな迷信を信じるなんて、百害あって一利なし。


あなたはどれくらい科学的で合理的な人間だと思いますか？（１〜５）

神秘的なものをどれくらい信じていますか？（１〜５）

結果は次のとおり。

星占いが有害だと考える人々を見てみると、自分のことを完全に科学的な人間だと思っていて、神秘的なものをまったく信じていない人々がやや多数派だ。星占いが本当だと信じる人々は、科

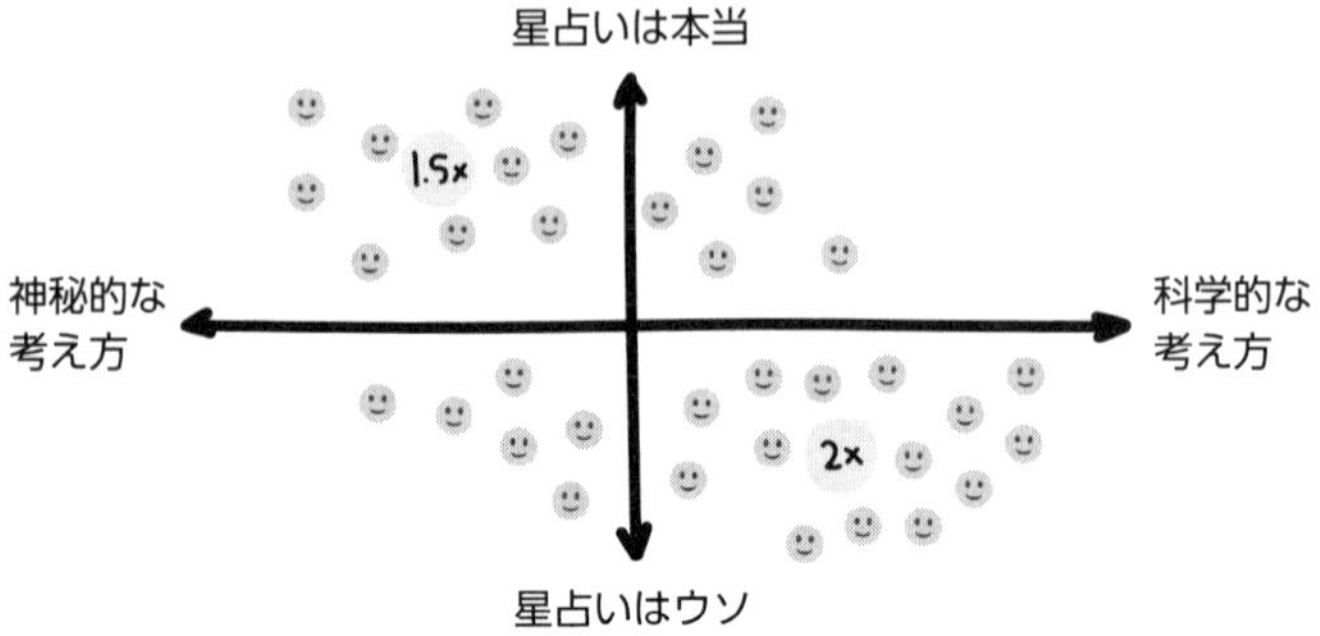

学的な考え方と神秘的な考え方を同じくらい認めているか、やや神秘的な考え方寄りの人々がいちばん多数派だ。目から鱗だ！　幽霊についてたずねはじめた当初は、こんな疑問について考えもしなかったけれど、個人の信念と嗜好に相関関係があるかもしれないというのは、本当に驚きだった。

そこで、私は気を取り直して、もういちど幽霊の存在を信じる人々に接触してみた。ただし、今回は集団ではなく一対一で話をし、世の中の神秘や現実の不可知性について質問を始めた。

印象的だったのは、ある母親との会話だ。その母親は長男について悩みを抱えていて、息子の誕生前に自殺した父親の霊が息子に取り憑いていると信じていた。息子はときどき理解しがたい暴力を振るい、キレると父親とまったく同じように、死や自殺に関する言葉を口にするのだ。いろいろなセラピー、治療、カウンセリングを試した末、母親は共通の友人を介して、家まで息子のお祓いに来てくれる人を見つけた。お祓い当日、家には祭壇がしつらえられ、あちこちに薬草が置かれると、息子は要所要所でお祓い師の言葉を繰り返すよう言われたという。数日後、息子の行動は劇的に変わり、それからというもの、息子が何かに取り憑かれたような行動を取ることはなくなったそうだ。さらに自由形式の質問を続けていくと、会話は自分自身や近しい人々のことがわかるということの神秘にまで及んだ。その母親の行なった儀式が本当に魔法をかけたのかはわからない。ただ、母子《おやこ》の心の距離を縮めるという真の目標が叶ったことは、まぎれもない事実なのだ。

私が意識的に避けたのは、「幽霊に取り憑かれることなんて現実にはありえませんよね？」とかいう、理性の声がお得意な白黒の質問だった。その答えは人それぞれだろうけど、私は少しずつ、幽霊や魂というのはトーク番組に呼び出せる生物種というよりも、むしろ人間に影響を及ぼす未知の力について話すための呼び名みたいなものなのだということがわかってきた。こういうふうに、少しのあいだだけでもその母親のメンタル・モデルを想像できれば、もっと面白い質問ができるようになる。「息子さんとの関係性はどう深まりましたか？」「息子さんは今回の出来事をどう解釈しているんでしょう？」

別の女性、Ｚさんは、友人から自分の家には幽霊が取り憑いていると言われた。その友人は新居探しのあいだの数週間、Ｚさんの家に居候《いそうろう》していたのだが、幽霊がこっちの家にまでついてきたと信じるようになった。一回、キッチンのいくつかのものが突然発火したことがあるし、Ｚさんの髪の色が普段よりも濃くなったこともある。そして、家のなかにいる全員がどういうわけか怒りっぽくなった。結局、友人が新居に引っ越すと、幽霊はいなくなったけれど、Ｚさんには心霊現象が起こりつづけ、自分が幽霊を呼び寄せているとさえ思うようになった。状況が悪化の一途をたどると、Ｚさんはセラピストに相談し、この暗い日々を変えるためにはしばらく健康改善に励んだほうがいいと確信するようになった。Ｚさんは新居に引っ越し、今までとは見違えるような健康的な生活を送りはじめた。それから二年がたった今、Ｚさんは問題が万事解決してずっと幸せな生活を送っているという。

人間の脳は物語を生み出す機械であり、ほとんどどんなものだって顔や生き物のようなものに置き換えてしまうとても便利な（そして奇妙な）能力を持つことがわかっている。どんなものでも顔や生き物に見えてしまう状態は「アポフェニア」と呼ばれ、逆に顔や生き物の見分けが十分につかない状態は「相貌失認《そうぼうしつにん》」と呼ばれる。ほとんどの人はその中間に位置し、車のヘッドライトが人間の顔に見えたり、ときどき幽霊を目撃したりもするけれど、そのおかげで、ペットと心を通わせたり、マンガを読んだりできる。可能性の声は、現実世界の真相にたどり着きたいという欲求は認めるけれど、それを強制するわけではない。「これは本当かウソか？」にとどまらない質問をすれば、向こうの世界について、もっと豊かで有意義な会話ができる。「あなたと未知の存在との関係性は？　自然や霊と対話ができるのはどんな感じ？　自分自身の健康や環境との関係をうまく活かせるようになると、どんなことがラクになる？」

別の女性、Ｓさんは、自分が生まれる直前に亡くなったおばから特別な霊感を受け継いだと話してくれた。母親から声や筆跡がそっくりだと言われたらしい。ふたりとも虫の知らせを感じる能力が優れていた。かつて、おばがＳさんの母親に、「お父さんが脳卒中を起こしそう」と告げた直後、父親は本当に脳卒中を起こした。Ｓさんが子どものころのある日、母親がＳさんを学校から祖母の家まで連れていくため迎えに来ると、「おばあちゃんはさっき死んだわ」とＳさんがポツリとこぼした。家までは車で四五分の距離だったのだが、家に着くと、介護士から祖母がほんの一時間前に亡くなったことを告げられた。同じような話はたくさんあった。神秘、科学、魔法についての話を始めると、Ｓさんはこう言った。「自分の脳のなかだけのことだと信じたいけれど、〝自分の脳のなかだけ〟だとどう証明するの？」。少しして彼女はこう続けた。「幽霊がいると一〇〇パーセント信じてるわ。この宇宙全体は私たちの想像をはるかに超えるものなの。人間はその一パーセントもわかっちゃいないと思う」

こうした会話は、すべて幽霊に関する質問という体《てい》で始まった。昔なら、相手の話にすぐさま賛成または反対して、〝現実〟に起きたという出来事の細かい部分を補ったり、逆に矛盾を突いたりしただろう。でも、そうしなければならない決まりなんてない。それは理性の声が集団を共通の目的へと駆り立てるために発明した会話の習慣なのだ。「何が本当か？」というのはいちばん白黒に近い質問であり、確実性や自信を高めたいときには頼りになる。自分の属している集団にとって受け入れがたい物事を信じている人に、まちがっていると伝えてやるのが私たちの義務、だと考える人もいる。インターネットは世界のずっと幅広い断面から見た多様な意見を提示することで、この義務を満たす無限の可能性を私たちにもたらす。

「考えの食い違いを取り除くこと」は会話を行なう数多くの理由のひとつにすぎないし、いちばん重要な理由ですらない。不幸せな息子と心を通わせたり、ライフスタイルを大きく変えたり、神秘や宇宙との関係性について考えたり……。会話はお互いの生活をのぞき込み、自分たちの体験している生《なま》の出来事について話す手段として機能したとき、ずっとずっと充実したものになるのだ。

会話の機能が正解や真実を突き詰めるというたったひとつの目的から、もっと広い目的、つまりオープンな質問や好奇心へと切り替わると、私たちの体験や関係性を表現するのに使える単語や言語もいっそう豊かになる。実際、私が壮大でオープンな質問をすると、自分ではとうてい突き止められないような情報に満ちた答えが返ってきた。私とは根本的に世界観の異なる人々のメンタル・モデルや信念体系をのぞき込み、相手の心の言語も学ぶことができた。

私はもう、幽霊は「実在するかしないか」の「頭の領域」の存在とはあまりとらえていない。むしろ、未知の存在、不可知な存在を表わす「心の領域」に属する比喩だと考えている。幽霊という概念は、私たちが本来シャットダウンしがちな奇妙な現象に気づかせ、神秘性そのものに力を与える。頭の領域では、幽霊がそのへんをうろちょろして奇妙な現象を起こすことなんて許されない。私自身、頭では、やっぱり幽霊が実在するだなんて思っていないからだ。私の無意識は、

生物学や心理学の教科書に出てくるような臨床的な単語を使って、無機質な口調で語りかけてくる。でも、説明不能な物事に「幽霊」という名のプレースホルダーを用い、幅広い可能性を受け入れられる人々の無意識は、自分の体験をありのままに深く語ることができるのだ。たとえ、その体験が科学的に説明できないものだとしても。

優れた質問は意外な答えが埋める空間をつくり出す。自分がもともと期待している答えしか返ってこない質問をしても、決して驚くことはないし、世界を探索する新たな道筋は見えてこない。でも、決まりきった答えのないオープンで自由な質問をすれば、出発地点からどんどん遠くまで踏み出せる。好奇心が掻き立てられて、もっとよい質問が見つかるだろう。

よい質問をしたいなら、あなたの世界観の端っこぎりぎりまで歩いていき、あなたが答えを知らない質問を探してみよう。

こうした幽霊に関する質問が転じて、答えのすぐにわからない別の質問へとつながった。答えを見つけるというたったひとつの目標をいったん脇に置けば、ほかにどんな対立の果実が見えてくるだろう？

よい質問の条件は？

よい質問と悪い質問のちがいを探るため、あなたもたぶん子どものころに遊んだことがある二種類のゲームについて考えてみよう。それは「海戦ゲーム」と「二〇の質問」だ。

海戦ゲームでは、海に見立てた8×8のマスにあなたの船が何隻か置かれている。相手も同じだ。お互い相手の船の位置は知らないけれど、特定の座標を〝爆撃〟することができ、その過程でその座標に船がいるかどうかを知ることができる。一回の質問につき、相手の船についてひと

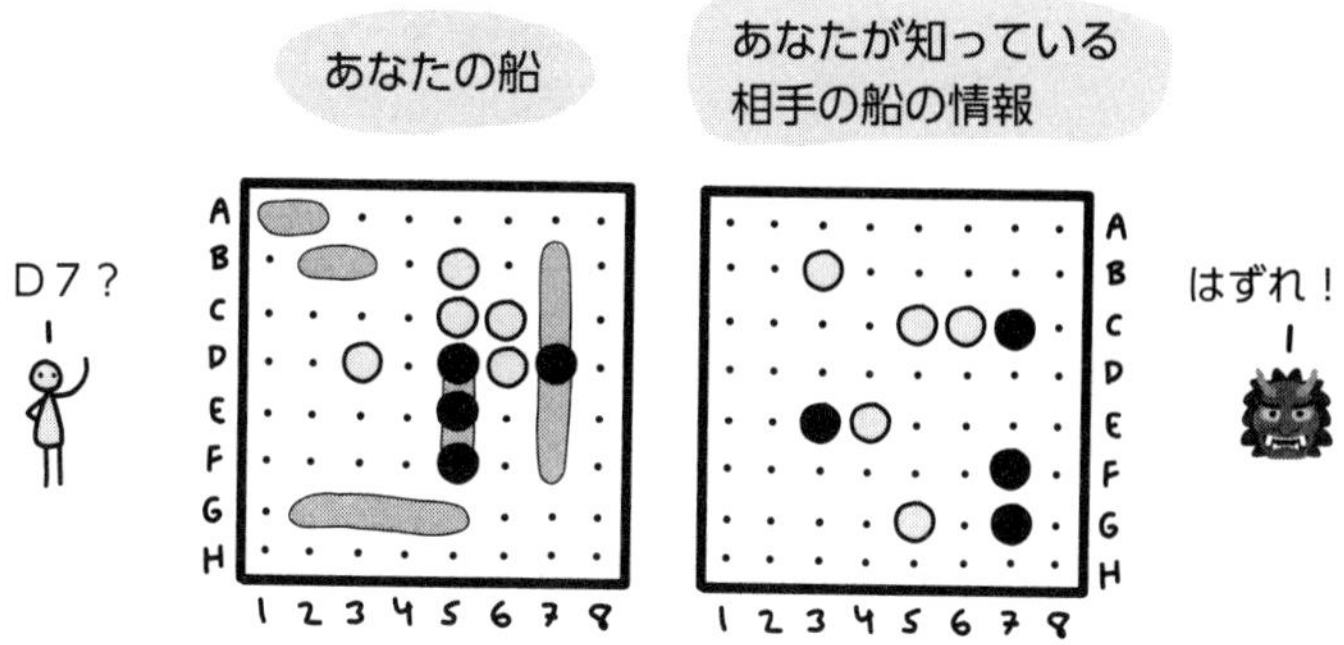

つだけ情報を得ることができ、試行錯誤を通じて最終的に相手の船を沈めることができる（願わくば、自分の船が沈む前に）。

一方、二〇の質問は、一方の人が何かを思い浮かべ（文字どおりなんでもよい）、もう一方の人が最大二〇回の「はい」か「いいえ」の質問をして、相手の想像した内容を当てる。このゲームでは、当てようとしている内容にほとんど制限がないので、海戦ゲームみたいに超具体的な質問をする時間的余裕がない。代わりに、何が出てくるか正確にはわからない状態のなかで、未知を切り開いていく質問をうまく見つけなければならない。このゲームにおいて完璧な質問とは、未知の宇宙全体を半分に分割し、正解がどちらの半分にあるのかを判別することのできる質問だ。海戦ゲームでたとえるなら、具体的な座標を指定する代わりに、「戦艦はA～D列のどこかにありますか？」と訊いて、範囲を狭めていくような感じだ。あなたがこうしたオープンな質問をしているのに、相手が依然として具体的な座標を指定してくるとしたら、あ

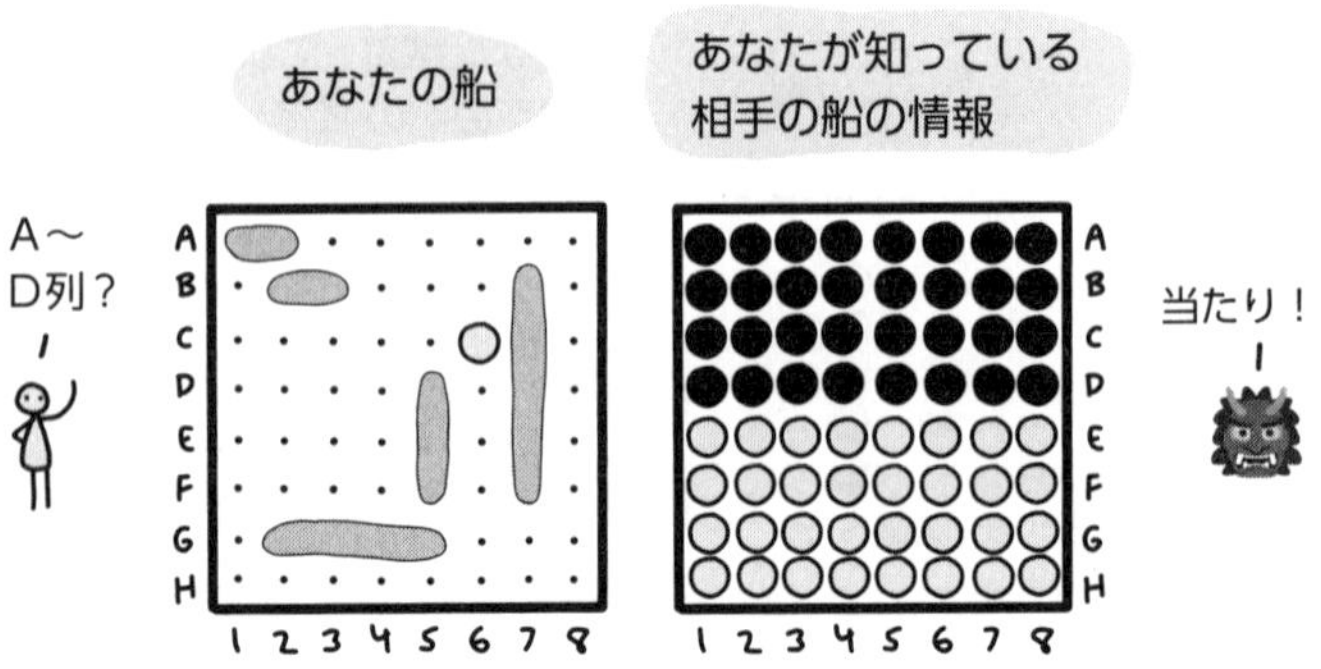

なたのほうがずっと有利になるというのは一目瞭然だろう。

意見が対立したときにたずねられる質問は、二〇の質問より格段に広い。なぜなら、「はい」と「いいえ」の質問に限定されないからだ。よい質問は未知のものをどんどん細切れにするだけでなく、本来相手の心の片隅にあって手が届かない詳細なイメージ、物語、夢を共有するよう促すのだ。

では、「幽霊は存在すると思いますか？」という質問への答えを受けて、よりよい第二の質問につなげてみよう。たとえば、「どんな体験がきっかけで、幽霊についてそう考えるようになったのですか？」という質問はどうだろう？

ひとつ目の質問のほうが、ふたつ目の質問よりも、意外な答えにはつながりにくいだろう。「はい」と「いいえ」の質問は、答え自体は予想がつかないにしても、考えられる答えの幅がものすごく狭いし、どんな答えが返ってきたとしても、それをどう思うかがだいたい決まっているから

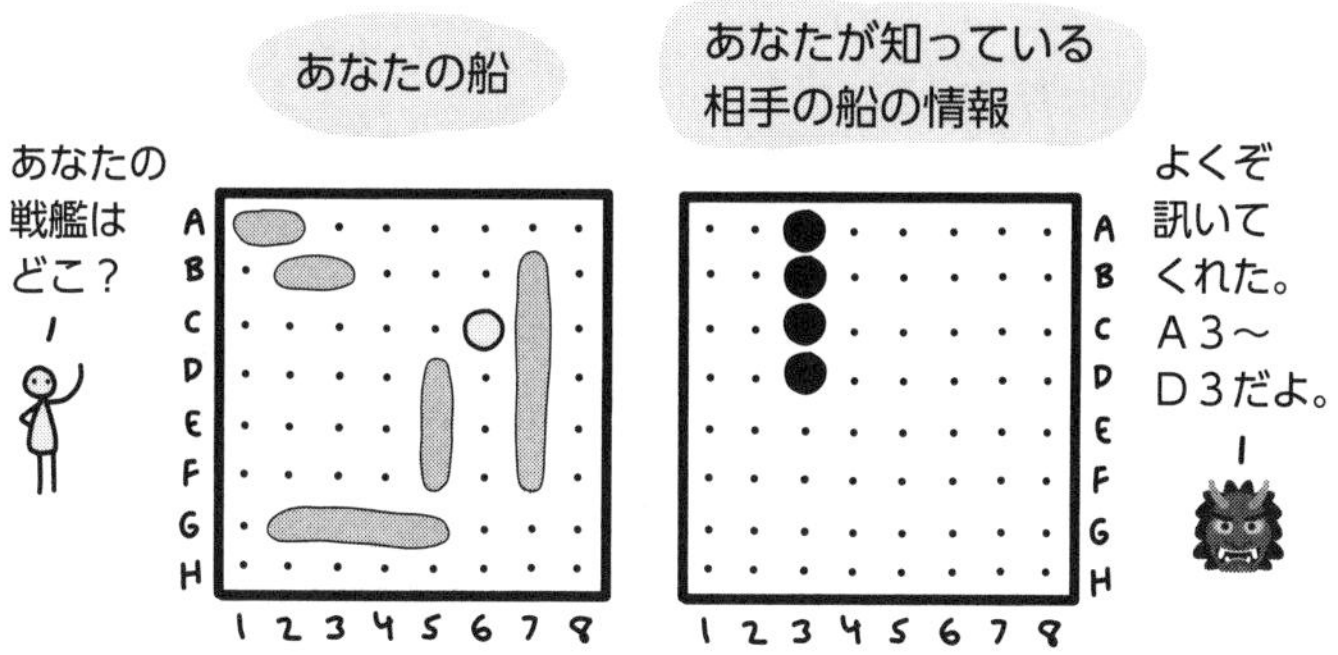

だ。一方、ふたつ目の質問のように、もっと自由でオープンな質問なら、考えられる答えの幅はずっと広がるし、答えに驚く可能性が高くなる。もうひとつのメリットは、回答者が真意を述べる機会をもらったと感じることだ。

私たちのする質問は、相手の見方の全体像を描き出す助けになる。でも、その全体像の解像度、色、鮮明さは、その質問への答えからどれだけ意外な情報を引き出せるかにかかっている。質問が悪いと、解像度の低い答えしか得られないばかりか、相手が共有したいと思える空間をつくり出す機会までふいにしてしまう。

実生活では、相手の戦艦を沈めようとしているわけではなく、相手を理解しようとしている。相手の考え、動機づけ、知識の全体図をつくり上げようとしているのだ。実生活では、「はい」と「いいえ」の質問に限らずどんな質問だってできる。相手の信念体系や記憶をのぞき込む機会があるなんて、こんなにすばらしいことはない。悪い質問はそんな宝の山を自らドブに捨ててしまうわけだ。

幽霊は存在すると
思いますか？
いいえ
はい
どんな体験がきっかけで、
幽霊についてそう考える
ようになったのですか？

最後にひとつだけ、海戦ゲームや二〇の質問と、人間どうしの質問のやり取りとの重大なちがいについて述べておこう。実生活では、相手の質問に答える義務なんてないし、答えるにしても正直に答えるとはかぎらない。

なので、よい質問をするには、対話が一貫してオープンで誠実なものでなければならない。そして、共有した情報が決して悪用されないという共通の理解や信頼が必要になる。その信頼がなければ、どんなによい質問をしても意味がない。返ってくる情報は当てにならず、ひどい場合には悪意に満ちたものになってしまう。

よい質問は、相手から正直な答えを引き出すものでないといけない（つまり、それが善意の質問だという双方の同意が必要になる）。そうして初めて、それが意外な答えを引き出す質問であるかどうかが意味を持つのだ。

対立の四種類の果実

安全、成長、絆、楽しみ

対立を一本の木だとすると、不安や認知的不協和は木を「成長」させる水や空気であり、これまでちょっとだけ触れてきた「果実」というのは、その木になる実に当たる。

ひたすら安全の果実だけを追求する対立は、決して生産的な質問を生み出さない。その種の会話では、情報や質問がもっぱら相手の意見を攻撃したり、自分の意見を擁護したりするのに使われるからだ。こういう状況では、あいまいさは弱点と見られ、攻撃材料として使われるので、敵に真の質問をする理由がない。

戦闘モードから抜け出すには、それとは別種の結果に価値を置き、会話の目的を「安全」から「成長」「絆」「楽しみ」へと向け直すことだ。そうすれば、ついでに安全の果実も間接的にくっついてくる。

対立の四種類の果実は、一つひとつ個別に追求することもできるけれど、四つをいっぺんに追求する方法を教えてくれるのが生産的対立《プロダクティブ・ディスアグリーメント》の技法の強みなのだ。

安全

誰かから攻撃を受けると、安全の果実を得ることがたちまち最優先事項になる。安全の果実は、対立が生み出す果実のなかでいちばん原始的なもので、私たちがいまだにいちばんこだわる果実でもある。

相手がおもちゃを奪い取ろうとしてきたら？ 「ボクのだい！」と言って奪い返す。これで、めでたくあなたの所有物の安全が守られる。

相手があなたや仲間を誹謗中傷してきたら？ とっさに言い返して尊厳を取り戻す。これで、めでたく自尊心が守られる。

意見の対立は個人や集団への脅威ととらえられる。みんなの意見が一致する集団にいれば安全だし、みんなの意見がバラバラな集団にいれば危険だ。意見の対立を解消するひとつの手段が追放だからだ。したがって、集団には意見の対立をなるべく少なくする動機がある。

安全を追求するカテゴリーには、一般的に権威の声、理性の声、回避の声が私たちに促すあらゆる行動が含まれる。意見の対立を解消する。全員に同意を求める。反対したうえでコミットする。対立を終えて前に進む。対立を封じ込める。お互いのちがいを脇に置く。意見のちがいを認める。投票にかける。取引をする。輪っかを閉じる。どれも対立に対するお決まりの習慣的な反応で、私たちの議論のしかたが生産的でなくなっている大きな理由のひとつなのだ。

安全を追求するメリット

・安全の向上という即効性がある。
・どんな対立にも応用できる。
・定義により、いちばん〝無難〟な選択肢である。

安全を追求するデメリット

・意見の対立をつぶすことにより、ほかの果実を発見できなくなる。
・安全の名のもとであまりにも早く意見の対立を封じ込めることにより、みんなの心が一致したという誤解が生じ、あとでもっとギスギスした形で対立がぶり返すことがある。

成長

成長の果実は、リスクや危険を冒さなければならない場合が多いという点で安全の果実とは異なる。安全の果実が「ホーム」でいちばん見つかりやすいのに対して、成長の果実は「フロンティア」で見つかることが多い。

たとえば、ランチをどこで食べるかで議論しているとしよう。安全の果実狙いなら、あなたがひいきにしていておいしいとわかっている店に行くだろう。一方、成長の果実狙いなら、今までよりもっとおいしい店が見つかることを期待して、新しい店に挑戦するだろう。安全と進歩は「あちらを立てればこちらが立たず」の関係であり、成長の果実を見つけられるのは、最低限の安全が確保されたあとだけだ。

または、あなたが一七世紀のヨーロッパに住んでいて、自分の運命に嫌気が差しているとしよう。安全の果実狙いなら、今の場所に残り、今あるものを最大限に活かそうとするだろう。成長の果実狙いなら、船に乗り、海の向こうで新しい生活を始めるだろう。あなたに海の向こうの生活を築くだけの資産がある場合や、現状があまりにもひどすぎて、巨大なリスクを冒してもこれ以上人生が悪くなることはありえない場合には、成長の果実に賭けやすくなる。

このように、とにかく安全の果実だけを追求しているときと、成長の果実を追求しているときとでは、議論の中味が変わってくることがわかる。ただただ生き延びることが目標なら、もっと大きなリスクを冒すとは考えにくい。たとえ、そのリスクが報われて、結果的により大きな安全が得られる可能性があるとしてもだ。

実際には、成長はいろんな形で具現化する。成長は領土や財産をめぐる争いから得られることもあれば、チャンピオンのタイトルをめぐる争い、最多の新規顧客の獲得につながる広告キャンペーンをめぐる争いから得られることもあるだろう。自己中心的な成長（「ボクの列車だい！」）もあれば、集団的な成長（「今の音が幽霊のしわざなのか、単なる風の音なのか、調べてみよう」）もある。

成長を追求するメリット

・悪く言えばリスキーだが、よく言えば起こりうる結果の幅が広い。
・安全の一部を犠牲にして成長の可能性を追うことで、より大きな成果が得られる可能性がある。
・成長はどんどん積み重なっていくので、ひたすら安全だけを追求するよりも大きな安全が得られる可能性がある。

成長を追求するデメリット

・リスクの評価が必要なので、頭、心、手の葛藤が生じる余地がある。
・誤算、失敗、純粋な不運により、損失が生まれるリスクがある。
・成長にはいろいろな形があり、そのなかには測定しづらいものもある。

絆

時には、個人的な成長につながる道と、他者との絆につながる道が重なり合っていることもあるけれど、いつもそうだとはかぎらない。成長するために誰かとの関係を断ち切らなければならないときもあるし、誰かと絆を築くためにしばらく自分の欲求を後回しにして、相手の欲求を優先しなければならないこともある。と同時に、自分自身の成長の果実よりも他者との絆の果実を優先したことで、あとあとお互いの成長につながることだってある。たとえば、幽霊は実在しないという私の信念を証明することよりも、ほかの人々が幽霊の存在を信じる理由を理解することを優先したおかげで、信頼や絆が深まり、本来なら知りえなかったいろんな人の考え方を知る機会ができた。

絆の果実は、往々にして信頼（とリスク）を他人に委ねるという点で安全の果実とは異なる。たとえば、銃規制やワクチン接種について私とは異なる考えを持つ人がいたとする。私はその考えが根本的に危険だと考えているのに、その考えを介して相手と絆を築こうとしたら、いったいどうなるだろう。新しい視点から世界を見るようになるかもしれないし、相手の危険な考えからひたすら自分の身の安全を守ろうとするよりも、最終的には自分のためになるような極端なケースについて考えるきっかけになるかもしれない。

成長の果実と同じように、絆の果実も、脅威に対する安全が土台としてあるほうが手に入れやすい。私自身の身の安全が直接脅かされているとは考えていないときのほうが、赤の他人であっても家に入れて、その人の応援する大統領候補の主張を聞こうと思うだろう。逆もまたしかりで、誰かと絆を築けばそれだけ自分の安全も高まるのだ。

絆を追求するメリット

・他人と絆を築くことによって、やがては成長や安全にもつながる。
・人間は人との関係に大きな充実感を見出す社会的な生き物であり、強力な人間関係に支えられていれば、ずっと不安は減り、立ち直りも早くなる。

絆を追求するデメリット

・信頼を築くのには時間がかかる。築くのは一歩ずつだけれど、失うのは一瞬だ。
・信頼が裏切られ、大きな代償を生むことがある。

楽しみ

楽しみの果実は、そのほかの多くの果実を束ねるものだけれど、ほかの果実と逆行するケースもある。他者を犠牲にして得る楽しみは、真の絆とはちがう。たとえば、誰かを笑い物にすれば、身近な仲間との結束は固まるかもしれないけれど、それ以外の人々を遠ざけてしまう。誹謗中傷、集団的なハラスメント、いじめが発覚したとき、「おふざけのつもりだった」と言い訳するケースをよく見る。でも、標的にされた人にとってみれば、楽しくもなんともない。

しかし、絆や成長を犠牲にしなくても、対立を楽しむ方法はある。あなたも実生活で心当たりがあるかもしれないが、長くて無害な対立がかえって友情を強化するケースもある。たとえば、私は友人のリックと、人工知能が人類存続の脅威になるかどうかでしょっちゅう議論する。友人のトニーとは、目的のために手段を選ばないことの是非についてよく議論する。友人のカリーナとは、大学は二〇年後も価値があるかどうかでよく議論する。どの友情にも根本的な意見の対立があるとは言わないけれど、意見の対立が人間関係に楽しみをつけ加えてくれることはまちがいない。

楽しみを追求するメリット

・楽しみを追求することで、成長と絆を求める長い旅を続ける元気が湧いてくる。
・楽しみは不安の火花が散るのを防ぐ明らかな特効薬になる。
・楽しみに従うのは、自分自身の内なる興味についてもっと深く理解する手段のひとつになる。

楽しみを追求するデメリット

・楽しみは犠牲を伴うこともある（特に、人をけなして得ようとした場合）。
・快楽主義の数ある弊害をここへ［　　　　　　　　］

豊かな果実

脅威と戦ったり、特定の環境のなかで対立をなるべく減らしたりすることで、安全を向上させることだけが目的だとしたら、全員を成長、絆、楽しみに向かって一致団結させるような幅の広い質問をしようとは思わないだろう。単純に、人間の心の仕組みはそうなってはいないのだ。権威、理性、回避の声は、壮大でオープンな質問が生み出す弱みを毛嫌いする。そうなれば相手に力を与えるはめになるからだ。

と同時に、安全以外の三つの対立の果実そのものは、価値という点では安全の果実に及ばない。新しい物事を学んだとしても、あとあと奪われてしまうとしたら、なんの得があるだろう？　あとで裏切られるなら、他人と関係を築いてなんの得があるだろう？　スリを相手に会話を楽しんでいるあいだにものを盗られたりしたらなんの得があるだろう？　ずばり、何もない。

でも、長期的に見ると、成長、絆、楽しみの果実のほうが、目先の安全よりも価値がある。生産的対立を実践すれば、最終的に安全以外の三つの果実に加えて、それまでと同等かそれ以上の安全を手にすることができる。

この事実を受け入れることこそ、私たちに必要な心の変化《メンタル・シフト》なのだ。

安全の果実をめぐる争いはゼロサム・ゲームだ。この争いは性悪説にのっとって行なわれるの

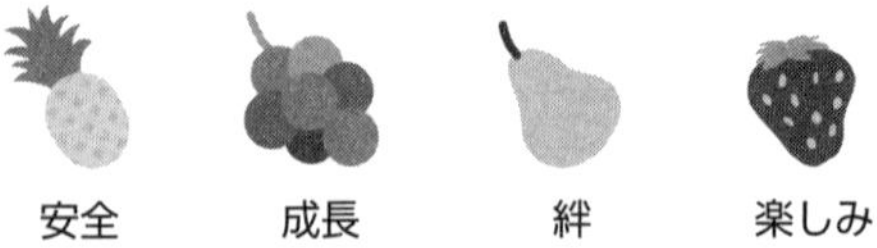

で、対立において「食うか食われるか」の環境を生み出す。私が安全だとしたら、必然的に相手は私よりも安全でないということになり、私にとってはその有利な立場を維持することだけが対立の目的になる。安全の果実は、勝ち負けのつく状況のなかで手に入る稀少な果実といえる。

　しかし、安全、成長、絆、楽しみの果実を同時に追求するための戦いは、非ゼロサム・ゲームだ。「非ゼロサム」ということはつまり、双方にとってウィン‐ウィンの結果だってありうるわけで、相手の成長を助け、なおかつ相手と有意義な形で絆を築き、なおかつ生産的対立のスリルを楽しむという戦略が、安全だけを追求する戦いを上回るケースもありうるということだ。でも、四つの果実を同時に追求すれば、あなた自身の弱みをさらけ出し、相手の攻撃の標的にされてしまう危険性はないだろうか？　もちろん、ある。可能性の声に耳を傾けるべき理由はそこにある。どうすれば絆を強化できるのか？　どうすれば相手と一緒に成長できるのか？　どうすれば相手の弱みを突いたり、自分の弱みを守ったりすることばかりに終始する環境から抜け出せるのか？　可能性の声を使って、そう自問してみよう。

実践しよう⑤

意外な答えを引き出す質問をする

相手との議論が行き詰まり、どう解決していいのかわからずにイライラや困惑がつのっているなら、必要なのはよりよい質問かもしれない。以下に、ほとんどどんな意見の対立にも使える質問をいくつか紹介しよう。

どんな人生体験がきっかけで、そういう信念が芽生えたのか？

何が争点なのか？

ほかの人がなかなか気づいてくれない、あなたの立場の複雑な点とは？

あなたの信念が正しいことが、いちばんの反対派に対して反論の余地なく証明されたとしたら、いったいどうなる？

あなたが心変わりするとしたら、何が事実でなければならないか？

お互いが心変わりする可能性として、ほかに見逃していることはないか？

この問題が完全に解決した世界を想像してほしい。どうやってその状態になったのか？

質問のスケールが大きければ大きいほど、そしてそこから引き出される可能性のある答えが意外であればあるほど、その質問は効果的なのだ。

積極的な傾聴《ジェネラス・リスニング》

言うまでもないと思うけれど、よい質問をしたら、次はその答えにしっかりと耳を傾ける必要がある。それが意外な答えなら儲けものだ。意外な答えは、戦略３（「奇妙な側面を増幅する」）を呼び起こし、私たちの通常のフィルターをすっぽり通過する。ただ、それだけで十分だとはかぎらない。

『賢くなる（*Becoming Wise*）』の著者で、生産的な質問をすることに秀でたラジオ番組およびポッドキャスト「存在について（On Being）」の司会者であるクリスタ・ティペットは、積極的な傾聴についてこう語る。

聴くというのは、単に自分のしゃべる番が来るまで、人の話を黙って聞くというのとはちがう。（中略）積極的な傾聴の原動力になるのは好奇心だ。この善なる習慣を呼び込み、本能といえるようになるまで養うことはできる。ある意味、積極的な傾聴には、自分をさらけ出すことが必要だ。それは、意外な答えに驚き、固定観念を捨て、あいまいさを受け入れる心構えを持つということ。そして、聞き手は相手の言葉の裏側にある人間らしさを理解し、最高の自分、最高の言葉や質問を辛抱強く搾り出そうとする。（中略）アメリカの生活で交わされるのは、人と争うような答えか、相手を追い詰めたり、挑発したり、楽しませたりするような質問ばかり。ジャーナリズムの世界は、〝厳しい〟質問が大好きだ。でもそれは、質問の名を借りた決めつけやケンカ売りであることが多い。（中略）今の私にとって、質問の良し悪しの基準は、その質問がどれだけ正直で雄弁な答えを引き出せたかにあるのだ。[7]

積極的な傾聴を実践するうち、正のフィードバック・ループが働き、意外な答えを引き出すようなよい質問をしつづけようという意欲がますます高まっていくことに気づくだろう。意外な答えを引き出す質問をすれば、正直で雄弁な答えが引き出しやすくなる。そして、正直で雄弁な答えは、積極的な傾聴を実践するやりがいを高め、相手の内面に関するあなた自身の脳内地図を磨き、次回、もっとよい質問や理解ができるようにしてくれる。

二〇の質問の場合、目標は宇宙全体を狭めてたったひとつの答えへと絞り込むことだ。でも、生産的対立の目標は、相手の見方について、なるべく巨大で、面白く、実りのある全体像を描き出すことなのだ。

第6章　みんなで議論をつくり上げる

ナットピッキングやすり替え論法はなんの成果にもつながらない。

議論に勝つ目的が安全の果実をつかみ取ることだけだとしたら、獲物を狩るライオンみたいに、集団内のいちばん弱い敵に狙いを定めるのが最善の戦略だ。この悪習を一言で表わす私のお気に入りの用語が「ナットピッキング」だ。[1] 敵の集団のなかから、いちばんやっつけやすい間抜け《ナット》中の間抜けをピックアップするわけだ。敵もこちらに対して同じことができるので、ナットピッキングの応酬は永遠に終わらない。間抜けは探せばいくらでもいるからだ！　ナットピッキングに頼りだすのは、非生産的な対立に向かってまっしぐらに進んでいるというサインだ。その場では議論に〝勝った〟気になるけれど、生産的な行為だとはお世辞にも言えない。そもそも、そういう間抜けに答えのわからない質問をする理由がない。相手の返してくる情報が正しいという保証なんてひとつもないし、オープンな質問をすることで、あなたが不利になりかねない弱みをさらけ出すことにもつながる。これこそ悪意の対話の応酬だ。

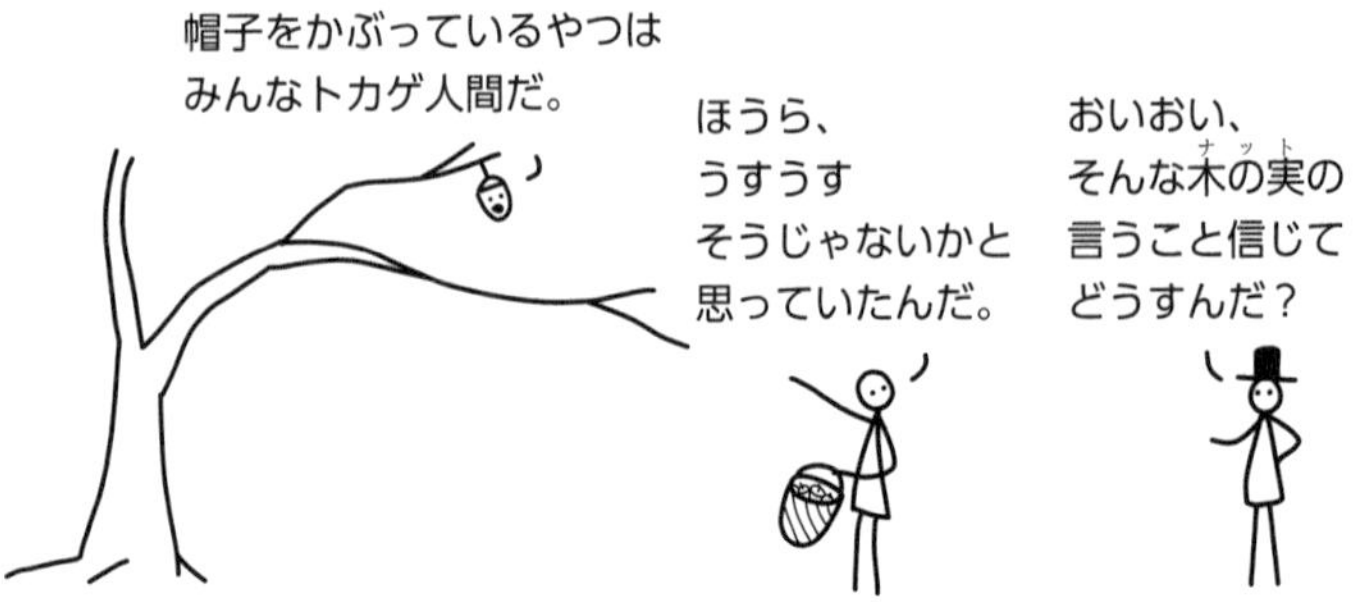
帽子をかぶっているやつは
みんなトカゲ人間だ。
ほうら、
うすうす
そうじゃないかと
思っていたんだ。
おいおい、
そんな木の実《ナット》の
言うこと信じて
どうすんだ？

でも、目的が対立から安全、成長、絆、楽しみの果実を四つセットで最大限に引き出すことだとしたらどうだろう？　誰かがあなたの質問に意外な答えを提示することで、探検に手を貸してくれそうな未開拓の可能性が見つかったとしたら？　もう、いちばん弱い敵を探して質問攻めにするなんてことはしないはずだ。むしろ、いちばん賢くて健全な相手を探そうとするだろう。そういう人こそ、最高の情報、さらにはあなたの質問に対していちばん意外な答えを握っているからだ。

実際、四つすべての果実を摘み取ろうとするなら、相手側がなるべく強力な反論を築くのを手助けし、相手にもあなたに同じことをしてもらうのが理にかなっている。そうして初めて、議論の成果が議論の代償を上回る可能性が出てくるのだ。

認知の戦略7「なじみのあるものをひいきする」を覚えているだろうか？　私たちは自分自身に対してはちょっぴり甘いところがあるので、この戦略は自分自身の議論を築

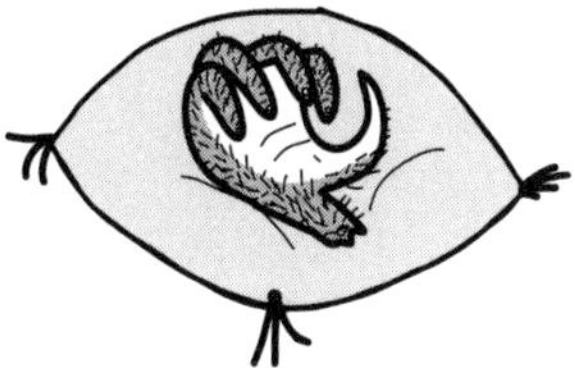

くときに盲点を生み出してしまう一方、人様の議論には穴を見つけやすくする。その逆もまたしかり。相手のほうが私たち自身よりも、私たちの議論の穴を見つけるのは上手だ。しかし、この心のクセを逆用すれば、あなた自身の議論を強化することができるのだ！

猿の手

小説家Ｗ・Ｗ・ジェイコブズの傑作短篇小説『猿の手』をご存じだろうか？[2]　ある晩、とある家族のもとを訪ねた古い友人が、自分の持っている猿の手の秘密を打ち明ける。その猿の手には魔力が宿っていて、持ち主の願いを三つだけ叶えてくれるという。ただし、ひとつだけ注意があり、その三つの願いというのは、たいてい願わなければよかったと後悔するような形で叶えられるらしい。

物語に登場する夫婦は面白いと思い、家事がラクになるよう手の数を増やしてみたらどうかと空想しはじめる。友人は三つの願いを叶えてもらったときの恐ろしい副作用をいまだに悔いていたのだろう、夫婦の考えにゾッとし、願い事はもっと慎重に考えたほうがいいと釘を刺す。彼はこんなものは燃やしてしまうのがいちばんだと言って、猿の手を暖炉のなかに放り投げるのだけれど、夫は猿の手を火から取り出し、試してみたいと告げる。

するとと友人は、議論を続けるでも、自分と同じまちがいを繰り返さないよう協力するでもなく、回避の声に従い、夫婦に猿の手を託した。

友人が帰ると、夫婦の息子は家のローン代をねだってみようと提案する。それくらいなら害はなさそうだし、そんなに欲張りなお願いでもないという結論になり、父親はとうとう願い事をしてしまう。すると翌日、夫婦のもとに、息子が勤務先の工場で亡くなったという知らせが入り、工場主が僅少ながら見舞金を支払いたいと申し出る。その額は、偶然にも夫婦が猿の手にお願いした額とぴったり一致していた。ああ、なんということだろう。

その後も同じような不気味な話が続き、結局、私たちは自分自身の願い事の穴を自分では見つけられないという事実を痛感させられる。が、この物語はどうも後味が悪い。もし友人が肩をすくめて立ち去る代わりに、最後まで夫婦の家に残り、なるべく穴がないような願い事の言い回しを一緒に考えてあげたら、いったいどうなっていただろう？

その幻滅した友人は、夫婦の願い事の穴を指摘するのにうってつけの人物だった。友人には夫婦と同じような盲点はなかったからだ。

この原則は私たちの議論にも当てはまる。あなたの見方にあえて反論してくれる人物は、あなたの盲点を指摘し、まちがいや愚かな争いを避ける手助けをしてくれる絶好の協力者なのだ。

銃規制について考える

憲法修正第二条で銃を保有する権利が保障されているアメリカにおいて、銃規制、銃の保有の権利、銃による死者数の抑制については、数々の過激な意見があるのが現状だ。また、銃にどう対処するべきかについてもいろんな考えがある。ところが、仲間内の話であれ、公的な政治討論であれ、この手の会話が生産的対立《プロダクティブ・ディスアグリーメント》につながることはあまりない。では、この会話に、可能性の声を取り入れたらどうなるだろう?

あなたに、銃規制に大賛成の兄と、銃規制に大反対のおばがいるとしよう。ふたりは最近の銃乱射事件に関するおばのフェイスブック・ページで、アメリカの銃規制の是非をめぐって激しい論戦を繰り広げている真っ最中だ。銃規制は何かと加熱しがちな重要な話題だ。とりわけアメリカ国内の銃、銃規制、銃犯罪の問題は、数えきれないほどの私的・国民的な議論を生み出してきた。また、銃は文字どおり対立のシンボルでもある。状況が切羽詰まっていて、理性が通用しなくなったときの最終手段なのだ。

現時点では、銃の問題はアメリカ特有の議論だけれど（ほかの国々は武器を保有する権利について　アメリカほど強いこだわりがない）、問題の中心にある疑問は普遍的なものだ。つまるところ、自分自身の身を守る権利、安全な環境で暮らす権利とはなんなのか？　このふたつは銃を保有することによって保障されるのか？　それとも、銃のない場所で暮らすことによって保障されるのか？　意見はさまざまだ。

では、どうすればいいだろう？　これまで学んだことを総ざらいしてみよう。まず、自分の頭のなかで不安の火花が散る様子を観察し、内なる声がどうすべきだと言っているのか、じっくりと耳を傾けよう。出しゃばっているのは権威、理性、回避、可能性のうちどの声なのか？　討論を始める前に、自分のバイアスや盲点を正直に認めることはできないか？　意外な答えを引き出せそうな壮大でオープンな質問は？　その答えが出揃えば、関係各所から選りすぐった聡明な人々やアイデアとともに、「みんなで議論をつくり上げる」ことのメリットが見えてくるだろう。

銃について話しているときの不安の根源は？

次の文章を読んで、あなた自身の心の葛藤に注目し、内なる声の反射的な反応を引き出す不安の火花を観察してみてほしい。そうしたら、それぞれの不安の強さを測ってみよう。ほとんど気

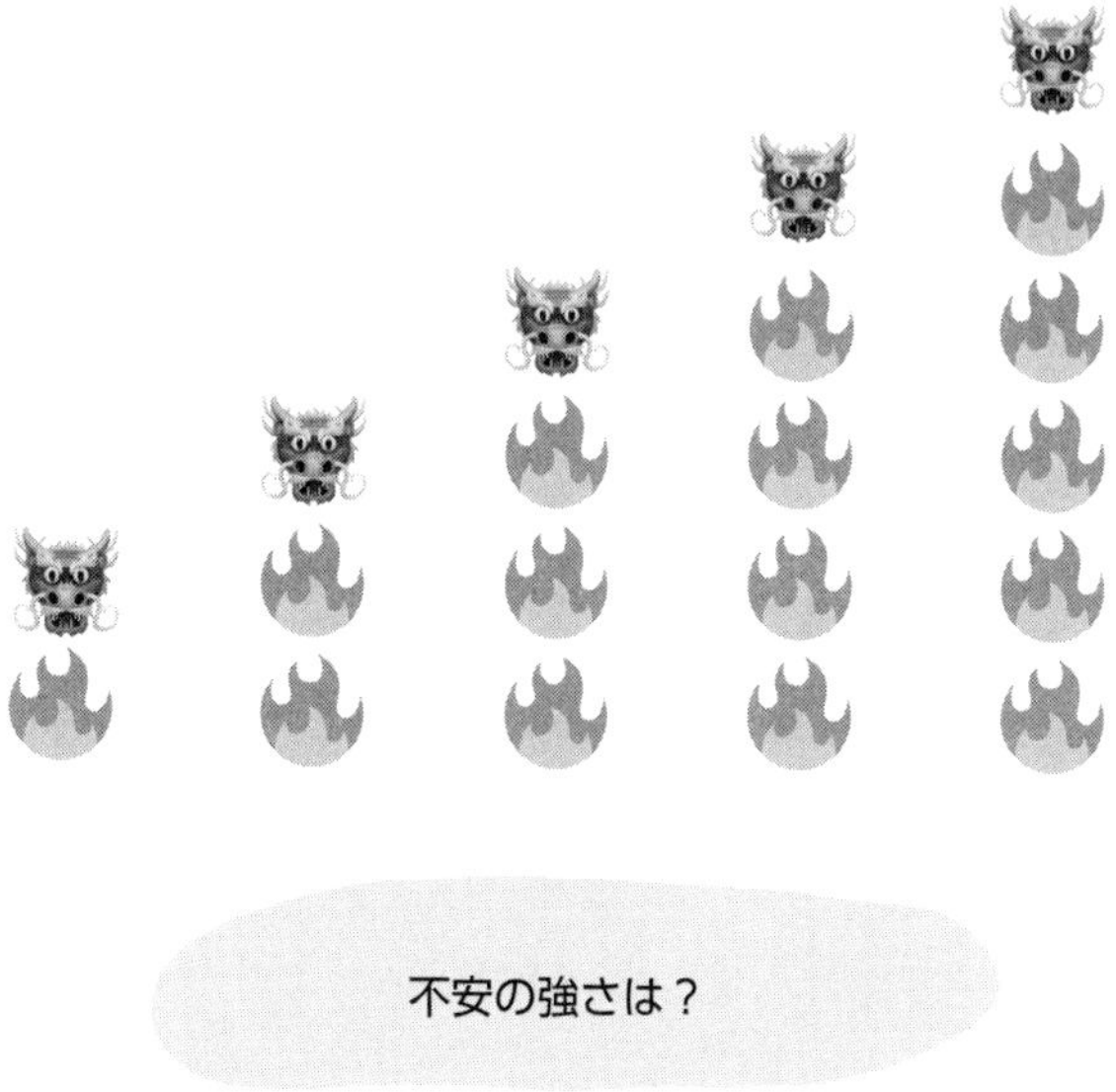

づかないくらいほのかな不安もあるだろうし、ずっしりと襲いかかってくる不安もあるだろう。

銃規制の法律を強化すれば、銃犯罪や銃による死者は減るだろう。簡単な計算だ。

銃規制の法律は自己防衛の権利を侵害し、銃によって得られる安心感を否定することになる。

人を殺すのは銃ではなくて人。

銃を持った悪人を止められるのは銃を持った善人だけ。

実際問題、銃が自己防衛に使われるケースはほとんどなく、銃は安全の向上につながらない。

修正第二条は銃を保有する権利を無制限に認めているわけではない。修正第二条は州による民兵組織の保持を認めるもので、誰もかれもが銃を保有できるようにするためのものではない。

修正第二条は個人の銃保有の権利を保障するもので、アメリカ建国の基礎となる原則である。

これらの文章のうち、あなたのなかで不安の火花がパッと燃え上がったものがいくつかあったと思う。その火花の強さは1？　5？　その中間だろうか？　このような言葉を発した人々と話しているところを想像すれば、そのときの葛藤をスローモーションでひとコマずつ再現し、不安の火花を散らせた意見を分析し、とっさに反応した内なる声を特定して、その声が提案してきた行動を振り返ることができるだろう。あなたは反射的に権威の声や理性の声に頼りがちだろうか？　意見の対立をまるまる避けようとするだろうか？　それとも、オープンな質問をして対立に立ち向かおうとするだろうか？

銃規制の議論の着地点は？

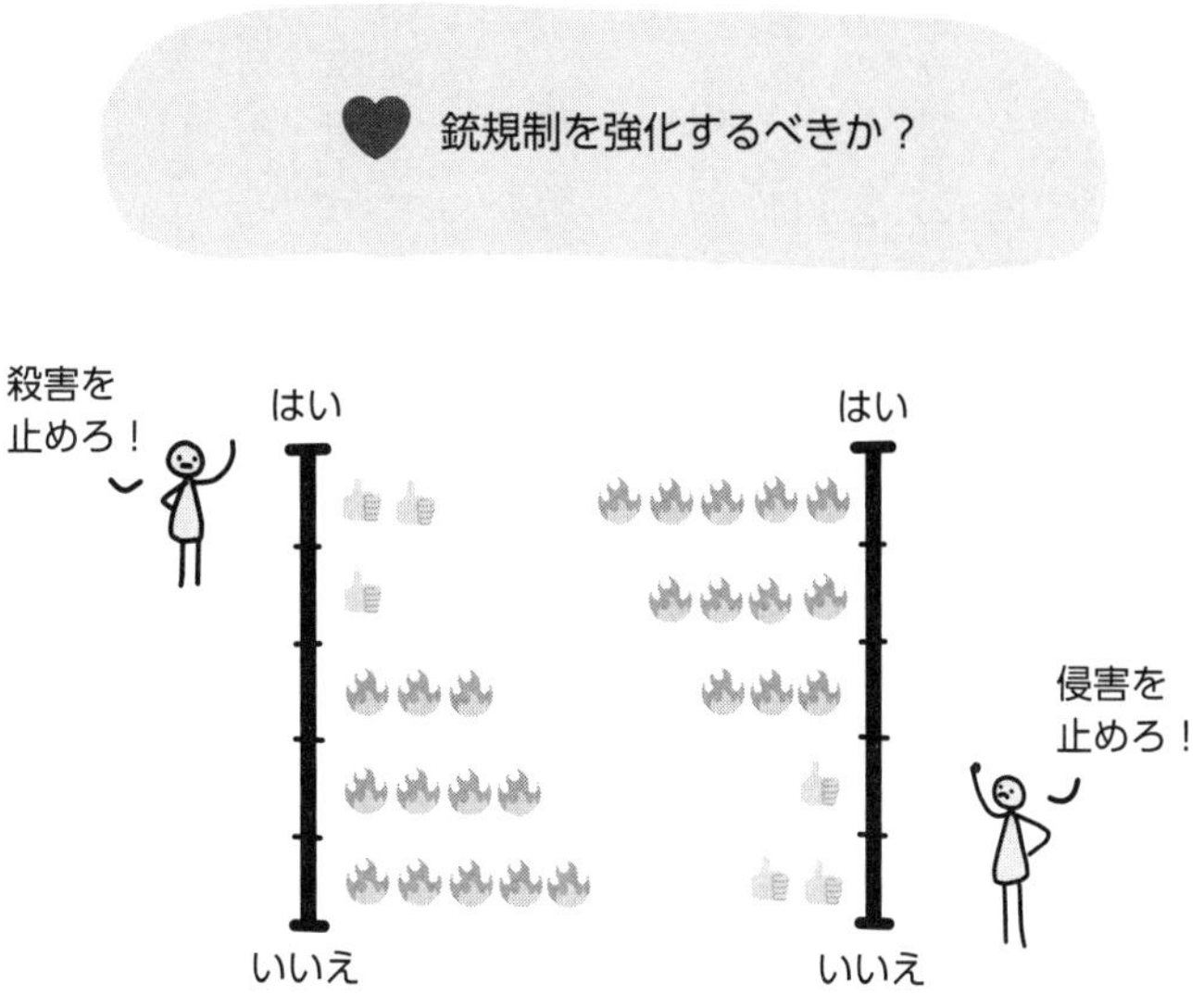

フェイスブックの炎上中、あなたの兄とおばはお互いのことを世界観、生活様式、家庭を脅かす存在と見ている。兄は、半自動小銃を持った不幸な人間がたったひとりいるだけで、罪のない何十人という人々が命を落としてしまうので、学校や公共の場所がどんどん危険になっていると考えている。アメリカの国際的な地位が下がっているのは、私たちが自国民さえも守れないからで、それはそういう状況を看過しているおばみたいな人たちのせいだ、と。一方のおばは、アメリカが自立や個人の自由を重視する信条に基づいて建国されたと考えている。アメリカの国際的な地位が下がっているのは、市民の自由を信じられなくなったからであり、それは他人から自由を奪お

うとする兄みたいな人たちのせいだ、と。

アメリカが直面する最大の脅威についての意見や世界観はちがっても、ふたりが同じ国で暮らしていることは曲げられない事実だ。ふたりとも、この国やアメリカン・ドリームが相手側の政治信条のせいで脅かされていると思っている。かかっているものはあまりにも大きい。子どもたちが学校で次々と死んでいっている。憲法が危機にさらされている。そして、国民を真っ二つに分断するアメリカという国はたったひとつしかないので、双方が勝利するのは難しそうだ。

頭の領域：何が事実か？

この会話から、どんな情報に関する意見の対立があることに気づくだろう？　まず、お互いがお互いをほとんど理解していないことがわかる。ふたりのあいだで情報が十分に行き来していないのだ。二〇一七年のある調査で、民主党と共和党の政党支持者は、自分の政党よりも相手政党の支持者の特徴を推測するのがずっと苦手であると判明した。[3] たとえば、共和党支持者は、平均すると、民主党支持者の四六パーセントがアフリカ系アメリカ人だと推測したが、実際には約二五パーセントだった。一方、民主党支持者は、平均すると、共和党支持者の四四パーセントが六五歳以上だと予測したが、現実の割合は二一パーセントにとどまった。確かに、人々は自分の政党の数値を予測するのもおしなべて不得意だったけれど、相手政党に関する予測ほどひどくはな

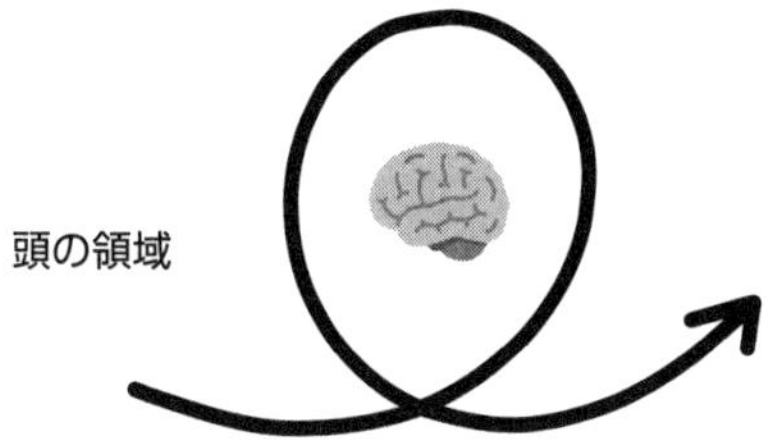

かった。

ひるがえって、私たちの銃に関する意見はどうだろう？　その意見はどれくらい正確な事実に基づいているだろうか？　私たちはまちがいなくニュース番組や新聞雑誌で報じられた最新の大々的な報道は知っているけれど、私は自分の住むカリフォルニア州の銃規制の法律について、ほとんど理解していなかったことに驚いた。そのことに気づくと、カリフォルニア州の銃規制の法律がアメリカ屈指の厳しさだということがすぐにわかった。実際、一〇〇人前後の友人にアンケートを取り、カリフォルニア州が変更すべきだと思う法律をたずねてみると、大半の人々がすでに明文化されている法律を答えた。たとえば、カリフォルニア州は銃の購入時はもとより、銃の展示会でさえ、身元調査を義務づけている。また、銃を保有する際には銃器の取り扱いに関する安全講習と認定証が必要になる。

私たちの脳は自分側の主張が正しいと過信し、相手側の主張を過度に疑うようにできている（戦略7「なじみのあるものをひいきする」、戦略10「過信する」）。なので、意見の対立を周到に準備されたニュースの見出しやショッキングな事実の外側へと広げるのは、ものすごく難しくなる。私たちはそういう会話を行なうのに役立つ道具をいっさい持ち合わせていないからだ。

心の領域：何が有意義か？

嗜好や価値観のちがいが意見の対立につながるひとつの例として、それぞれの人の価値体系に応じた修正第二条の解釈方法や、銃の保有や銃による殺人事件に関する事実の解釈方法が挙げられる。

アメリカ合衆国憲法修正第二条には、「規律ある民兵は、自由な国家の安全にとって必要であるから、人民が武器を保有し、携帯する権利を侵してはならない」とある。当然、修正第二条が法であることは周知の事実だから、この情報自体には議論の余地がない。でも、あなたの兄は、この条文でいちばん大事なのは「規律ある民兵」という部分であって、個人には当てはまらないと主張している。一方のおばは、「人民が武器を保有し、携帯する権利を侵してはならない」の部分がいちばん重要だと考えている。条文はひとつ。解釈は二通り。悪意のある対立では、その二通りの解釈が相手を攻撃するための武器として使われてしまうのだ。

ピュー研究所による二〇一三年のデータによると、「アメリカには推定二億七〇〇〇万～三億一〇〇〇万丁の銃が存在する。これは平均すると全男性、女性、子どもがひとり一丁近くの銃器

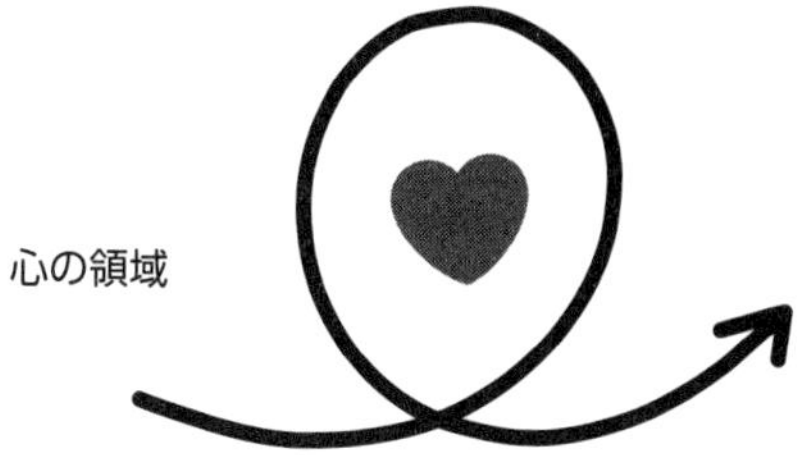

を保有している計算だ。しかし、実際に銃を保有しているアメリカ人は少数派である」とのことだ。[4] さらに、ピュー研究所は数年後の調査でこうつけ加えた。「現在、アメリカ成人の三〇パーセントが銃を保有していると述べており、三六パーセントが現状では保有していないが将来的に保有する可能性があると述べている。残りの人々、つまりアメリカ成人の三人にひとりは、現在銃を保有しておらず、なおかつ将来的にも保有しようと思わないと答えた」[5]。この情報を見て、あなたの兄はアメリカ人口と比べた国内の銃の数を持ち出し、バカバカしいくらい多すぎると言う。一方のおばは、銃の保有率が一〇人中三人という数字を持ち出し、銃の数の統計が信頼できないと主張し、国内の銃の保有者数を軽くとらえる。情報は同じでも、その解釈や価値観は異なるということだ。

また、全国の死亡率を毎年追跡しているアメリカ疾病予防管理センターによると、こんなデータもある。「二〇一五年、アメリカでは銃器による負傷で三万六二五二名が死亡した」[6]。銃による負傷に起因する死亡率は一〇万人あたり一一人で、負傷に起因する死亡全体の約一七パーセントを占める。これには自動車事故や薬物の過剰摂取などなどが含まれるけれど、病気や健康関連の死は含まれない。病気関連の死まですべて含めると、二〇一五年の銃器による死は、全三九五〇万件のうちの〇・〇九パーセントということになる。あなたの兄は銃による死者が三万六二五二名という事実に着目し、他国の数と比較して、銃による負傷に起因する死がどれだけ深刻な問題なのかを熱弁する。一方のおばは、銃による死者が年間の死者数のほんの一握りだという事実に着目する。そして、自動車事故や転倒による死者もそれに負けないくらいいるのに、どうして銃の死者にばかりそんなにこだわるのかと問い詰める。おばはこうした情報を用いて、兄の意見の根底には明らかに公共の安全だけではなく文化的な思惑があると主張する。

このように、あなたの兄とおばは理性と権威の声を聞くに当たり、自分にとって都合のいいように情報を解釈し、相手を攻撃するための武器として用いている。端《はた》から見ると、正しい情報さえあればこの意見の対立は解決できるように見えるけれど、実際には、情報の背後にある「価値観」が意見の対立に油をそそいでいる。心の対立は事実や数字では解決できない。もっとじっくりとした微妙な方法でしか解消できないのだ。

こうした現実がはっきりと見て取れるのが、リーダーどうしの討論会だ。討論会に参加したリーダーたちは、具体的な情報を提示するのではなく、自分たちの仲間にとって何が神聖かという意識や感情に訴えかけようとする。たとえば、長年にわたり全米ライフル協会（ＮＲＡ）会長を務めたチャールトン・ヘストンは、二〇〇〇年の有名な政治演説でこう言った。「人々の自由を奪い、この国を分裂せんとする勢力を打ち破るため、私の声が届くすべての人々にこの宣戦布告の言葉を述べておきたい。私が死んで両手が冷たくなるそのときまで、決して銃を手離したりはせぬぞ！」[7]。明らかに、このセリフは銃に関する会話への招待などではなかった。いわば民主党に対する威嚇射撃であり、主に銃保有者たちの自由と自立という中心的価値観を強化する役割を果たしていた。

バラク・オバマは二〇〇八年の大統領選の最中、カリフォルニア州で開かれた資金調達イベントでこう話した。「ペンシルベニア州の片田舎を訪れてみると、中西部の小さな町ではありがちなことだが、もう二五年間も仕事という仕事がなく、その穴を埋めるものが何もない。これまで数ある政権が地域再生を掲げてきたが、いまだに実現を見ない。だから、人々は頑なになり、銃や宗教にしがみつき、よそ者を毛嫌いし、反移民感情や反貿易主義に染まってしまう。そうやって、自分たちの不満を表明するのだ」[8]。チャールトン・ヘストンのセリフと同じく、オバマのセリフも、自身の支持基盤の価値体系を強化するための政治的発言だった。

あなたの兄とおばは、これらの発言を聞き、その意味について討論するけれど、どちらのセリフも、目的という点では、将軍が長引く戦いの最中に兵士たちに伝える言葉とそう変わらなかった。つまり、価値体系を伝え、仲間意識を強化し、自分の意見にいっそう固執させる役割を果たした。が、対立を解消するのには結局のところ逆効果だったのだ。

手の領域：何が有効か？

銃に関する論争では、情報や価値体系に関する対立が存在するけれど、本当に重要なのは戦略だ。どんな行動を取れば前向きな成果につながるだろう？

あなたの兄とおばが権威の声に耳を傾けていれば、力ずくで新しい法案を議決させ、相手に負けを認めさせることができると思うかもしれない。この戦略は、少なくとも一時的には安全の果実をもたらす。

あなたの兄とおばが理性の声に耳を傾けていれば、憲法解釈の不可解な点を取り上げ、反発を最小限に抑えるような新法の施行について議論するだろう。他国の統計や法律を提示し、さまざまな銃規制法を持つ国どうしの殺人発生率を比べて、相関関係や因果関係を見出そうとするかもしれない。権威の声のときと同様、この種の戦略も安全の果実に訴えることになる。そして、人々の生命や福祉という点での真の代償について、徹底的に腹を割って話し合うことになるだろう。

理性の声は、科学的に測定できない感情や信念体系と少し距離を置くことによって、ちょっとした淡い期待を抱いている。たとえば、あなたの兄は、心の奥底で、新たな銃規制法の導入によって重犯罪が減れば、おばはきっと銃保有の権利を求めてガタガタ言わなくなると期待しているかもしれない。一方のおばは、心の奥底で、銃規制法が緩和または撤廃され、個人の自由が守ら

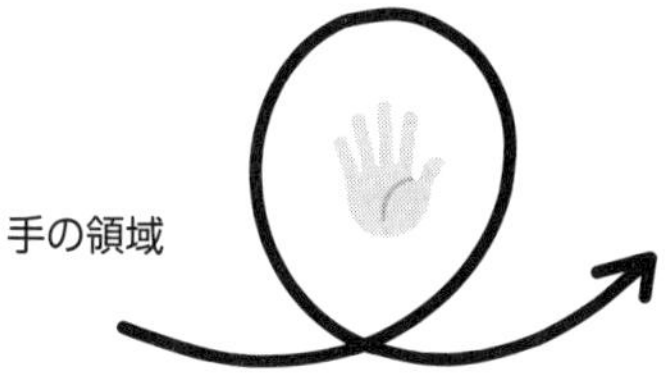

れれば、兄はきっとおとなしくなり、銃規制の強化を求めてガミガミ言わなくなると期待しているかもしれない。ふたりの淡い期待の背後には、なんらかの立法措置を取り、適切に施行すれば、議論がきれいさっぱりなくなるという暗黙の仮定がある。でも、この理性の声の不毛なロジックを一歩離れて見ると、そんなことはまず起こりえないとわかる。理性で議論に勝てば、お互いの意見の根元にある中心的価値観がきれいさっぱり消えてなくなると期待するのは、希望的観測にすぎないのだ。

では、銃規制の議論において、双方が納得できる最善の着地点とはどういうものだろう？　価値観や信念の果たす役割についてあえて目をつむる「故意の盲目」に頼らなくてすむ着地点はありうるのか？　こっちが議論に勝ちさえすれば、相手は本当にいさぎよく負けを認め、口をつぐむのか？　兄とおばの両方が自分の説得力を過大評価し、相手の反論能力を過小評価しているという可能性は？

権威と理性の声が通用しないと、対立は無益に思えてくる。すると、回避の声が聞こえてきて、相手にまともな議論を期待するのをあきらめてしまう。でも、本書をこれまで読んできたみなさんなら、次の行動はもうおわかりのはずだ。「よりよい質問をする」ことに挑戦してみよう。

銃規制をテーマにした持ち寄りパーティー

銃規制に関する討論で使える「よりよい質問」を探していたとき、私はいくつかの質問を試してみたけれど、結局はうまくいかなかった。可能性の声には質問があるだけで、答えがないので、決まった道を進んだからといって、その先に必ず答えが待っているという保証はないのだ。私の場合、銃規制に関する三〇日間のオンライン討論会を開催し、参加を募った。参加者の行動規範を厳密に定めるなど、入念な準備のもとで臨んだつもりだった。最大にして唯一の問題は、参加希望者がゼロだということだった。その理由をたずねてみると、多くの人が何かの罠じゃないかと感じているみたいだった。善意に乏しい会話では、生産的対立が成り立つということに疑問を感じる人が多く、人々の注目を奪い合っているものが無数にあることを考えると、思慮深い会話が生まれる確率は小さすぎて、コストに見合わなかった。私はオンラインの公的な環境、一対一のプライベートな場面、プライベートな集団の三種類で討論を試してみた。会話をさせるという点では一対一の場面がいちばん有効だったけれど、長続きはしなかった。残りのふたつは長続きどころか会話が始まることもなかった。

時には、たったひとつの質問が、会話をガチンコの戦いからオープンな共同作業へと方向転換させることもある。

そこで私は、このゲームを「オンライン討論」から「私の自宅での持ち寄りパーティー」へと変えた。目標を「いろんな思想について議論する」ことから「刺激的な会話をしながら仲間との交流を楽しむ」ことへと変えた。会話の媒体を「テキスト・ボックスへのコメントの書き込み」から「食事や飲み物を楽しみながらの話し合い」へと変えた。そして、質問を「あなたは何を信じますか？」から、私の頭のなかにある最大の未解決疑問「銃規制に関する討論の着地点は？」へと変えた。

そんな前提で幅広い友人知人に参加を持ちかけたところ、ずっと多くの人が参加の意思を示してくれた。

持ち寄りパーティーの力

土曜の午後五時に、多方面から一五名近い友人知人たちが集まった。それはなかなか面白い顔ぶれだった。息子の学校を通じて仲良くなった友人もいれば、職場の友人や子ども時代からの旧友、いちども会ったことのない人や単なる友人の友人も何人かいた。みんなが料理や飲み物を持ち寄り、少し雑談したあと、私は全員を集め、今回の〝実験〟の趣旨について軽く説明した。

議題はダイニングにある小さな画架に書いておいた。

・趣旨の説明
・食事中にアンケート結果を発表
・アンケートで挙がった個人的体験の紹介（ほか、話しておきたいことがあればなんでも）
・銃に関する基本的事実
・体系的な集団討論
・フィードバックと次のステップ

めいめいが食事を手に取り、大きなダイニング・テーブルのまわりに集まった。室内には、まちがいなくそわそわした空気がただよっていた。赤の他人と賛否両論のあるトピック。危険な香りでいっぱいだ。でも、どちらかというと恐怖というよりスリルに近かったように思う。

私たちはテーブルのまわりに集まるなり、自己紹介をし、さっそくこんな質問に答えた。「あなたと銃とのこれまでの個人的なかかわりは？　現在の意見を形成するきっかけとなった人生体験は？」

まず、私が自分の話をした。私の祖父はリビングの戸棚にライフル銃をたくさんしまっていて、私たち子どもはよく戸棚の鍵をこっそりと開けようとしたものだった。ある日、私が六歳か七歳のころ、祖父が南カリフォルニアの峡谷へと私を連れて行ってくれ、ライフル銃の撃ち方を教え

てくれた。祖父のトラックに寄りかかり、遠くに置いた樽に狙いを定め、銃の引き金を引いたのを覚えている。すると、撃った反動で銃が顔にぶつかり、目のまわりに黒あざができた。また、大学時代、サークルKでレジのバイトをしていたときに銃口を向けられたこともある。私はタバコを一カートンと宝くじの束を要求されたので、素直に手渡した。

テーブルのまわりにいた人々のうち、三人以外は発砲の経験があった。友人のスターリングはつい最近ライフル銃を買ったばかりで、購入を検討しているあいだに取った行動、銃の保管について妻と話し合った内容、銃の購入に必要なカリフォルニアの法的要件について話してくれた。その話を聞いてすぐ、私たちは各州の銃に関する法律についてどれだけ無知なのかを痛感した。好奇心からインターネットで調べてはみたものの、銃器の取り扱い講習、ライセンス、登録といった事細かな要件が無数にあり、銃の購入の手続き的な側面を理解するだけでも、延々と疑問が浮かんでくる始末だった。

　別の参加者のニックは、南部のものすごく保守的な家庭で生まれ育った体験を話してくれた。彼は若くして全米ライフル協会の会員になり、半自動小銃のコレクションを誇りに思っていた。その後、銃に対する考え方が年月とともに変化していったこと、そして結局、会員登録が自然と期限切れになったことを事細かに話してくれた。彼は質問攻めにあい、保守的な銃擁護者の思想、態度、行動に対する私たちのイメージが見当違いであることを示すいろんな話を通じて、その晩をおおいに盛り上げてくれた。

　その晩に集まった人々は、銃規制の賛成派に大きく偏っていたけれど、すぐにわかったのは、同じ銃規制の賛成派のあいだでも、考えにずいぶんとばらつきがあるということだった。私たちは料理の皿や飲み物のボトルを食卓で回しながら、ゆっくりと食べ物でお腹を満たしていくうち、自然と人それぞれまったくちがう体験やエピソードを語り合おうという気分になっていった。全員が別々の料理をテーブルへと持ち寄ったように、全員が別々の体験や信念を議論のテーブルへと持ち寄った。シンプルで質素な料理があったように、ごくごく表面的な体験によって形成された信念もあった。たとえば、友人のエリンは、銃とのかかわりをカナダ育ちというシンプルな観点から語った（カナダは銃に関する法律がかなり厳しくて、ひとりあたりの重犯罪の発生件数はアメリカの一七パーセントにすぎない）[9]。一方で、自殺や殺人といった深いトラウマ体験を抱える人もいた。ニックの場合、ドラマ性や人の死こそなかったものの、私たちの共感できる豊かで有意義な異文化について知るきっかけを与えてくれた。
一緒に食事をするという行為は、独特の仲間意識を伴う。敵と食事をすることなんてまずありえないし、たとえあったとしても、和解の精神からであることが多い。「パンを分け合う」という表現は、すれ違いを解消して関係を修復することと結びついている。食事と議論とのつながりは、いったん探しはじめれば意外な場所に次々と見つかる。
初期の人類は長年、焚き火のまわりに集まり、その日にとらえた獲物をみんなで食べ、次の日の作戦を練った。食事と議論の組み合わせは、人間の社会的なＤＮＡに深く刻み込まれているのだ。こんなふたつのベドウィン族のことわざがそれを如実に物語っている。

スープが煮えている。さあ今こそ、ひとつになって行動せむと。

パンと塩を分かつ者、敵にあらず。

食事と議論の相性のよさを物語る例はほかにもある。

・最後の晩餐。イエスが磔《はりつけ》にされる前、イエスと弟子たちによってとられた。
・アーサー王の円卓。同志たちによる盛大な宴《うたげ》と壮大な軍事戦略の立案、その両方を行なう中心的な場所として機能した。

・感謝祭の夕食会。価値観や性格のちがう家族や友人の結束を強める目的で開かれる。その効果はまちまちだけれど、食事の目的や背景は明白だ。

食事は生産的対立の技法に欠かせない要素だ。私自身の体験のなかで、食事が姿を現わした意外な場所がひとつある。二〇〇〇年代初頭、アマゾンのレコメンデーション・チームでエンジニアを務めていたときのこと。当時のアマゾンは書籍から音楽、動画、さらにその先へと、急激な拡大を遂げていた。私が入社した当時、全社会議はシアトルの約一八〇〇人収容のムーア・シアターにゆうに収まった。が、数カ月ごとに、全社会議の会場をどんどん大きな場所へと移さざるをえなくなっていった。会社がそれだけのペースで拡大するなか、個々のチームにとっては、生産性を維持する道具も必要だった。CEOのジェフ・ベゾスは、アマゾンの完全な企業再編の背後にある哲学である「ピザ二枚チーム」という奇抜なアイデアを提唱したことで有名だ。話によると、ある日、社外のマネジャーが残りのチームとの情報共有の難しさに苦言を呈し、もっと効率的なコミュニケーションの枠組みが必要だと提案すると、ジェフ・ベゾスは「ありえない！コミュニケーションなんてものは最悪だ！」と答え、「ピザ二枚チーム」というアイデアを生み出した。ピザが八切れに分割されているとして、ひとりが一切れから三切れを食べるとすると、チームは必然的に八人から一〇人の範囲に収まる。この人数制限により、チーム内で深くてスムーズな会話が促されるとともに、チーム間での会話が抑えられる。当時のほとんど全員が半信半疑だったけれど、このアイデアは機能した。各チームは少人数構成を有効活用して、ほかのチームに邪魔されることなく、必要なことをなんでも行なうよう奨励された。また、会議に次ぐ会議でみんなの仕事を邪魔するのではなく、自分たちの問題をその場でどんどん解決していくよう求められた。

この食事と議論との関係こそが、私たちの社会的なドラマや歴史の多くの中心にあるというのは、決して偶然ではない。一緒に食事することで、家族、同僚、友人、赤の他人のあいだで必ずや持ち上がる意見の対立を消化しやすくなり、会話や対立の炎上が自然と抑えられる。感謝祭の夕食会は言い争いがヒートアップしがちだとよく言われるけれど、もしかするとそれは、食卓が難しい会話を安心してできるような「中立的空間」の役割を果たしているからかもしれない。もしほかの場所で同じことを行なえば、言い争いは一〇倍くらい悪化してもおかしくないのだ。

考えられる着地点は？

夜が進むと、銃規制について話し合う持ち寄りパーティーもいよいよ佳境を迎えた。食事が終わり、デザート前の休憩を取っているあいだ、次なる実験に取りかかった。私が事前に収集しておいた銃に関するおおまかな事実をいくつか読み上げたのだ。もともとの考えを裏づけるものもあれば、くつがえすものもあったと。一例を挙げよう[10]。

・アメリカには二億七〇〇〇万丁以上の銃があるともいわれる。
・全世帯の三五パーセントに銃がある。
・銃による死亡率は一〇万人あたり一二人[11]。
・銃による死亡の三八パーセントは暴力に起因する（その半数は黒人[12]）。
・銃による死亡の六二パーセントは自殺に起因する（主に白人[13]）。
・銃による死亡のうち、四人以上を巻き込む銃乱射事件による死者は一パーセント未満[14]。
・銃による死亡の五パーセントは半自動小銃に起因する。
・銃による死亡の九〇パーセント以上は拳銃に起因する。
・銃を使用した場合、自殺の成功率は一七倍になる[15]。

この情報と、それまでに語られた個人的な体験やエピソードを頭に入れたうえで、私はみんなに銃規制の討論の着地点はどこだと思うかたずねた。具体的にいうと、「銃の問題が一〇〇パーセント解決したと断言できるのはどんなときか?」。この質問は銃規制の賛成派と反対派の両方に当てはまった。夕食のあいだ、双方ともが安全、自己防衛、自由を重視していることが判明した。唯一のちがいは、いちばん守るべきなのは誰なのか、その安全を手に入れるために何を手離す覚悟があるのか、という定義にあった。

テーブルの一人ひとりに先ほどの質問をしていくと、いくつかの提案がなされた。ある人は、人々の保有する自動式や半自動式の拳銃の数がゼロになることが成功の証拠ではないかと提案した。すると、別の人は銃乱射事件の件数、そしてまた別の人は銃による殺人事件の件数がゼロになったときではないかと反論した。銃問題の真の根源へと少しずつ近づいていっているような気がしたので、この三つ目の提案でおおまかな合意がまとまろうとしていた。すると、ずっと銃規制反対派の意見を代弁してくれていたニックが、私たちの提案にこんな工夫を加えた。「原因にかかわらず、殺人と自殺の件数全体を最小限に抑えるというのはどうだろう？　そうすれば、悪人は銃を持っていなくたってどうせ別の方法で人を殺せるじゃないか、という反論を封じられる。おまけに、その数を減らすのに、銃による死者数の削減がやっぱり最善の戦略だという確証も得られる。でも、より多くの命を救うもっといい方法を誰かが思いついたなら、それはそれですばらしい時間と労力の使い道になる」

このページを読んで、あなたはこの提案に反射的な反応をしたかもしれないし、そうでないかもしれない。あるいは、この提案への賛成・反対に応じて、心の葛藤が掻き立てられたかもしれない。いやむしろ、この提案を聞いたのも、あるいはそれを聞き流したのも、初めてではないだろう。しかし、このアイデアは、会話のモードが超個人的な話、たわいもない話、興味深い話、専門的な話と揺れ動く文脈のなかで生まれたものだったので、参加者たちの心に深く響いた。こ

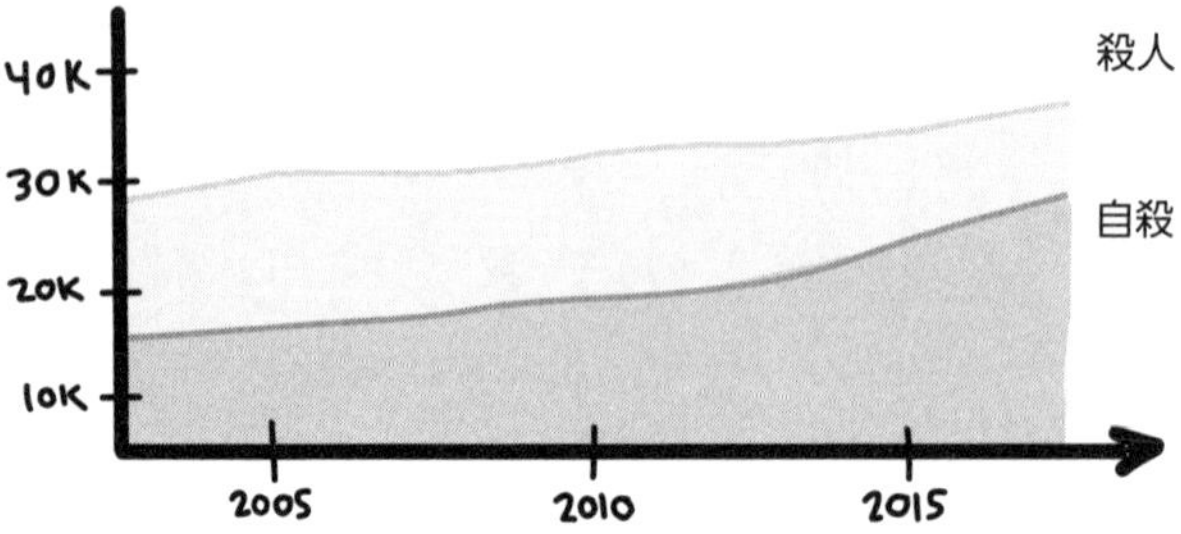

の提案を可能性のひとつとして検討する心の余裕が生まれるだけの善意が、それまで十分にはぐくまれていたのだ。もしかすると、私たちの消化系が働き、少しまったりした気分になっていたのも功を奏したのかもしれない。

「銃規制の議題にこだわるのはやめて、すべての暴力犯罪と自殺について考えるくらいならいいかもしれない。やってみようじゃないか、もうみんな仲間なんだし」と私は思った。もちろん、この時点でも理性の声は、私の脳裏でまだこう囁いていた。「たぶんこの問題に関しては銃規制が最善策だろうから、ほかの選択肢は検討するまでもない」

　結局、議論の着地点はこんなふうに定義された。「個人の自由をなるべく侵害することなく、殺人と自殺の合計件数を最小化する」。ほかにもたくさんの案が次々と挙がったので、別の着地点を選ぶこともできただろうけど、異論が挙がらなかったのはこの案だった。

　私は部屋の面々に三、四人ずつのグループに分かれてもらい、飲み物をつぎ直して、州や連邦の最善の法案を新たに練ってもらった。この演習では、法案は自動的に議決されるものとしたけれど（要するに、議会を説得するための政治的妥協などは不要）、法律ができたあと、具体的にどう施行するかも検討してもらった。また、長年をかけてじわじわと法律の効果が波及していくような遠大な策を促すため、緊急の解決策ではなく二〇年がかりのプランについても検討するようお願いした。

そしてまた、私はもうひとつの工夫も加えた。

猿の手

二〇年後の殺人と自殺の件数をなるべく少なく抑える法案を考えるのに加えて、提案の穴を突いてくる「猿の手」からもお墨付きがもらえる提案を練り上げるよう、みんなにお願いした。各グループが提案を書き上げて発表したら、残りのグループが「猿の手」役となり、法案が最悪の形で裏目に出るシナリオを考える。なので、どのグループも言葉を慎重に選び、批判を覚悟するよう求められる。

私たちは約三〇分間、グループに分かれて熱の入った激論を交わした。それまでに多少のお酒が入っていたというのもあるけれど、制限時間やちょっとした競争の要素があったことも大きかったと確信している。これだけ文脈づくりと会話をがんばったのだから、堅実な提案を思いつくのはそんなに難しくないいんじゃない？　私たちはそう思った。

蓋を開けてみると、本当にたいへんだった！

私のグループはいくつかの壁にぶち当たった。ひとつに、殺人と自殺は、考えうる解決策がまったくちがう別個の問題だ。自殺は銃による死亡の六五パーセントを占めるので、殺人と自殺の合計件数を最大三五パーセント減らせれば満足というのでもないかぎり、自殺をまるまる無視して殺人だけに対処するわけにはいかなかった。[16] また、ニュースではめったに報じられないことだけれど、残りの三五パーセントの銃殺人のうちの半数は、アフリカ系アメリカ人男性の暴力に起因していた。[17] また、その日に集まった人々の最大の関心事はアサルト・ライフルや銃乱射事件だったけれど、それは問題のほんの一部だった。これらの問題が完全に解決したとしても、目標とする数値はビクともしない。特に郊外の白人男性の自殺を食い止めるには？　都市部の黒人男性の暴力を減らすには？　なんの手がかりもないと気づくまでに、数分とかからなかった。

今回の件で印象的だったのは、そのときまで、自分がアメリカの殺人や自殺のパターンの全貌についてどれだけ無知だったかを思い知らされたことだ。ニックなどほかの友人たちも同じ点に気づき、この考えをとことん突き詰めるよう背中を押してくれた。そして、この気づきを掘り下げていくうち、殺人や自殺の事実について学ぶのはそう難しくないと知った（グーグル検索で一発だ）。私たちは、誰が自殺しているのか、アメリカの率が他国と比べてどうなのか、誰が誰を銃で殺害しているのか、そのおおまかな数値を調べた。今ごろになってこんなことを言うのはバカげているけれど、私たちはアメリカの実情について、グーグル検索一発でわかるような表層的な知識さえ持たないまま、このシステム的な問題の答えがわかると思い込んでいたのだ。なんて浅はかだったのだろう。

　たちまち、アサルト・ライフルの全面禁止だとか銃の購入前の待機時間の義務づけとかいった単純な解決策は切り捨てやすくなった。ひとつに、多くの州ですでにそういう法律が施行されていたからだ。そしてもうひとつに、それで問題が解決していなかったからだ。

　じゃあ、どうする？　解決策を見つけ出すまでの猶予は残り一〇分だった。

　結論から言うと、見つからなかったといえば十分だろう。三つに分かれたグループは再び集まり、それぞれの案を発表した。第一チームの案は、持ち主だけが発砲できる指紋認証や顔認証つきの新種のスマート・ガンを開発するというものだった。「猿の手」役を務めた残りの二チームは、その銃をグーグルやアップルが管理し、充電が必要になるというシナリオを考えた。携帯電話と同じような充電式なので、安全性は低くなるし、子どもでも顔認証ソフトウェアをだますことができる（顔認証ソフトウェアの更新を怠ったせいで、ソフトウェアが古くなるケースはまちがいなく続発するだろう）。その結果、広報上の悲劇がいくつも起こり、スマート・ガンがセグウェイやVHSと同じ運命をたどる可能性もある。

　私が属する第二チームは、車両管理局（DMV）にならい、また若者受けを狙って「クール・ガン管理局（DCG）」という新たな民間組織をつくることを提案した。両党から賛同を得るため、一部のスタッフを全米ライフル協会からの天下りで雇い、DMVが運転免許証を管理するのとよく似た方法で銃の免許証の試験と発行を行なう。加えて、銃所有者はもれなく、犯罪歴や新たな精神保健報告書を一手に管理する連邦登録簿に登録される。ちょっとした工夫として、弾薬の輸入に高額の関税を設け、すべての弾丸からその弾薬を購入した銃所有者までたどることができる新たな「スマート弾丸」技術に助成金を提供する。言うなれば、弾丸の指紋である。需要と供給の関係によって、闇市場の銃と弾薬においても徐々にスマート弾丸が優勢になるまではある程度の時間がかかるだろう。もちろん、それで自殺の問題が直接解決するわけではない。しかし、自殺を考えているがまだ弾薬を入手していない人に対しては、訓練を受けた新たなメンタルヘルス専門家を全国の弾薬店に配置することができる。そうすれば、現場での使用許可とメンタルヘルス・チェックが防波堤のような働きをし、少なくとも一回は、手遅れになる前に自殺志望の人々を見つけ、立ち直らせる機会がつくれる。「猿の手」チームは、このメンタルヘルス専門家軍団のアイデアにいち早く問題を見つけた。予算の制約のせいで、メンタルヘルス専門家たちはひどく腐敗し、賄賂を受け取るようになる。やがては、失望したメンタルヘルス専門家たちによる闇組織が生まれ、人々にゆすりを行なうようになる。しまいには、DCGはスキャンダルにまみれ、悲劇的な崩壊を迎えるかもしれない。

最後の第三チームは、銃の免許プログラムを全国的に施行するための場所として、射撃場を利用するという案を提案した。また、このチームもスマート弾薬（驚いたことに、これはもともとあるアイデアらしい）を提案したが、自殺問題の解決策については考えていなかった。当然、

「猿の手」チームはこの点を突いた。そして、きちんと施行されたはいいものの、銃による殺人や自殺の全般的な傾向にまったく影響を及ぼさない解決策に多大な労力と資金を浪費してしまうというシナリオを考えた。

最後に、「次のステップ」についての簡単な会話でその夜を締めくくると、それから一時間くらいかけて、参加者たちはひとり、またひとりと別れを言い、部屋をあとにしていった。私は親友のケイティを含め、その場に最後まで残った数人と、その夜の不思議な体験について話をした。結局、終わってみれば、銃の規制、殺人、メンタルヘルスの問題の解決には一歩も近づけなかった。それでも、私たちは白黒はっきりした意見から少しずつ白黒混じり合ったグレーな意見へと足を踏み入れ、共通の着地点へと向かってみんなで議論をつくり上げていったことで、自分たちの無知を知った。その結果、こう言うと不思議だけれど、今までより賢く、充実した気分になれたのだ。

教訓

それまでいろいろと試してもムダだったのに、なぜ持ち寄りパーティーを開いただけで、みんなが可能性の声を聞くようになったのだろう？　一見すると奇妙だけれど、たぶん「一緒に食べる」という社会的儀式のおかげで、理性と権威の声が封じ込められるからだと思う。全員が一歩後ろに下がり、仲間意識、信頼、受容といったほかの重要な直感を優先しはじめる。新しいレシピを試すと視野が広がるのと同じで、新しい仮説や信念を試着すると心が広がるのだ。

持ち寄りパーティーの翌日、私が参加者にお礼のメールを送ると、「またとない夜をありがとう」という感謝の返信が何通かあった。そういう意味では、企画は成功だった。持ち寄りパーティー企画の目的は、一人ひとりの体験や考えを持ち寄り、みんなと共有し、味わうこと。その結果、みんなが安全、成長、絆、楽しみの果実を持ち帰ることができたのだ。

実践しよう⑥

みんなで議論をつくり上げる

持ち寄り討論パーティーは、全員に貢献や参加の機会を与えるような形で、人々が集まり、食事や会話を行なうひとつの手段だ。私はこれまでに、何度か同じような持ち寄りパーティーを開催してきた。どれも意外性のあるユニークで面白いものばかりだけれど、毎回、みんなが持ち寄ってくれる強力な意見のおかげで、まったく新しい視点に行き着く。

学校で習ったレポートの書き方を覚えているだろうか？　まず、読み手の注目をつかむ序論か

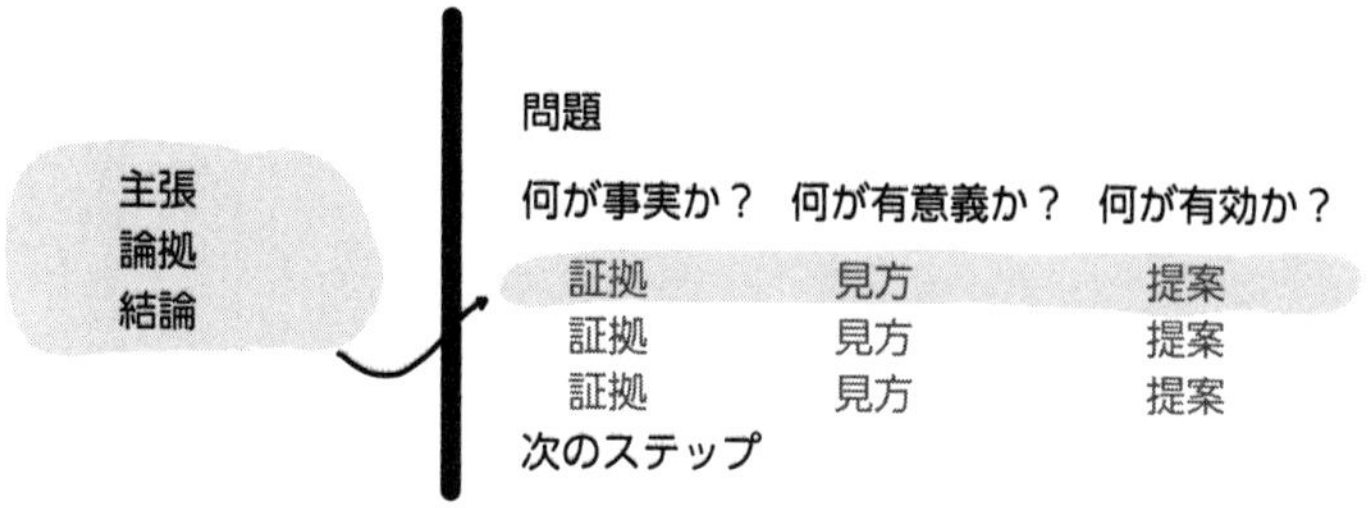

典型的なレポート　　　　問題のブリーフィング

ら始め、主張を提示し、その主張を裏づける主な論拠をまとめる。次に、それぞれの論拠について詳述し、その論拠が論文の主張を裏づけるという証拠を提示する。最後に、論文の主張をもういちど述べ、主な論拠をすべてつなぎ合わせて結論を導く。これが理性の声が好むレポートの書き方であり、ディベートのしかたや物語の展開のさせ方など、私たちの文化に深く刻み込まれている。たったひとつの大きな主張をし、その主張を全力で援護射撃するというのがこの構造の基本原理であり、海戦ゲームでは有効な戦略だけれど、持ち寄りパーティーで使われるオープンな質問とは似て非なるものだ。

　みんなで議論をつくり上げていく際には、標準的な論文の説得手法を全体の一部として受け入れ、そのまわりに協力的で協調的な構造を構築して、文脈を与えるのがいい。

　可能性の声は、ひとつの主張ではなく、いつでもひとつの大きな問題へと目を向ける。いわば、共通の着地点に関するオープンな疑問である。

レポートなら、「すべての州、すべての銃販売において、一律の身元調査を行なうべきである」と主張するだろう。一方の問題のブリーフィングは、「どうすれば一〇年後の殺人発生件数を最小にできるか?」という疑問から始め、一案として一律の身元調査を提案するだろう。典型的なレポートには論拠だけがずらっと並べ立てられるが、問題のブリーフィングには、その提案への最強の反論も含まれる。つまり、最強で最高の反論者との共同作業が必要になるわけだ。人間は自分自身の議論の欠点には気づかないものなので、この点は重要だ。

一般的なレポートはたったひとつの主張をし、その主張を全力で擁護する。一方の問題のブリーフィングは、ひとつのオープンな疑問に答える選りすぐりの提案をいくつか集める。つまり、それぞれに論拠や行動案を伴う二種類や五種類、時には一〇〇種類もの提案が集まる可能性さえある。その一つひとつが、擁護者と反対者の共同作業のたまものなのだ。

一般的なレポートを書くときや、ふつうに意見を戦わせるときは、自分の議論の欠点を隠し、その利点ばかりをことさら強調するメリットがあるかもしれない。でも、みんなで議論をつくり上げる場合には、そんな必要はないし、そうしたってなんの得もないのだ。

いったん中心的な疑問と着地点を明確にし、主張を行なったら、いよいよ協力者どうしで生産的対立を実践することが可能になる。たとえ提示された証拠、見方、提案の細かな点について意見が食い違ったとしても、いろいろな可能性に対する共通の理解から一丸となって作業を進められる。また、猿の手に対する反論を考えることで、参加者たちを共通の(ただし架空の)戦いのもとに一致団結させられる。おかげで、本物の血を一滴も流すことなく、お互いの議論を磨いていくことができるのだ。

第7章　中立的空間を築く

議論のテーブルやコミュニティよりも先に、
まず私たちの頭のなかに可能性が存在しなければならない。

最近交わした議論を振り返ってみてほしい。そうしたら、いったん議論の内容は置いておいて、その議論が行なわれた「環境」について考えてみてほしい。その環境には、対立の四種類の果実のどれかが取り立てて摘みやすく（または摘みにくく）なるような特徴があっただろうか？

上下関係は？

期待されていた結果は？

そのほかに、議論に影響を与えた暗黙の文脈（文化規範、共通の歴史、コミュニケーション媒体、時間の制約など）はあっただろうか？

私たちは議論が時空の外側に存在していて、客観的な価値だけに基づいてぶつかり合ったり解決したりする完璧に合理的な主張で成り立っていると思い込むフシがある。これは実に西洋的な世界観だ。私たちは個人。事実は事実。すべては正と誤、善と悪、勝者と敗者に分けられる。自然の基本法則は宇宙のどこにいても変わらないのだから、きっと真実も同じはず。真実はいつだって正しくて、事実はいつだって事実。議論や信念もそれと同じ、という理屈だ。でも、それはちがう。確かに物理法則は変化しないけれど、物理法則にさらされるものはすべて、事実や真実も含め常に流動している。

東洋思想はこの「流動」という考え方を大事にする。私の母は移民で、二十代前半のころ、英語を学ぶために単身日本からアメリカへと移住したのだけれど、そこで私の父と会い、結婚して二児をもうけた。母の兄弟や家族はまだ全員日本に住んでいて、私もこれまで十数回ほど、日本の親戚のもとを訪れたことがある。私が気づいたアメリカ文化と日本文化の最大のちがいは、空間の余白や日常的なモノの使い道に対する考え方だ。

日本では、床に座るのはふつうのことだ。壁は扉代わりにもなる。床は寝床へと早変わりだ。すべてのものが別の用途にすんなりと順応できるよう設計されている。それは日本が狭いからでもあるけれど、日本文化における空間とのかかわり方が私たちとちがうというのもあると思う。

大学在学中、私は東京近郊の小さな町に住むおばとおじの家を訪問した。何人か友人を連れて行ったのだけれど、着いてすぐ、自分たちがかなり浮いていることに気づいた。私たちはアメリカ基準で見ても高身長だったし（全員が一七八～一八八センチ）、私の友人全員がブロンドか明るい茶髪だった。その後、私たちはおじの家の近くのお寺を訪れた。狭い山道を通った先にあるそのお寺には、低い天井、畳、炉《ろ》をしつらえた茶室があった。茶室の入口はかがまないと入れないほど低かった。低い入口は、客人たちが敬う心をもって入室するのを忘れないよう意図的に設計されたものだ。壁には掛け軸、部屋には花々が飾られていて、部屋のあらゆる細部に目的や意味があった。私自身は、そのとき参加したような茶会に慣れていたけれど、友人たちの目を通じて茶会を体験したおかげで、環境の強力でさりげない要素が体験の雰囲気にどれだけ大きな影響を及ぼすかに気づいた。たとえば、こういう場面で銃規制に関する議論を始めるのは難しいだろう。茶会の儀式は、全体の非常に具体的な手順も含めて、ものすごく厳密にできている。私たちはその手順をよく知らなかったし、たぶん茶会における「重罪」をいくつも犯しただろうが、茶会において空間だけでなく、何重もの文脈、文化、環境が対等な役割を果たしているということは、私たちみたいな部外者にもはっきりとわかった。しばらくは、山道や庭園の散歩、さらには太平洋を渡る飛行機の旅までもが、茶室の外輪にすぎず、茶会の儀式の一部であるかのような感覚に陥っていた。

茶室を中心として外側へと波紋のように広がっていくマトリョーシカみたいな空間を考えることで、ふたつの見方がどれだけ遠く離れていても、必ず重なる部分はあるのだということに気づいた。

こうして部屋と人との相互作用に注目するのは、茶会であればごく当然のことだけれど、日本文化ではいろんな形で見られる。[1] たとえば、関係の構築を目的とした空間の場合（食事と飲み物

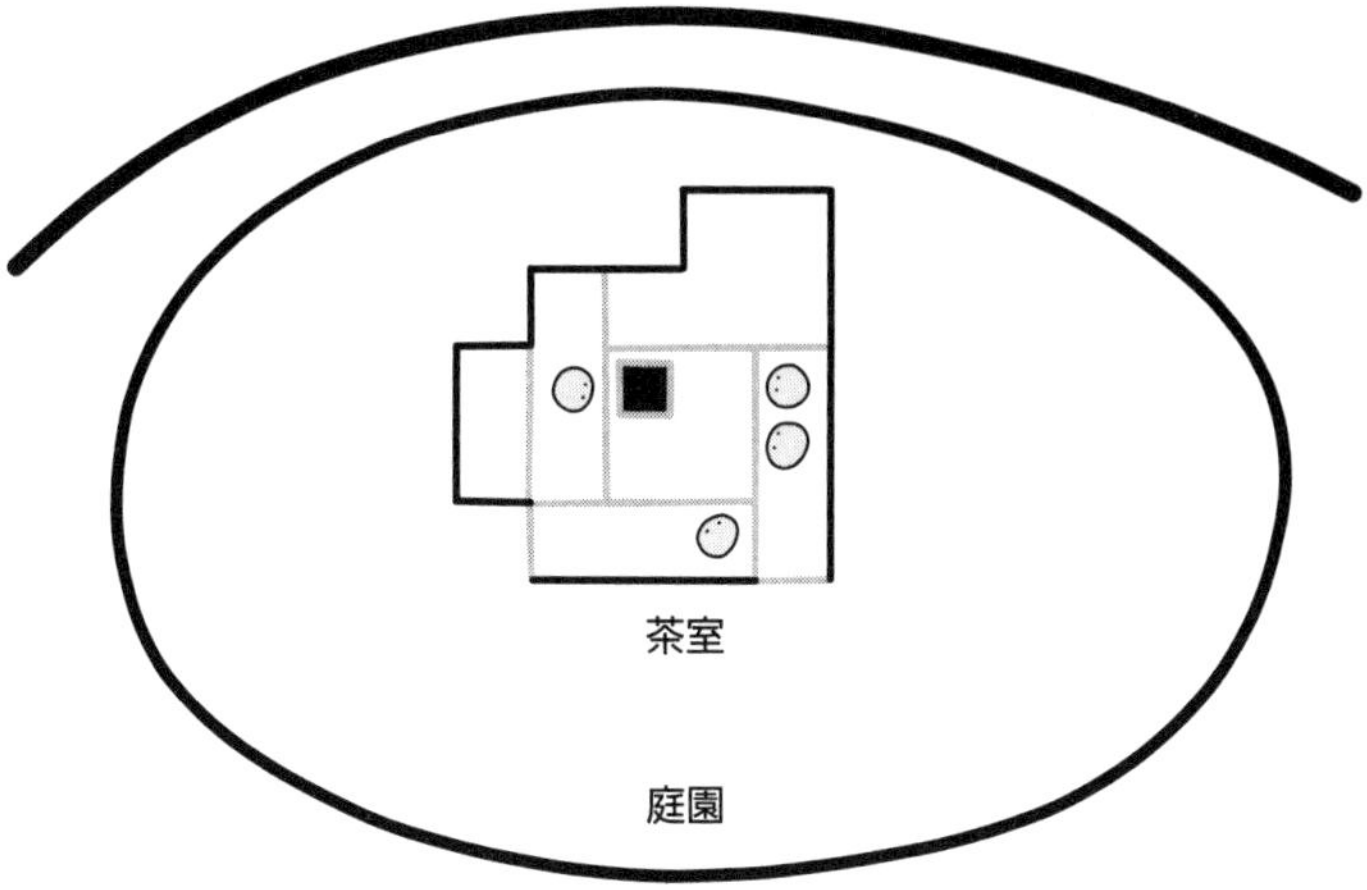

茶室を取り巻く宇宙

があるテーブルを囲んでの集まりなど）、そこには「和《わ》」がある、という言い方をする。アイデアのスムーズな流れを促すための集中的でクリエイティブな作業空間の場合、そこには「場《ば》」があるという。公園の芝生やベンチのように、ちょっとした中断や予期せぬ幸運につながりやすい空間は、「間《ま》」があるという。そして、空間から空間への旅や場所の歴史的背景のように、万物が受け継いでいる文脈は、その空間の「所《ところ》」といわれる。

　こうした環境が持つさまざまな「性格」は、意見の対立において見逃されがちなひとつの要因を理解するのに役立つ。対立が起こっている場所、つまり物理的空間が、耳を傾ける声（誰の意見を聞けるのか？）、会話のダイナミクス（それぞれの人にどんな権限があるのか?)、人々の参加のしかた(発言権があるのは誰か?)、そもそもの参加者(部屋に入れるのは誰か?)を左右するのだ。たとえば、仕事の文脈で上司と意見を戦わせているなら、いちばん声高なのは理性の声だろう。仕事の環境では、意見の対立にも所定の形式というものがあるからだ。一方、仕事のあとに上司と一杯飲みに出かけたとしたら、一転して無礼講となり、可能性の声が入る余地が生まれるだろう。

意見を対立させる空間について、考慮すべき点が三つある。

①アイデア　その空間では、多様な見方が共有されやすいのか、それともされにくいのか?　その空間でいちばん歓迎される声は?　頭、心、手の対立のうち、起こりやすいのは?

②人　誰でも自由な意志でその空間に出入りできるか?　出入りできる人を制限するような要因や制約はあるか?

③文化　その空間での過去や現在のやり取りは、将来的にどう記憶されるだろう?　特定の参加者やアイデアをことに優遇する(または遠ざける)ようなバイアスはあるだろうか?

この疑問の答えが空間によってどんなふうに変わるのか、例を通じて見てみよう。

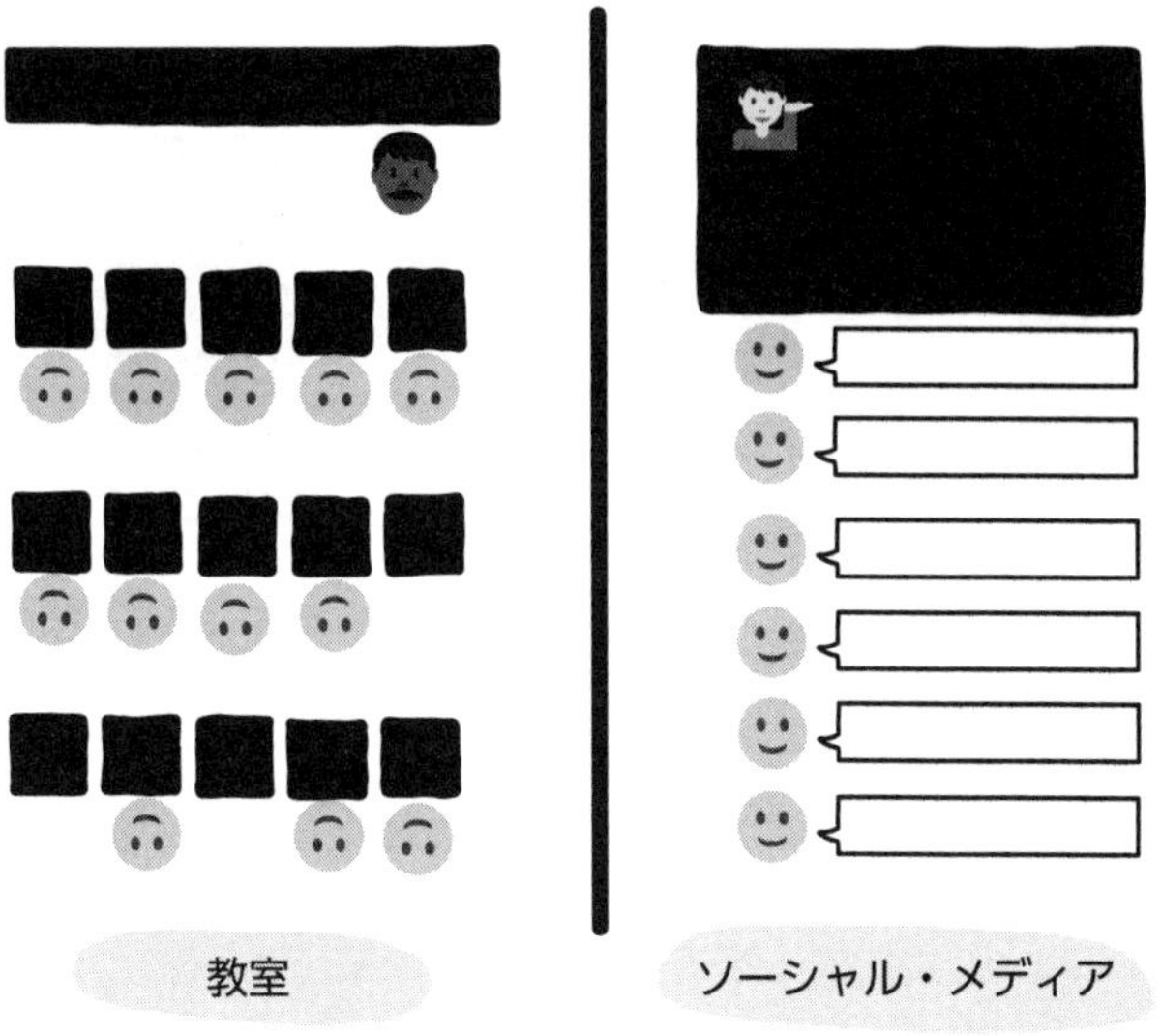

教室の場合、教師と学生とのあいだに上下関係がある。教師が授業の内容を組み立てて、議論を進行させる。学生は質問できるけれど、授業の内容そのものは変えられない。意見の対立が起きたとき、ふつうは教師が議論を促すのか、やめさせるのかを決める権限を持っている。

ソーシャル・メディアの場合、考慮すべき空間の形はいろいろとある。投稿にコメントがつくという形の場合、教室の構造とそうかけ離れているわけではないけれど、コメントの文化規範が教室と比べて緩いので、コメントによって投稿の議題が乗っ取られてしまうこともある。意見の対立が起きたとき、投稿主が対立を抑えられることもあれば、そうでないこともある。

誰かの家に上がるときのマナーについて

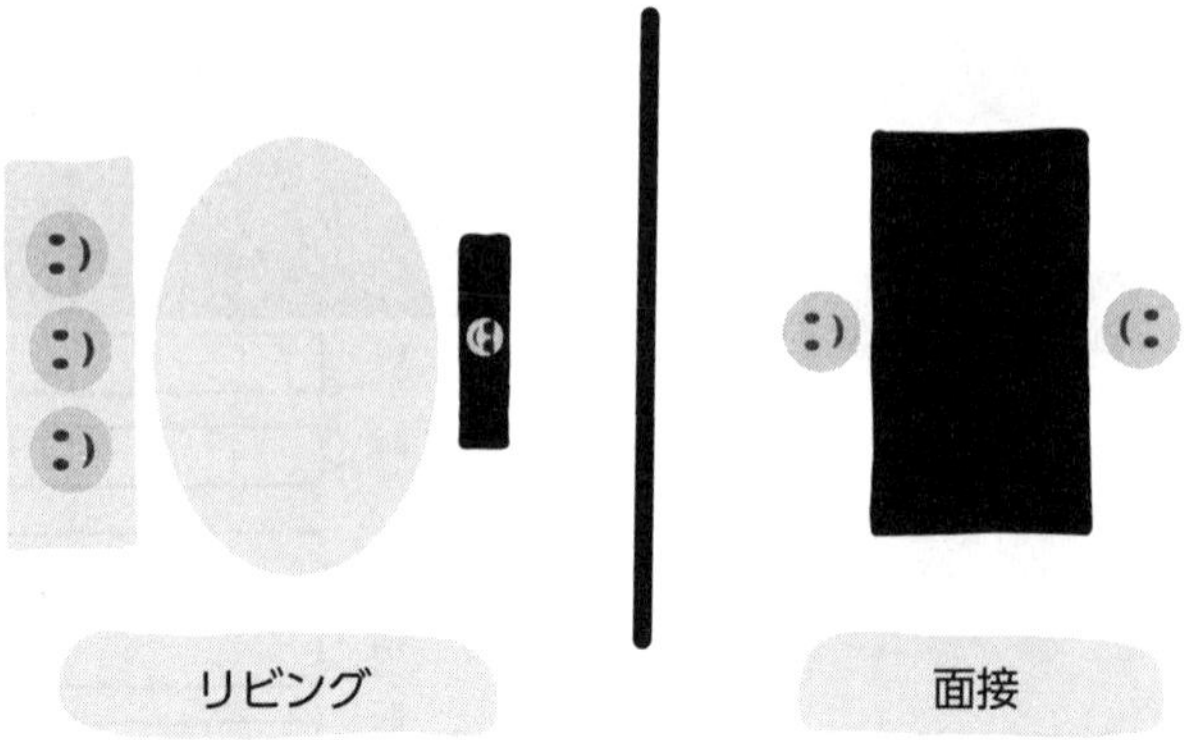

考えてみてほしい。家ごとに独自のルールがあって、最初に家主と客人とのあいだで、してよいことと悪いことの取り決めが必要になる（友人を呼んでもいいか、靴を脱ぐのか、どこまでの騒音や活動が許されるのかなど）。

　企業も同じだけれど、企業訪問、求人応募、人事採用についての規範は企業によって大きく異なる。一社員として許される反対意見や自己表現の度合いは、面接や取締役会議のときとは劇的に異なるかもしれない。

　生産的対立《プロダクティブ・ディスアグリーメント》を実践するための中立的空間を築くときは、こんな疑問について考えるのが特に大事だ。「その部屋に入る（またはテーブルにつく）のを認められている人は？　その場でのあなたの役割は？　あなたは議論を提示する権利があるのか？　それとも、出された議題に応えるだけなのか？　オープンな質問をしたり、一人称で語ったりすることができるか？」

　これらの疑問は、議論のテーブルにつく人々が将来的にそのテーブルにつく人を決める権限を持っている場合、とりわけ大事になる。これはアメリカ上下両院の現状そのものだ。

移民、インクルージョン、国外追放

現在、多くの国々で起こっている特に厄介な意見の対立のひとつといえば、なんといっても移民をめぐるものだろう。早い話が、国境、市民権、権利に関する意見の対立である。この議論がこれほど過熱するのは、ひとつに、アメリカ市民になったとたん、この会話について発言権を与えられるからだろう。世界じゅうのどの国にも必ず移民や市民権に関する政策があり、その政策いかんによって、将来的にその政策を決める発言権を持つ人が決まる。

本書の調査段階で行なった私の最大の実験は、fruitful.zoneという招待制のオンライン・コミュニティをつくることだった。これは政治のような熱い話題について気軽に話し合うための多様な空間だ。このコミュニティはしばらく前につくったものだけれど、初期の会話のなかで特に盛り上がった話題に、移民や国境警備をめぐる議論があった。

これはいつの世にもある意見の対立であり、権威、理性、回避の声に裏切られつづけてきた恰好の例でもある。誰を私たちの仲間に加えてもいいか？　誰を排除するべきか？　その規則をどう施行するか？　この会話は次の三つのレベルで同時に起きていた。

・fruitful.zoneコミュニティ内
・アメリカ市民間
・アメリカ議会内

どの空間にも、その場所に出入りできる人々を規制する独自の方針や制度があった。私は多様で気軽な対話をするという明確な意図と行動規範を定め、ひとつ目の空間（fruitful.zone）を管理した。アメリカ市民は選挙プロセスを通じて自分の選んだ人々を議会に送り込み、その議会が連邦の予算制度や法制度を通じて、誰がアメリカ市民になれるかを左右する制度やその施行方法を決める。

私の行動規範、選挙プロセス、予算編成プロセス、法制度は、どれもそれ自体が流動していて、情報過多で資源不足の世界に暮らしていることから生じるバイアスや問題の影響を受ける。アメリカに（またはアメリカから）移住する人や、アメリカで生まれる人、亡くなる人、人生の一部を過ごす人。そうした社会状況の変化とともに、世の中の意見も変わり、また同じサイクルが繰り返される。たとえば、一九六七年時点では、議員の九五パーセントが白人男性だった。一九九二年になると、その比率は八一パーセントまで下がり、二〇一八年の中間選挙を終えた時点では

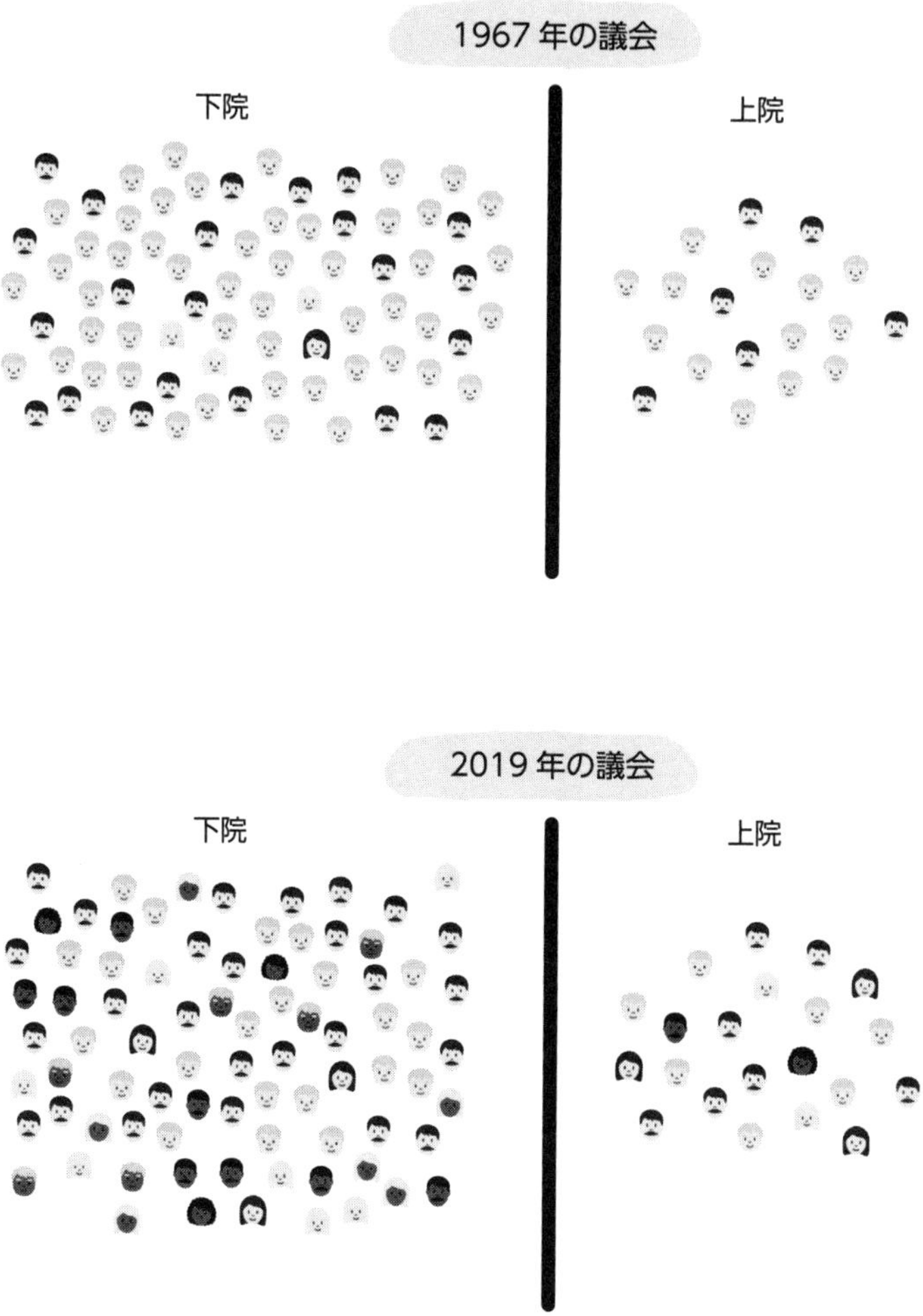
1967 年の議会
下院
上院
2019 年の議会
下院
上院

七六パーセントとなった。[2]

アメリカ人口における白人男性の割合が三八パーセントだから、議会に占める白人男性の割合は相変わらず多すぎるわけだけれど、ゆっくりとはいえ平等な方向へと進みつつある。と同時に、アメリカ国家における白人の割合もまた、一九六〇年の八八パーセントから二〇一〇年の七二パーセントまで下がった。[3]

また、アメリカ人の一二・五パーセントが黒人であるという事実や、建国当時の奴隷制度や人種差別の歴史についても考えてみてほしい。ヨーロッパ人による入植の前からアメリカに住んでいた先祖を持つ先住民はアメリカ市民のわずか〇・八パーセントにすぎないけれど、戦争と疫病によって壊滅される前はその二五倍もの先住民がいた。そう考えると、アメリカ史のほぼどの時代でも、移民政策が過熱する話題なのはなんら不思議ではない。つまり、全員がその歴史と無関係ではなく、この現実にどう対処するかという会話には、あまりにも多くの人々、問題、時間がかかわっている。これまでのところ、過去や現在の現実と折り合いをつけようという試みはことごとく実を結んでいない。

議会の人口構成がアメリカ全体の人口構成と一致していないのに、移民法の執行みたいな熱い話題について生産的な会話をしようとすれば、本当に大事なのは、部屋のなかにいる人々の構成比だということがすぐにわかる。

では、議会にいない私たちには、何ができるだろう？　可能性の声は会話に役立つけれど、まずは独自の会話の空間をつくり、自分でそこに誰かを招くことが必要になる。fruitful.zone コミュニティが数カ月をかけて少しずつ形になっていくと、いよいよ移民についての会話を始める準備が整ったと感じた。

私の旧友でエクソン社の弁護士であるジャレドは、今ドバイに住んでいて、リバタリアンを自称しているけれど、深い保守的ルーツも持つ。ある日、そのジャレドが、fruitful.zone コミュニティで始めたい会話の話題があると連絡してきた。当時といえば、トランプ大統領が要求した国境の壁の建設予算が通らず、政府閉鎖が発動されていた。

国境の壁について、リベラルと保守の双方に訊きたいことがある。国境の壁の予算をめぐる意見の対立のせいで、政府が閉鎖されたけれど、明らかに双方にとって皮肉な駆け引きだ。予算という点では五〇億ドルなんて高が知れているのに、どうして左派は政府の閉鎖まで許すんだ？　彼らは本当に開かれた国境を信じていて、自由な国境の往来を許そうとしているのか？　本当に国境の取り締まりが非人道的だと思っているのか？　それとも、トランプに意地悪をして、彼の肝煎りの選挙公約をつぶそうとしているだけなのか？　政府の閉鎖までするにしては、皮肉な動機に思えるけど。

私はこう返信した。

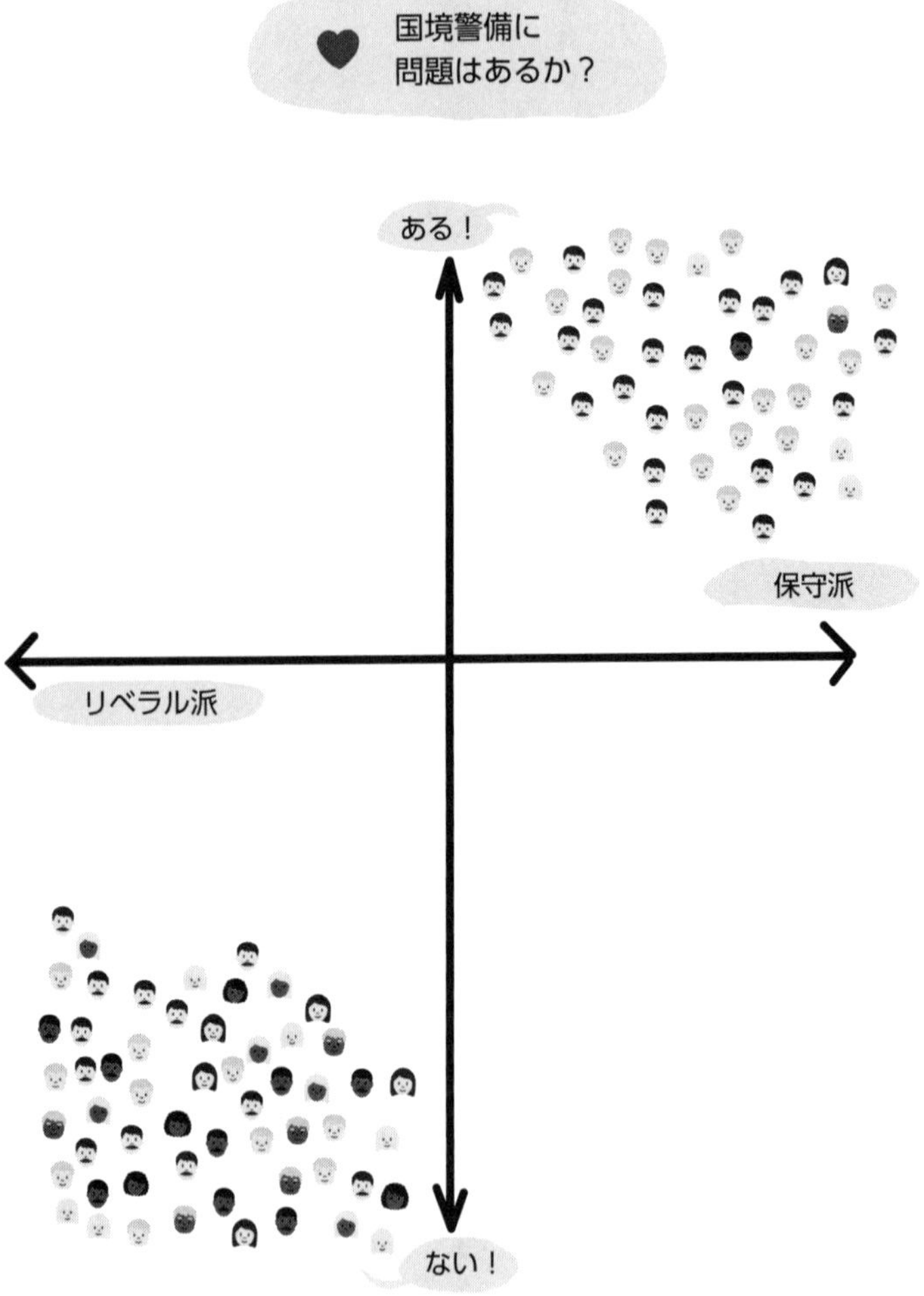
国境警備に
問題はあるか？
ある！
保守派
リベラル派
ない！

いいテーマだね。ただ、もう少し中立的な提起のしかたをしてくれないかな？　たとえば、五〇億ドルのために政府閉鎖までする有力な理由をいくつか挙げて、それぞれの理由を擁護する精一杯の主張をしてもらうというのは？

詳しい話を聞いてわかったのだが、疑問をちょっと挑発的にすれば会話が盛り上がる、というのがジャレドの考えだった。疑問を中立的に提起するという私のやり方だと、回答に手間がかかるので、どうしても参加率が低くなってしまうだろう。

挑発と議論の関係について、同じふうに考えているのはジャレドだけではない。議論において挑発と反応に一定の関係があるというのはわかりきったことだし、反応を引き出そうと思ったら、人々のなかに不安の火花を散らせることが不可欠だとも思っている。でもそうなると、対話は自然と権威、理性、回避の声が望む形に近づいていく。結局、何度かやり取りしたあと、ジャレドはこう投稿した。

どうすれば移民法の執行制度を改善できるか？

現在の政府閉鎖を受けて、世の中は移民法の執行についての話題で持ち切りだ。多くの人にとって、国境の壁の建設は、移民法の執行の善悪両方のシンボルになっているようだ。しかし明らかに、国境の壁は移民法の執行制度のたったひとつの要素にすぎない。ほかの要素として、国境警備、ビザや就労許可の要件、雇用法、難民申請手続き、国外退去などがある。国境の壁の象徴的・戦略的な重要性や両党にとっての意味はさておき、アメリカの移民法の執行制度はどう変わるべきだろう？　現行の制度の改善方法について、どんな案が考えられるか？

疑問が「左派は本当に開かれた国境を信じていて、自由な国境の往来を許そうとしているのか？　本当に国境の取り締まりが非人道的だと思っているのか？」ではなく、こんな言い回しに改められたのを見たときは、本当に興奮した。新しい言い回しに、「私たち」対「彼ら」の対立構造はなくなっていた。いろいろな制度、問題、解決策の相互に絡み合った複雑さを認めたうえで、大げさな「はい」か「いいえ」の質問ではなく、移民制度の改善方法についてオープンな質問を提起している。

このスレッドには、いろんな観点や知識分野から数多くの意見が寄せられた。ある人物はこう寄せた。

今までやってきたキャラバン、そして今も続々と向かってきているキャラバンのことを考えると、キャラバンが国境に到達するまで待っていたら、どんな対応であれ手遅れだと思う。

じっと待ってただ防衛を強化するだけでは、問題は悪化するばかりだ。もし私が解決策を提案するとしたら、アメリカに向かう道中のキャラバンと交流を図るだろう。彼らの置かれた状況を真に理解するために、なるべく多くの人々を知るのだ。なるべく多くの人々を事前に選別できれば、国境でのプロセスを迅速化できる。手を貸したいというわれわれの熱意や善意を示し、国境で暴動や暴力が発生する可能性を抑えられると思う。

何人もの人々からオープンな言葉遣いが聞こえるようになると、会話が生産的な方向に進んでいるという証拠だ。「私は〜と思う」「もし私が解決策を提案するとしたら〜」といった連帯の意思表示は、会話の流れのなかではほとんど気づかないくらいさりげないものだけれど、集団の残りの人々のために、可能性やオープンな会話の雰囲気を生み出す効果がある。

また、動画やインタビューを紹介しつつ、キャラバンの人々は暴力から逃れてきたのか、それとも仕事を求めているのかについて議論が交わされた。結局、キャラバンの人々の大半はメキシコ亡命を求めていて、アメリカまで到達する人はほんの一握りであり、その一部には暴力から逃れるという正当な目的がある、ということで総意がまとまった。ジャレドはこうつけ加えた。

人道的危機への対処に懸念を抱くというのはとてもよくわかる。私自身、海外異動の前は難民裁判所で難民申請者の代理人をしていた。私が代理人を務めた人々のなかには、本当に困っていて、難民申請を認められなければ死あるのみ、という人もいた。だが、みなさんの懸念は、単に堅牢な亡命プロセスを築くよりももっと幅広いように見える。私の理解が正しければ、みなさんは難民申請をしなければならない人自体がいなくなるように、人民に近い側での人道支援を増やすべきだと考えているのでは？　ちがうだろうか？　みなさんはこの問題を、他国の紛争や圧政へのアメリカの介入を増やすという観点でとらえているのか？　それとも、単に金銭的支援を増やすという観点でとらえているのか？　私がひとつ心配しているのは、国民が圧政にあえいでいて、資金援助がおそらく本当に支援を必要としている人々に届かない戦乱の国々に、どうすればそうした支援が届けられるかという問題だ。それから、困っている人々が国外にも国内にもいるなかで、どれくらいを海外支援に回すのかという問題もある。

「とてもよくわかる」「みなさんの懸念」「私の理解が正しければ」「ちがうだろうか？」「みなさんは～ととらえているのか？」「私がひとつ心配しているのは」「それから、～という問題もある」などの表現は、どれも可能性の声の言葉遣いの例であり、そこがアイデアについて話し合う中立的な場であって戦場ではないというシグナルになる。次に持ち上がった疑問は、密入国と国境の治安との関係性についてだった。

国境は今までより安全になっただろうか？　強固になっただろうか？　次回、メキシコや中米の経済が暴落したとき、大規模な移民の流入に対処できるだろうか？　オピオイドの問題は解決しただろうか？　私は、国境は今までよりも危険になっていると思う。密入国はかなり減ったけれど、国境は尋常ならざるほど危険になっているし、メキシコ側ではとりわけ危険きわまりない。

これは頭の対立なので、事実を調べて共有するというのがひとつの解決策だ。誰かがアメリカ国境警備隊のこんなデータを共有してくれた。

熱中症、脱水症、異常高熱が国境における最大の死因だ。非営利組織のボーダー・エンジェルズの推定によると、一九九四年以降、およそ一〇万人もの人々がどんどん武装化の進む国境を越えようとして命を落としてきたという。アメリカ合衆国税関・国境警備局によると、一九九八年から二〇一七年にかけて米墨《べいぼく》国境を越えようとして亡くなった者は七二一六人におよぶ。二〇〇五年には、米墨国境全体で五〇〇人以上が亡くなった。死者数は一九九五年から二〇〇五年にかけて倍増し、その後は減少に転じた。アメリカ国境警備隊の報告によると、二〇一七年度（～二〇一七年九月三〇日）の死者数は二九四人で、二〇一六年（三二二人）はもとより、二〇〇三年から二〇一四年までのどの年よりも低かった[4]。

次の疑問は、国境の壁は本当に有効なのかというものだった。つまり、手の対立である。権威の声に訊けば、国境の壁が有効だというのは一目瞭然だ。壁は物理的な防壁であるばかりか、権力の表現やシンボルでもある。威圧効果も抜群だ。相手に攻撃をためらわせる効果がある。そのすべてが会話を封じ込めるという物理的効果のみならず心理的効果を生み出す。会話を封じ込められるのはすばらしいことだけれど、その一方で憎悪が高まっていくかもしれない。いつの間にか、壁は挑戦へと変わる。この壁を越えられるか？　歴史的に見れば、ほとんどの壁はいずれ越えられるし、権力は崩壊する。

理性の声に壁は有効かとたずねれば、データや証拠に訴えかけて、数字で物語をつむぐかもしれない。これは頭の対立であり、入手可能な情報を調べることが役立つ。そこで、移民や国境に関する数値をいくつか見て、どんな物語が浮かび上がってくるか見てみよう。

現在、アメリカではどういう人々がどれくらい暮らしているのか？

アメリカ市民になる移民のうち、家族スポンサーの移民が二〇パーセント、アメリカ市民の最近親者が四七パーセント、雇用に基づく移民が一二パーセント、移民多様化ビザによる移民が四パーセント、難民および亡命申請者が一三パーセントだ。[5]

国境沿いの移民の状況は、年々どう変わっているのだろう？　国境沿いでの検挙数は年間およそ八〇万件、強制送還で、または自発的に国を去る不法移民の数は年間およそ二五万人におよぶ。[6]

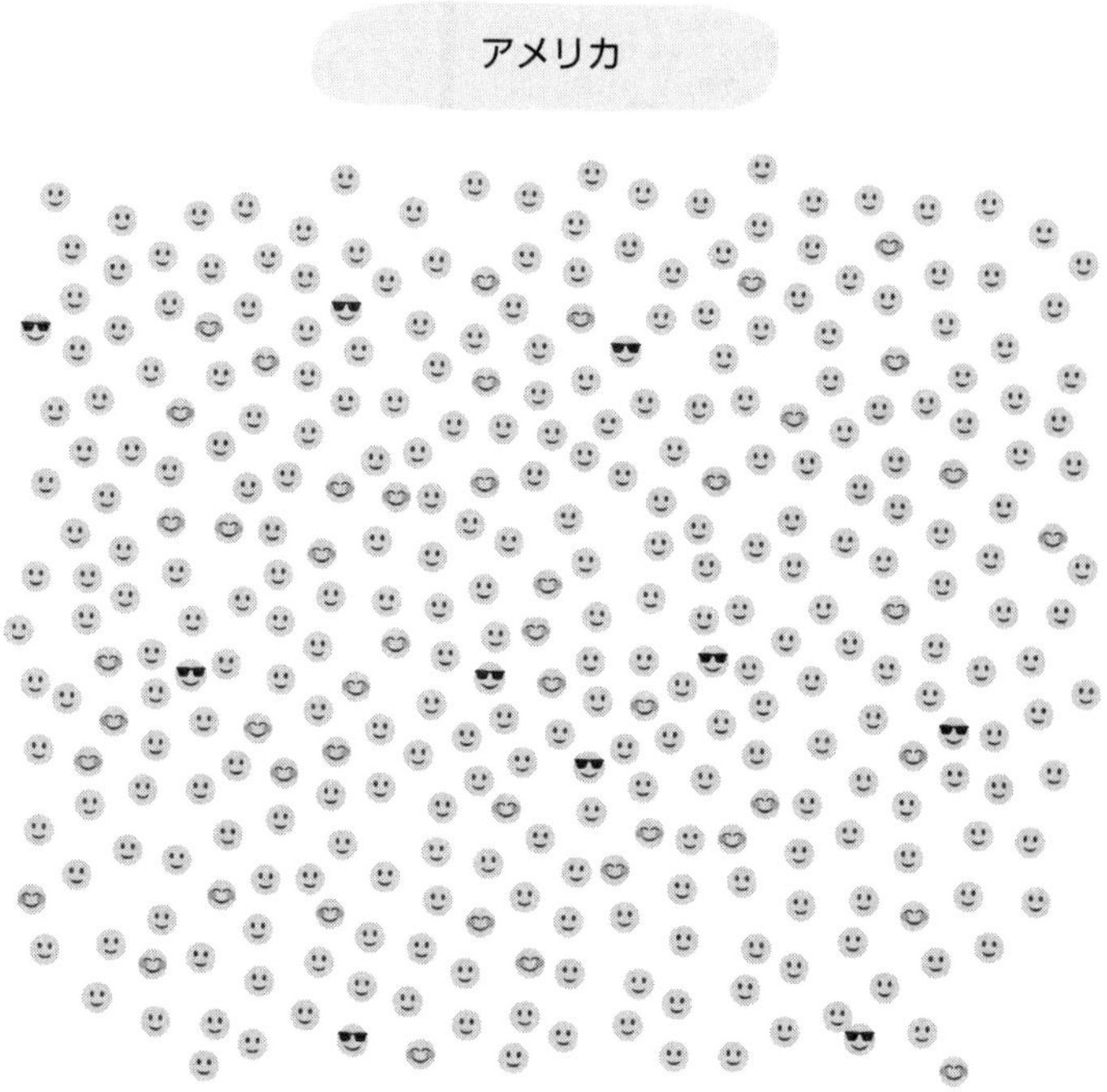

3億2500万人
市民
年間約200万人
増

4700万人
移民1世
年間100万人
増

1100万人
不法移民
年間約10万人
減

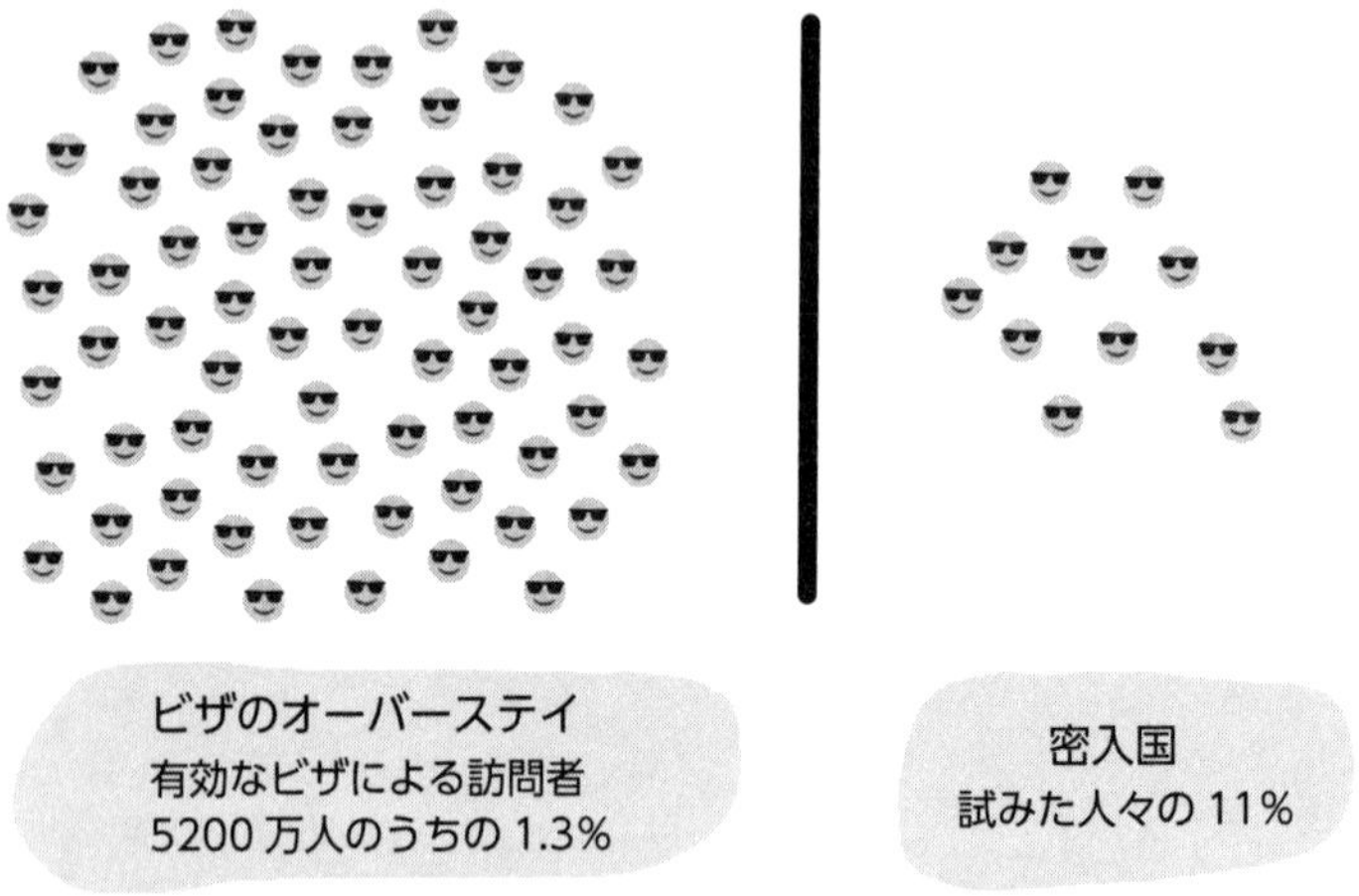

アメリカには観光ビザなどの有効なビザで年間五二〇〇万人が訪れるが、アメリカの不法移民のおよそ八五パーセントは、そうしたビザが切れてオーバーステイ状態になった人々である。そして、不法移民の割合は二〇〇七年以降減少しつづけている。それは入国する不法移民の数が減っているからだ。

fruitful.zone の会話で、犯罪、麻薬の密輸、人身売買、そして移民が賃金に及ぼす影響に関する疑問について、簡単な調査で答えを見つけ出すことができた。信頼できるデータを一緒に探すという作業が大半を占めていたので、政治的な意見にかかわらず、こうした疑問についてみんなで理解を築くのはずっとラクだった。

特に意外だったのは、アメリカに密輸される麻薬の八割から九割が、合法的な出入国港経由で入ってくるという事実だった。薬物の過剰摂取の五五パーセントは、合法的に処方された薬によって生じることがわかった。また、移民が賃金に及ぼす影響は小さいということもわかった。経済学者たちによれば、賃金に及ぼす影響は移民一万人当たり〇・一〜〇・三パーセントにすぎない。しかし、移民の九割以上は合法的に入国するのだ。

こうした下調べのおかげで、移民政策、国境警備、麻薬の密輸、賃金のあいだに働いている複雑に絡み合った要因について、理解を深めることができた。結果的には、見つかった答えよりも生じた疑問のほうが多く、明らかに私たちの理解が足りていない移民問題について、みんなで全体像を塗り上げていくという行為は、楽しくもあり、なおかつ発見に満ちていた。それまでの国境の壁に関する会話とは大ちがいだった。「壁は有効だ！」「壁なんて無意味だ！」という不毛な議論から抜け出したおかげで、私たちの探求できるたいへん面白い問題の空間が開けたのだ。

会話の内容や相手がまったく同じでも、会話がもう少し中立性に欠ける空間（ソーシャル・メディア上など）で行なわれていたら、きっと単純なケンカ腰の疑問のぶつけ合いから抜け出し、その反対側にある面白い疑問にたどり着くことはできなかったろうし、少なくとも議論をスムーズに進行させるのはずっと難しくなっていただろう。つまり、大事なのは、文脈であり、会話を行なう空間であり、その部屋のなかの権力構造、目的への期待、意見の多様性なのだ。生産的対立を実践するためには、成長、絆、楽しみの果実がなるような健全な土壌が必要だというわけだ。

私が今回の会話から得た何よりおいしい果実は、メキシコの殺人発生率の上昇の背景にある理由にあった。

端《はた》から見ると、パッと思いつく要因は、メキシコが世界有数の麻薬密売の回廊《かいろう》になっているという事実だ。高利益でなおかつ違法な業界は、必然的にギャングどうしや一般市民への絶え間ない暴力をもたらすと思うだろう。

ところが、メキシコの殺人発生率が急増していることは一連の報告書から事実だとわかったけれど、この単純なカルテル戦争原因説は事の全容ではないということがわかった。現実には、メキシコ政府の取り締まりの強化によって、メキシコの麻薬カルテルやギャングが不安定になり、皮肉にもかえって殺人発生率が増加していたのである。[7]

要するに、リーダーや幹部の逮捕によって、権力の空隙《くうげき》が生まれ、トップにのし上がろうとする構成員どうしの大規模な血みどろの抗争が勃発していたのだ。同じく、麻薬密売の莫大な利益の一部をもぎ取ろうとする地域の新たなギャングもまた、この権力の空隙を埋めようと企んでいる。[8] その一方で、弱体化した組織にさっさと見切りをつけ、違法な技術を活かした不正な暴力行為に目を向け、それまで平穏だった近隣地域で犯罪行為を行なう構成員たちもいる。その結果、全体の殺人発生率が上がるのだ。[9]

つまり、ある意味、麻薬密売を壊滅させる試みが成功した結果として、殺人発生率が上昇しているわけだ。実際、短期的な勝利が新たな長期的問題の呼び水になることはある。この会話に参加した人々は、この新たなる正常《ニュー・ノーマル》によって、以前より最終的に治安は改善するのか、病を治療したことによりかえって状況が悪化するのかをめぐり、しばらく議論を交わした。これは心の対立であり、事実というよりも意見や見方の問題に近い。

この会話をきっかけに、アメリカのオピオイド危機が個人に与えている影響について、まったく新しいスレッドが立ち上がった。薬物乱用、メンタルヘルスの問題、そして時には自殺や事故による死がどれだけ普遍的な物語なのかということがわかっただけでも、目から鱗だった。このスレッドが立ち上がってから一週間後、私たちは移民政策や執行の微妙な点について多くのことを学んだだけでなく、アメリカで実際に起きていて、政治思想の異なるアメリカの家庭にとってたいへん現実的な問題であるオピオイド危機を中心として絆を築く新しい方法も見つかった。

こうした問題の解決にはまだほど遠いけれど、その複雑に絡み合った性質への理解を深めることはできたし、この問題からの影響の受け方も人それぞれだとわかった。古代の寓話に登場する目の見えない男性たち（「群盲象《ぐんもう》を評す」という寓話のことで、目の見えない人々がそれぞれ象の別の部分に触れて象を評するために、主張がバラバラになってしまうという話）と同じように、私たち一人ひとりの目の前には象の別々の部分がある。一人ひとりがお互いの意見を尊重できれば、それができなかった場合と比べて、はるかに次の会話に向けた準備ができるのだ。

これこそ豊かな果実をつける生産的対立の典型だった。

空間を中立的にする要因とは?

どのコミュニティもそうだけれど、fruitful.zoneコミュニティも形成の途中で壁にぶち当たった。あるとき、人種差別に関するコメントへの誤解がもとで、ひとりのメンバーが突然コミュニティを去ってしまった。開始直後だったので、こうした出来事は大打撃となり、残ったメンバーでこの出来事から学べることを話し合った。結局、本人がひょっこり戻ってきたので、何がまずかったのか、どうすれば同じ失敗を防げるのかについて、本人の貴重な意見を聞くことができた。

またあるときは、ひとつのスレッドで名指しの批判が巻き起こった。私たちのコミュニティでは、「個人的な誹謗中傷の禁止」「意見を事実として投稿しない」といったすごく明快な行動規範、つまり参加者に期待される基本的な決まりを定めている。が、この事件はそうしたガイドラインをきちんと施行できるのかが試される最初の試練となった。こういう場面で、権威や理性の声がルールを守らせる主な手段として頼るのは、追放、検閲、禁止だけれど、こうした手段とて完璧ではない。むしろ、コミュニティを二極化させて問題を引き起こすことだってある。

近年、テクノロジー企業は「デプラットフォーミング」や「ノープラットフォーミング」(テクノロジー企業や影響力を持つ人が、ツールへのアクセス禁止や会場への出入り禁止などにより、人種差別などの問題発言をした人の言論の場《プラットフォーム》を奪う行為）と呼ばれる独自の検閲を始めている。矛先を向けられたのは、元ＦＯＸニュース司会者のグレン・ベック、インフォウォーズ創始者のアレックス・ジョーンズ、元ブライトバート・ニュース編集者のマイロ・ヤノプルスなどの過激な論客たちだ。デプラットフォーミングの効果に関する調査の全般的な総意によると、デプラットフォーミングの影響で、当初は禁止処分を受けた人物や思想に注目が集まるのだが、いずれ注目度が下がり、禁止された人物や思想はだんだん注目されなくなっていくという。ジェイソン・コブラーは二〇一八年八月一〇日の『ヴァイス』で、データ・アンド・ソサエティのプラットフォーム・アカウンタビリティ調査主任のジョン・ドノヴァンのこんな言葉を紹介した。

「過去一年間の調査プロジェクトの結果、ある程度の有名人がフェイスブック、ツイッター、ユーチューブからノープラットフォーミングを食らうと、最初はそれが火種となって、一部の読者がその有名人についていくのだが、（中略）ふつうはそのあとで急激に熱が冷め、その巨大プラットフォームから出禁を食らう前ほどの注目の増大効果は得られなくなるのだ[10]」

この主張は合点がいく。権力者が行なう検閲は効果的なのだ。現在の中国や北朝鮮、過去のアメリカの歴史を見れば、検閲が短期的に見れば「やったもん勝ち」であることがわかる。その瞬間、問題は解決する。だが、欠点もある。検閲されたという事実自体がその情報に新たな魅力を与えるので、長期的に見れば、検閲された情報はいっそう強力な形となって復活することが多いのだ。過去に発禁となった本は、発禁になるほど重大だったという単純な理由で、結果的には本来よりも多くの人の目に入った。たとえば、J・D・サリンジャーの『ライ麦畑でつかまえて』、ラルフ・エリスンの『見えない人間』、アンネ・フランクの『アンネの日記』、ハーパー・リーの『アラバマ物語』は図書館で禁書となった。実際、学校や図書館で禁書となっている本がまだたくさんあるなか、アメリカ図書館協会は読書の自由を称える目的で、毎年九月最終週に「禁書週間」というイベントを開催している。彼らにとって禁書は絶好のマーケティングになる。

ジェイソン・コブラーは先ほどの『コブラー』の記事で、アレックス・ジョーンズやマイロ・ヤノプルスらに対するノープラットフォーミングの影響を調べた研究者たちがこう認めているとも指摘している。「ノープラットフォーミングが近い将来や遠い将来に及ぼす想定外の影響はまだわからない。（中略）もしかすると、ほかにも想定外の影響があるやもしれない。テクノロジー企業がノープラットフォーミングの判断を下す権利や倫理をめぐっては、すでに反発もある。主流派のソーシャル・メディア・ネットワークからGab.ai（極右系のユーザー基盤を持つSNS）などのサイトへの大量流出も見られる」[11]

検閲は大捕物を演じ、言論の自由や思考の多様性を重視する社会で不遇に喘いでいる思想に、トラブルメーカーの地位を与える。すると、人々は好奇心を持つ。どこがそんなにヤバいんだろう？　その思想に共鳴した人たちは、共通の敵を前に一致団結し、本来よりもいっそうの拡散に励むようになる。

そういう人々が代弁する思想にいったい何が起こるかも見ることができる。デプラットフォーミングが行なわれるたび、その思想の信仰者たちにとってのちょっとした殉教者が生まれる。殉教者が苦しめば苦しむほど、その理念のシンボルとして強大な力を持つようになる。ソクラテスの死が古代ギリシア哲学、イエスの磔《はりつけ》がキリスト教、ジョルダーノ・ブルーノの火刑が太陽中心説に与えた影響を見れば一目瞭然だろう。

これこそ、権威や理性の声が陥りやすい落とし穴だ。権威や理性の声は検閲、禁止、追放に満足する。こうした戦略は、自分たちの信念体系に対する脅威をすぐさま取り除いてくれるので、短期的には有効に見える。でも、長期的にとらえ、こうした処分の二次的、三次的な影響が逆効果を引き起こしかねないということを認めたとしたら、それでもなお満足できるだろうか？　私たちがソクラテス、イエス、ジョルダーノ・ブルーノの思想を覚えているのは、どれくらい彼らが殉教したおかげなのだろうか？

では、今この瞬間にもたいへん現実的な脅威をもたらしかねない人物や思想を追放する以外に、どんな代替策がありうるだろう？　直感に反するけれど、この疑問がもたらす不確実性の海に、思い切って飛び込むよりないのだ。私たちが考えなければならない幅広く厄介な疑問とは、「どうすれば検閲、禁止、追放という最終手段に頼ることなく、意見の対立、時には極端な意見の対立をも受け入れるコミュニティが築けるのか？」というものだ。その第一歩は、主な対立の相手を集団ではなく個人、それも紋切り型のステレオタイプとしてではなく、いろんな意見、見方、信念、期待、夢をあわせ持った個人としてとらえることだ。コミュニティ自体と議論はできないけれど、そのコミュニティを代表する人物を探せば、意外な答えを引き出す質問をし、一人称で語り、みんなで議論をつくり上げていくことができる。そうするのは、相手と中立的空間で会った場合にずっと簡単になる。

アレクサンドル・ソルジェニーツィンの『収容所群島』は、広範な調査と強制収容所の囚人として過ごした彼自身の実体験に基づき、ソ連の収容所システムについて克明に描いた作品だ。彼は邪悪で絶望的な現実にさらされながらも、単純に悪を遠ざけるのとは別の方法でその悪と向き合った。

もし物事が次のように簡単だったら、どんなに楽なことか！　どこかに悪党がいて、悪賢く悪事を働いており、この悪党どもをただ他の人びとから区別して、抹殺《まっさつ》さえすればよいのだったら。ところが、善と悪とを区別する境界線は各人の心のなかを横切っているのであり、いったい、誰が自分の心の一部を抹殺することができるだろうか。（中略）これはしだいに明らかになっていったことだが、善悪を分ける境界線が通っているのは国家の間でも、階級の間でも、政党の間でもなく、一人びとりの人間の心のなか、すべての人びとの心のなかなのである。この境界線は移動するもので、年月がたつにつれてわれわれの心のなかで揺れ動いているのだ。それは悪につかった心のなかでも、善の小さい根拠地を囲んでいるのだ。最も善良な心のなかにも、根絶されていない悪の住家があるのだ。

それ以来、私は世界のあらゆる宗教の真理を理解した——それらの宗教は人間のなかにある悪（各自のなかにある）と闘っているのだ。悪をこの世から完全に追放することはできないが、人間一人びとりのなかでその領域を狭《せば》めることはできるのである。[12]

ソルジェニーツィンは、ソ連、共産主義、強制収容所システムをおおっぴらに批判してノーベル文学賞を受賞するも、予想にたがわず、その結果としてソ連を追放されるはめになった。彼の遺したメッセージは、検閲、禁止、追放に頼らずに両極端な意見を戦わせるにはどうすればよいか、という疑問に答えるための絶好のヒントを与えてくれる。ひとつは、私たちが線引きすべきなのは人と人とのあいだではない、と認めることだ。これまでさんざん見てきたとおり、人と人とのあいだで線引きするのは、長期的に見るとたいてい逆効果だし、自分自身の欠点を棚に上げて他人を悪魔化する戦略的なショートカット（戦略7「なじみのあるものをひいきする」、戦略8「経験と現実を同一視する」、戦略10「過信する」、戦略12「今までの考え方を守る」）にひどく頼ることになる。この怠け癖のあるメンタル・モデルから少しずつ抜け出すには？　必要なのは、自分自身の不安への反応を理解し、自分自身の限界を素直に受け入れる正直バイアスを築き、他人の考えを憶測することなく一人称で語り、意外な答えを提供してくれそうな人に質問をし、みんなで一緒に議論をつくり上げ、両極端な意見を取り入れ、過激な意見の対立がおのずと解消されるような中立的空間を築くことだ。

そのためには、人々や思想を排除するのは逆効果だし、自分たちにとって最善ではないということを受け入れるしかない。そう、今こそ別の選択肢を探るべき時なのだ。みんなで。

実践しよう⑦

中立的空間を築く

生産的対立を実践するための空間は、次の三つのレベルで中立的でなければならない。①新しい考えや見方を取り入れたり、善悪の判断を先延ばししたりできるように、多様な考えや見方を歓迎する。②考えや見方が進化していくあいだ、人々が自由に会話を出入りできるようにする。③空間がその内部で生じる関係性や会話に合わせて形を変えていくにつれて、空間の性質や文化が進化していく余地を残す。この三つのレベルを一つひとつ見ながら、これらがどう噛み合うのかを確かめてみよう。

1 考えや見方

●誰からでもオープンな質問を受け入れる。

中立的空間とは、会話を意外な場所へといざなってくれる壮大でオープンな質問を促す空間だ。法廷よりも夕食の食卓のような雰囲気をつくる必要がある。誰もが安心して自由に一人称で語り、ほかの人たちと意見を共有できるようにしよう。

●新しい考えや見方にしっかりと耳を傾けてもらえるようにする。

中立的空間は、フェイスブックの投稿、ディナー・パーティー、電話のように刹那《せつな》的なこともある。多様な考え、それも奇抜な考えに耳を傾けてもらう方法に気を配ろう。不安の火花を散らせる考えでさえじっくりと聞いてもらえるくらい中立的な雰囲気の空間をつくることが大事だ。

●新規の参加者を歓迎する。

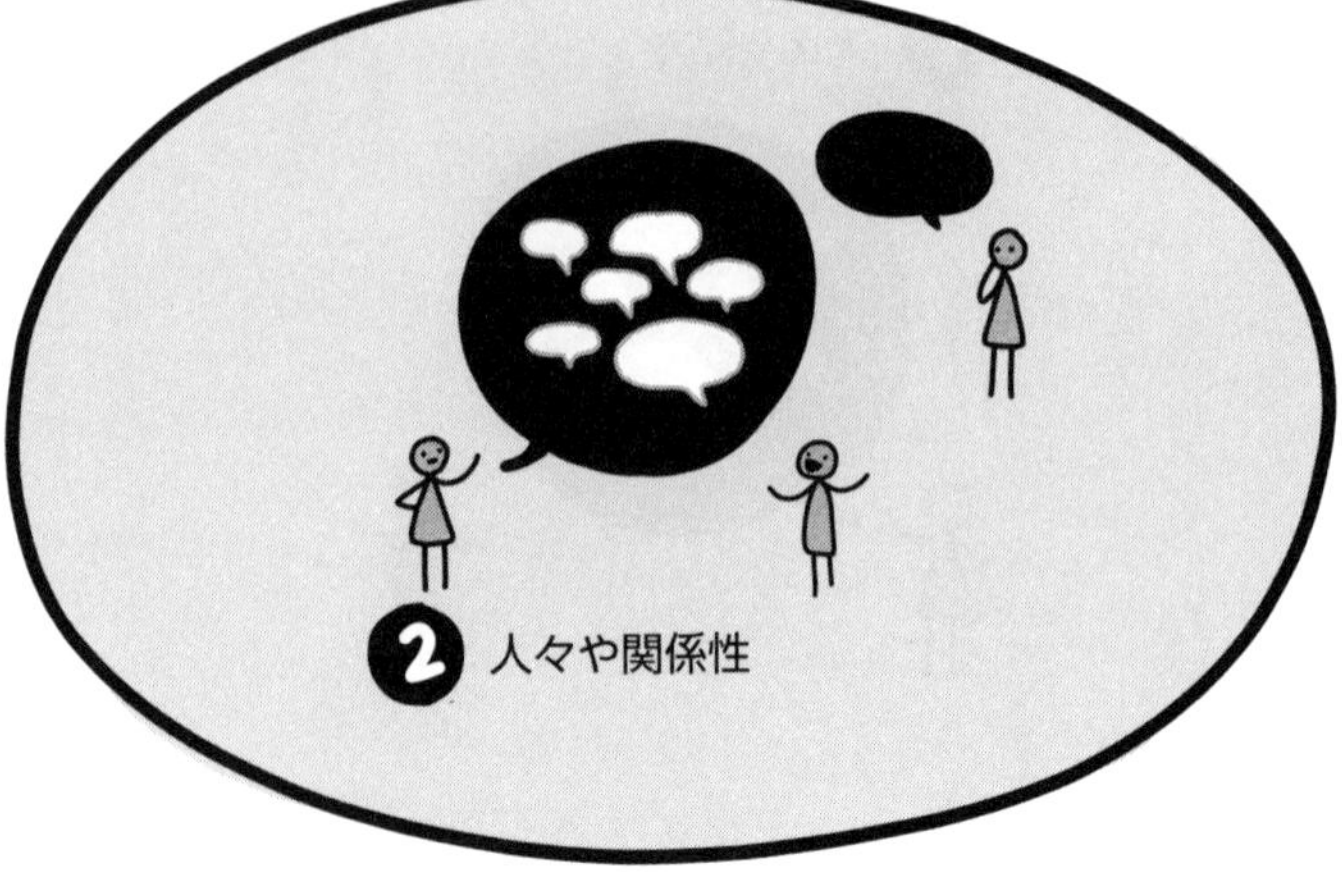

中立的空間とは、多様な見方を歓迎し、それをみんなと共有するよう促し、そういう見方が引き起こす不安についてざっくばらんに話し合えるような空間だ。そのためには、新規の参加者を歓迎し、自己紹介をしてグループに溶け込んでもらえるようなオリエンテーションを提供するといいだろう。製造ラインではなくパーティーのような雰囲気づくりを心がけよう。

●リピート参加を促す。

外部の中立的空間は、イベント会場のような物理的環境でもかまわないし、家族の伝統的な夕食会、読書会、文通、定期的なイベントでもかまわない。物理的な空間かどうかはともかく、長続きする人間関係や共通の目的意識のようなものが感じられなければならない。結局のところ、それこそが私たちにとってもっとも意義のある教会、企

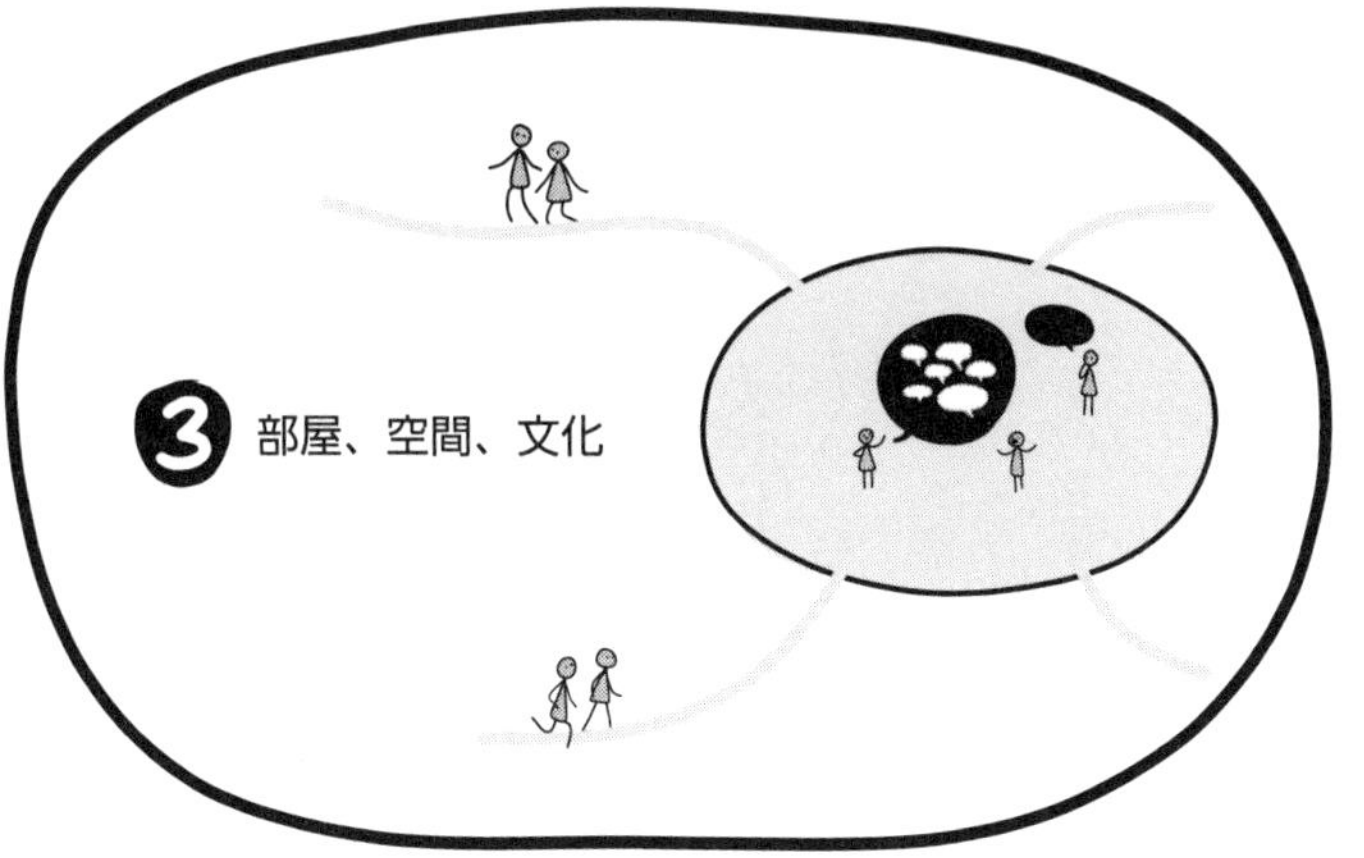

業、機関の果たす本当の役割ではないだろうか？ずっと昔からあり、誰でも分け隔てなく参加できて、自由に出入りできる中立的空間。こうした空間に属すると、その一員となり、そうした空間が備える儀式、台本、規範を吸収していく。

空間の中味そのものと同じくらい、空間どうしの入れ子関係にも細心の注意を払わなければならない。会話から得られる対立の果実の質は、対立の内容そのものだけでなく、誰がそこにいないのか、誰を会話に招待するべきなのかに注目することによっても変わるのだ。

●空間が時間とともに個性や温かみを獲得していくようにする。

長続きする中立的空間は、時間をかけて独自の個性を身につけていくことがある。その個性は過去の会話のなごりによって形成されていく。たとえる《*》なら、鉄製フライパンを、全員が丸焦げになったとは感じないくらいの熱を持った会話の油でなじませると考えてみよう。たったいちどきりの会話さえ、その空間の特徴を引き継ぐ。だから、空間が生産的対立を実践できる可能性をどう増減させるのか、よくよく注目しよう。

●会話が数日、数カ月、数年をかけて独自のペースで進化していくようにする。

中立的空間は持ち上がった対立を大急ぎで解消しようとしたりはしない。それだと誰もが対話を早めに封じ込めたり、対立自体を避けたりしようとしてしまうからだ。むしろ、中立的空間は、意見の対立を、その会話の余白部分に重要な何かが隠れているシグナルだとして歓迎する。それは集団の総意と食い違う情報かもしれないし、自分の価値観を冒瀆されたという不快感かもしれないし、素直な目で評価したら現在の提案はいまひとつであるという直感かもしれない。中立的空間が会話にもたらす変化とは、成長や進化に必要な時間や注目をアイデアや人々に与えるというものだ。それがより強い絆につながり、ひいては一緒にいる時間やみんなの意見を楽しめる能力へとつながるのだ。

●三つの領域（頭、心、手）がすべて共存する余地をつくる。

中立的空間の原点は、あなたのいちばん深い信念や強い価値観がしまってあるあなた自身の思考の内側にある。あなた自身の信念や価値観こそが、ほかの見方とぶつかったときに不安の火花を散らせる「火打ち石」と「打ち金《がね》」に当たるものだからだ。中立的空間を築くには、瞑想や日誌づけなどを通じて、心の内側に目を向けるのが有効だ。または、散歩、昼寝、読書、間食など、カレンダーに自分だけの時間を書き込むのもいい。権威、理性、回避の声に耳を傾ける中立的空間を築けるのは、こうした時間なのだ。私たちの反射的な思考プロセスに突き動かされるこれらの声は、どれも理由があって存在している。目標はほかの人々との会話をすべて封じ込めることではないのと同じで、反射的な声を封じ込めることでもないのだ。

不確実性のパラドックス

幽霊、銃、移民、古い水に関する会話で見たとおり、中立的空間で意見の対立が起きると、おのずと成長、絆、楽しみ、さらには安全の果実がなる。成長と絆の果実については説明するまでもないけれど、生産的対立の「楽しみ」の果実については、これまであまり詳しく探ってこなかった。実は、古代ギリシアの哲学者にとって「アポリア」として知られる、一種の楽しみがある。これは中立的空間を築くうえで大事な要素だ。

考えるという行為は重労働で、脳の貴重なパワーを酷使するので、私たちの認知バイアスや戦略的ショートカットは、その多くがすばやい判断を促すようにできている。総じて、この習慣は私たちの進化に大きく役立ってきた。私たちのコミュニティや社会で受け入れられている答えに頼るのは、集団の不和をなるべく抑えるという追加のメリットがあるからだ。

ソクラテスは人類史上もっとも聡明な人間のひとりと考えられているけれど、知恵の定義について問われると、かなり面白い答えを返した。

> 私は、知恵があると思われている人の一人を訪ねました。（中略）私にはこう思われたのです。「この人は、他の多くの人間たちに知恵ある者だと思われ、とりわけ自分自身でそう思いこんでいるが、実際はそうではない」と。（中略）私は帰りながら、自分を相手にこう推論しました。「私はこの人間よりは知恵がある。それは、たぶん私たちのどちらも立派で善いことを何一つ知ってはいないのだが、この人は知らないのに知っていると思っているのに対して、私のほうは、知らないので、ちょうどそのとおり、知らないと思っているのだから。どうやら、なにかそのほんの小さな点で、私はこの人よりも知恵があるようだ。つまり、私は、知らないことを、知らないと思っているという点で」と。[13]

権威と理性の声は、特に対立の世界では、正しいことを述べて議論に勝つことが何よりの楽しみなのだと私たちに信じ込ませてきた。でも、可能性の声には別の形の楽しみがある。アポリアとは、真実に通ずると思っていた道が実はどこにもつながらないと悟ったときの感覚である。つまり、確実性への近道だと思っていたものが実は幻想だったと気づく瞬間だ。アポリアへの最初の反応は不満、時には憤懣《ふんまん》かもしれないけれど、その行き詰まりの状態こそが新しい情報をもたらし、既存の信念に関する誤った確信を固持しようとするムダな努力からあなたを救ってくれると考えれば、それが楽しいとさえ感じる悟りの瞬間に化ける可能性だってあるのだ。

ソクラテスは、対話の真の目標はアポリアの瞬間にたどり着くことだと説いた。何かを決めたり、確信したり、自分が正しいと証明したりすることではなく、自分が話していることを実は自分自身がよくわかっていないと悟ることだと考えたのだ。

このプロセスがいったいどうして楽しいのだろう？　誤った確信にしがみつくのはつらくて苦しく、その先には大きな代償が待ち受けているからだ。誰だって、コーナーに追い詰められて、的外れな意見を意固地になって擁護している自分にはたと気づいたときの感覚に心当たりがあるだろう。そこまで来て負けを認めるのは、ものすごく惨めだし、時には屈辱的でさえある。でも、みんなで議論をつくり上げているなら、それまでの意見がまちがっていたと気づくのはむしろ楽しい。もともとその意見にとらわれているわけではないからだ。自分の知らないことがわかり、新しく貴重な物事が学べたのだから、負けを認める必要なんてないのだ。

ソクラテスは次のような誤った知恵について警告している。

私たちは答えを握っている人を賢い人と混同しやすい。これこそ「できるまではできるフリ」

の精神だ。向こう岸の見えない裂け目の前に立っているとする。反対側に渡る方法を思いつける人は賢く見えるけれど、ソクラテスは存在しない答えを存在しないと認め、自分が行き止まりにいることを認めるのが真の知恵だと考えている。

想像した答えを信じて、裂け目に飛び込むのではなく、目の前が行き止まりであることを素直に認めれば、向こう岸に渡る方法について確信を抱いたりはしないので、偽りの安心感にひたらずにすむ。目の前にある確信へと飛びつくのではなく、たとえ正しくなくても、可能性の声に手を伸ばせば、まわりを見渡し、向こう岸へと渡る意外な方法を探せるのだ。

この戦略が有効なのは、裂け目を飛び越える方法を見極めているときだけではない。私たちは、「見て、確かめて、飛ぶ」というこの思考のループを当たり前のように繰り返している。

見る：誰かがあなたにぶつかり、コーヒーをぶちまけてしまう。相手はあなたに聞こえないような声でボソボソと何か言い、そのまま立ち去る。

確かめる：シャツにシミはついたか？　手は火傷したか？　相

手は文句を言ったのか？　着ているスーツからすると意識高い系？　私がよろよろのTシャツを着ているから見下しているのだろうか？

選択肢1：はい、はい、はい、はい、はい。

選択肢2：そうかも、そうかも、そうかも、そうかも、そうかも。

手っ取り早くて確実な選択肢1を選ぶのか、あいまいさの残る選択肢2を選ぶのか。前者を選べば、不安の裂け目へとまっしぐらに飛び込み、権威の声や理性の声がそれを理由に怒り、仕返し、憤慨を正当化しようとするだろう。でも後者を選べば、一歩後ろに下がり、ぶつかってきた相手の意図について、もう少し正確な別の説明を考えられるだろう。

まっとうな怒りへと飛びつくのは確実な行動であり、強烈な感情をバネにして一気に結論へとたどり着く。

一方、一歩後ろに下がり、おそらく正しくない未確定の仮説について好奇心を持つのは、不確実な行動ではあるけれど、強烈な感情に任せて一気に結論までたどり着く必要もない。ぶつかったことに気づいているかと相手に訊いてみることもできるし、Tシャツを洗ってみて本当にシミができているかを確かめることもできる。

不確実な物事に不満を感じることが多いのは、探し求めている答えがすぐに得られないからだ。でも、アポリアの状態を受け入れ、まっとうな怒りや偽りの安心感を抱かなくてすむようにすれば、きっとその場の満足感さえ高められるはずだ。

中立的空間を築けば、思い込みや過信からの抜け道が広がり、アポリアの境地に達する。そして、ついさっきまで意見を対立させていた人々が、屈辱や絶望といった気持ちを抱くことなく円満に別れられる。もう、面目を保つだけのために闘争・逃走反応やバックファイア効果を引き起こす必要なんてなくなるのだ。

第8章　現実を受け止め、身を投じる

希望的観測や故意の盲目では何も変わらない。

二〇〇九年から、非営利組織エシックス・センターとシドニー・オペラハウスの共催で、「危険思想フェス」が開催されるようになった。このフェスは、世界を代表する思想家や文化創造者たちがその時代の特に重要な問題、それも危険思想ととらえられがちな問題について討論するためにつくられた。

最初の年、ふたりの人物が宗教についてまったく正反対の講演を行なった。クリストファー・ヒッチェンズが「宗教はすべてを毒する」と題した講演でオープニングを飾ると[1]、その直後、オーストラリアのローマ・カトリック教会のジョージ・ペル枢機卿《すうききょう》が「神が存在しなければわれわれは無にすぎない」と題する講演を行なった[2]。このふたつの講演が続けざまに行なわれたことこそ、その場所が人によっては不愉快で危険だとみなすような思想について議論するための健全な中立的空間であるという何よりの証左《しょうさ》だ。ふたつを同時に論じたことが、可能性の領域を切り開き、それぞれを別個に論じるよりもむしろ健全な対話を生み出したのだと私は思う。

危険思想フェスでは、これまでとてつもなく幅広い話題が議論されてきた。過去一〇年間の例をいくつかご紹介しよう。

・「女性の台頭が男性を男の子へと変えた」
・「誰だって変態」
・「ローマ教皇にカトリック教会の罪を問え」
・「手ぬるいぞウィキリークス」
・「私たちの注目が盗まれている」

本書の戦略を実践することで、どんどん過激で、ともすると危険な会話へと踏み込む自信が得られるとすれば、危険思想フェスはその道中で待ち受ける難問について、貴重なヒント（と警告）を与えてくれる。

危険思想に時間を費やすこと自体、過激な危険思想と考えられている。それがあまりにも危険すぎると感じるなら、そう感じるのはあなたひとりではない。二〇一四年の危険思想フェスに関連して起きた事件がそのことを如実に示している。

二〇一四年、ムスリムのライターで活動家のウスマン・バダルが「名誉の殺人は倫理的に正当化される」と題する超過激な講演を予定していたのだが、主催者に多方面から批判が相次いだことで講演は中止に追い込まれた。[3]「講演のタイトルがバダル氏の意図していた講演内容への誤解を生んだことは、世論の反応から見ても明らかです」と主催者側は発表し、講演中止の理由をこう述べた。「危険思想フェスの目的は、単なる挑発ではなく、思考や議論を刺激することにあります。（中略）バダル氏、セントジェームズ・エシックス・センター、シドニー・オペラハウスのいずれにも、名誉の殺人を擁護したり、女性への暴力を認めたりする意図はいっさいありません」

このフェイスブックの投稿には五〇〇件以上のコメントが殺到し、大炎上した。[4]

こんな人種差別的な暴論について考えるだけでも、ふざけているとしか思えない。（中略）オーストラリア人の白人男性として、この講演予定者には深い怒りを覚える。こんな講演者を承認した人は、即刻解雇処分にしてほしい。不謹慎すぎる。（中略）恥を知れ！

彼は民主主義がいかにひどくて、自身の時代錯誤なイデオロギーがいかにまともかを論じようとした。文明人が殺人、レイプ、圧政を好ましくないと思っていることなんてありえない、って。そう、まちがっているのは明らかにそんなことを言う文明人のほうだ。

バダル氏がスポークスパーソンを務めるヒズブ・タフリールは、世界じゅうでテロリスト集団として指定されていて、ドイツや多くの中東の国々で活動が禁止されている。そんなやつに講演させるって？　開いた口がふさがらないね！

危険思想フェスはそもそもどういう目的でバダル氏を招いたのだろう？　名誉の殺人を容認するつもりだったのか？　そうとは考えにくいけれど、絶対ないとは言い切れない。講演のタイトルを読んだだけで、炎上するのは目に見えている。でも、実は誤解やただの判断ミスだったのではないか？

最初に断っておくけれど、私は名誉の殺人なんてものは社会の片隅にいる弱者（この場合、女性や移民）を標的としたとんでもない重大犯罪だと思っている。よく知らない人のため、名誉の殺人はヒューマン・ライツ・ウォッチによってこう定義されている。

名誉の殺人は、ふつう死罰による報復行為であり、家族に不名誉を与えた女性に対して、その家族によって行なわれる。女性が家族によって名誉の殺人の標的にされる理由はさまざまだ。たとえば、婚姻拒否、強姦被害、離婚の要求（夫のＤＶが原因の場合も含む）、姦通（の噂）などがある。女性が家族にとって〝不名誉〟なふるまいをしたという認識だけでも、十分に命を奪われる理由になりうる。[5]

名誉の殺人はほとんどの人に不安の火花を散らせる、想像を絶する重大犯罪だ。もっとひどいことに、名誉の殺人は法律を超越した形で行なわれ、被害になるのは女性であり、地方当局によって無視されることが多い。殺人者が罰を受けるとしてもたいていは最小限ですむ。国連の報告によると、年間約五〇〇〇人の女性が名誉の殺人で命を落としている。[6]

名誉の殺人とは、儀式的な暴力行為を通じて、集団を〝汚した〟とされる女性を追放することにより、汚名を〝洗浄〟する手段だ。これは中立的空間を築くのとは正反対の行為といえる。現代社会で本書を読んでいる人のほとんどにとっては、この慣習を擁護したり、名誉の殺人は正当化できると考えたりする人々に共感するのはものすごく難しいだろう。

名誉の殺人というテーマに関連した生産的対立《プロダクティブ・ディスアグリーメント》が、成長、絆、楽しみの果実につながる可能性なんて少しでもあるだろうか？　きっと権威の声や理性の声がサッと割り込んできて、「そんな可能性はない」と即答するだろう。正義や安全を勝ち取るためには、可能性の声を無視して、直接実力行使に頼るしかないからだ。この瞬間にもおおぜいの人が死んでいる！　どんな手段を使ってでも、今すぐに適切な判断と是正をするよりない、と。

でも、名誉の殺人に力ずくで対処するのは問題だらけだ。この犯罪は環境も法体系も文化もまるでちがう何十という国々に広がっている。国連には人権高等弁務官事務所や女性差別撤廃委員会が設置されていて、五年おきに各種問題の現状について各国に報告を求めている。各国に勧告を行なうことはできるけれど、せいぜいそこまでが限界だ。つまり、これは複雑でゆっくりとした解決策であり、名誉の殺人という問題に対してとても十分だとは思えない。

私たちは複雑で遅々として進まない筋書きにどう対処していいのかわからない。そういう問題に対してひたすら心配しつづけるようできているのだ。この状態は信じられないくらい神経がすり減る。こういう慢性的な未解決の不安から抜け出すひとつの方法が、自分自身ではなく何かや誰かを責め、怒りを浴びせ、さっさと手を引くというものだ。残念ながら、そのやり方では不安の根本原因となっている問題は解決しない。罪悪感から逃れられるだけだ。権威の声はこうして怒りを用いて、規制、治安、懲罰への要求をエスカレートさせ、罵《のの》れる相手にどんどん怒りをあらわにしていく。「今すぐやめさせろ！」と。

少なくとも、それが多くの人々の反射的な反応だ。もっと生産的な戦略はないのだろうか？

この会話をもう少し広げてみよう。私は、この話題についてじっくりと議論すれば、生産的な結論にたどり着く余地はあると思っている。名誉の殺人は、集団の規範に従わないメンバーを罰する行為であり、それ自体、権威の声が用いる紛争解決の戦略だ。（お見合い結婚、性的な純潔、離婚などに関する）ルールに従え！　さもないとどうなっても知らないぞ！　名誉の殺人は、既存の文化規範を脅かす危険な思想を排除するための戦略だ。それは、女性に結婚や離婚の自由、自立を認めるべきだという思想である。なので、名誉の殺人に対する反論は、意見の対立を押さえ込む力ずくの手法に対する反論とそう変わらない。要は、女性を中立的空間へと招き、一人称で語ってもらい、命の不安を感じることなく生き生きと暮らす機会をつくるということだ。名誉の殺人への反論は、する価値の十分にある会話だ。

では、誰とその会話するべきなのか？　一人称で語り、名誉の殺人に関する意見を述べ、私たちの疑問への意外な答えを提供してくれそうなのは誰？

名誉の殺人に関する講演が中止に追い込まれたとき、バダルは意見を述べる機会さえ与えられないまま、差別主義者、男尊女卑論者、イスラム過激派のスポークスマン呼ばわりされ、多くの主流のニュース媒体や刊行物、ソーシャル・メディアから汚名を着せられた[7]。名誉の殺人の被害者自身と同じように殺害されることはなかったけれど、それと同等の社会的な罰を受けた。危険思想の持ち主として社会的に抹殺されたのだ。でも、彼の思想とは？　本当に彼はそんな思想の持ち主だったのか？　彼はとうとう自身の見方を弁明するためにＡＢＣニュースラジオのインタビューに応じ、冒頭で自分の意見をこうはっきりと述べた。

私自身もイスラム教も、女性に対する暴力や虐待はどんな形であれ認めません。そしてもちろん、私刑も[8]。

じゃあ、いったいどうして彼は自身の講演にあんな挑発的なタイトルをつけたのか？　彼はこう言う。

挑発的で賛否両論のある思想を取り上げるというのが危険思想フェスの趣旨です。昨年、「殺人者にも善人はいる」というタイトルの講演がありました。タイトルだけを見て講演の内容を推測すれば、怒りを覚える人もいるでしょう。でも、よくよく話を聞いてみれば、斧を持った殺人者でも心を改めて善人になれる、社会はそんな更生者を受け入れるべきだ、という意味だったのです。講演者は三四歳のアメリカ人の白人男性だったので、それも意見を述べるプラスになったのでしょう。一方、私の講演の宣伝を読んだ人は、名誉の殺人に関する認識、前提、仮説についての議論だと思ったのでしょう。欧米でこの問題が取り上げられると、世間は真っ先にアジアやアフリカの僻地で行なわれている女性の石打ち刑を思い浮かべます。それはなぜ？　どうしてそんなに限定的な見方をするのでしょう？　真の問題が「女性に対する暴力」だとしたら、国内のＤＶによる女性の虐待や殺害はどうなのか？

彼の講演の目的は、彼自身の説明によれば、欧米人が大部分を占める聴衆に対して、こんな耳の痛い質問を投げかけることだった。全米ＤＶ防止連盟によると、アメリカではＤＶに関するホットライン電話が一日二万件あり、[9]女性に対する殺人の三分の一がパートナーによって行なわれるのに、[10]なぜ欧米人はパキスタン、イラク、トルコ、アフガニスタンなどの国々で起きている五〇〇〇件の名誉の殺人をそう躍起になって責め立てるのか？

自分自身のバイアスを認め、修正する精神があれば、私たちには自分自身を非難するよりも他者を悪魔化する傾向があるという事実を認められる。彼はそのばつの悪い事例を指摘し、私たちにとって耳の痛い事実を伝えている。そんな彼の主張を否定することもできるし、そこから導き出せる教訓はないか、好奇心をもって探ることもできる。外国版のDVに「名誉の殺人」という異名《いみょう》を与えることで、名誉の殺人は欧米人の犯す女性への暴力とは別物なのだという考えが強化される。名誉の殺人のほうが原始的で野蛮で非難に値する。私たちの暴力は名誉の殺人ほどひどくはないんじゃないか、と。バダルはこう指摘する。

暴力全体について本当に憂慮するなら、二一世紀の欧米諸国ほど暴力がひどいところは人類史上ないわけです。しかし、自分たちよりも弱い国々や民族に文化的・政治的な指図や強制を行ないたいがために、こうした全体像にあえて目をつぶっているのです。

この意見を聞いて、あなた自身のなかにどれくらい不安の火花が散るかを観察してみてほしい。権威の声や理性の声はこうした主張に反射的にどう反論するだろうか？　これは「そっちこそどうなんだ論法」ってやつじゃない？　彼は明らかな重犯罪を弁護しすぎでは？　彼は私たちがムスリム国家に対して行なっているのとまったく同じ「他者」としての投影を、欧米社会に対して行なっているのではないか？　インタビュアーはこうした合理的な路線を保ちつつ、「生産的な議論をするには物議を醸しすぎる話題もあるのでは?」とたずねた。彼はこう答えた。

物議を醸しすぎる話題なんて私はないと思っています。ムスリムが提起すれば物議を醸しすぎる話題というのはあるでしょう。あるいは少数民族X、Y、Zが提起すれば。白人男性が同じタイトルで同じ主張をすれば、同じ反響があったとは思えません。世間はムスリムがしているといわれる行動をすぐさま思い浮かべ、その行動を正当化しているのがムスリム男性だと見るや、怒りを爆発させる。重要なのは話題じゃないんですよ。危険思想フェスのほかのテーマを見てください。重要なのは話題そのものなのか? それとも講演者が誰なのかが大きく関係しているのか?

「講演者が誰なのかが大きく関係している」という意見は最終的にしっくりと来た。実際、危険思想フェスのほかの講演のタイトルをザッと見ただけでも、同じくらい挑発的なタイトルの講演がぞろぞろ見つかった。

・「凡人たちを皆殺しにせよ」
・「ファシズムのリハーサル」
・「サイコパスが世界を動かす」

・「拷問は必要か?」

これらの講演は、講演者によっては炎上し、中止に追い込まれる可能性があるだろうか?　もっというと、テーマ自体、重要なのか?　本物の殺人者、サイコパス、テロリスト、戦争犯罪者が舞台に上がり、単なる朝の習慣について講演しようとしたら、許されるだろうか?　私たちは人間とアイデアを切り離せるのか?　ひとりの人間にも多様な思想があり、本人とは関係なしに思想自体が危険なケースもあるということを認められるだろうか?

中東諸国と同じくらい、あるいはそれ以上に欧米諸国が犯している犯罪で中東諸国を責めるのは、道義的に正当化できるのか?

この難しい話題を紐解くのに役立つ疑問は三つある。

①危険思想を議題として受け入れるのと、行為として認めるのとのちがいは?
②自分がとうてい認められない思想にも耳を傾けるべきか?　だとすれば、なぜ?
③自分が認められない思想について生産的な方法で論じることはできるか?

頭、心、手の三つの領域は、名誉の殺人だけでなく、すべての危険思想について考える指針になる。

頭の領域：何が事実か？

危険思想を議題として受け入れるのと、行為として認めるのとのちがいは？

危険思想を認めるのではなく受け入れるのは、その危険思想にじっくりと耳を傾け、あなたの想像していた内容と一致するかどうかを確かめるということだ。世間の人々をバダル叩きへと駆り立てた思想は、蓋を開けてみれば、彼の講演するつもりだった実際の内容とはちがった。危険思想を認めることなく受け入れれば、自分の理解するその思想に強く異を唱えつつも、相手側の理解に耳を傾けることができる。そのふたつが食い違っている可能性だってあるからだ。

大事なのは、講演者があなたの想像とはちがうことを考えている可能性に心を開くことだ。だからこそ、相手に一人称で語ってもらい、自分にとって意外な要素、ふつうなら見逃してしまう新しい情報を探すべきなのだ。

危険思想について一人称で語ってもらえば、その思想を認めないまでも、相手と協力してその主張を強化することができる。ある主張を強化するというのは、その主張をいっそう危険にすることとはちがう。むしろその逆であることが多い。それまで私たちが自分の固定観念を相手の主張に投影していたとすれば、その危険思想を最高に強化することによって、かえって私たち自身の考えを投影したものよりも危険性は低くなるかもしれない。名誉の殺人という究極の例でいえば、この〝危険思想〟を受け入れるという行為は、バダルの真意に耳を傾けるための心理的空間をつくることを意味する。その結果、彼の話そうとしていた内容は、名誉の殺人を認めるとかいうような危険な思想ではないとわかったわけだけれど、それでも聞いていて気持ちのいい内容とはいえなかった。彼の講演の目的は、名誉の殺人を擁護することなんかではなく、道義的な正当化そのものを批判することだったのだ。

バダルの目的は、「名誉の殺人が道義的に正当化できると思い込んでしまうような世界観について説明する」ことによって、この問題がムスリムに限定されたものではなく、むしろ戦争、私刑、ＤＶなどを正当化するずっと巨大な問題の一部なのだと示すことだった。[11]彼は「名誉」が歪曲されると、不道徳な行為に偽りの道徳性が与えられることもあると考えている。名誉を暴力の正当化に用いると、本来非難されるべき行為の多くに「道徳的」のお墨付きが与えられてしまう。家族は一家の名誉を守るため、無実の女性たちを殺害する。もう少し気軽な行為でいえば、名誉を守るという考え方がバダル叩きの正当化に使われることだってある。その結果、彼の講演を主催したシドニー・オペラハウスは辱めを受け、私たちの感じる怒りや彼に対する報復が正当化される。どちらの場合も、力のある人が力のない人を支配しようとするという構図に変わりはない。

なので、道義的に正当であるという仮面をかぶっているのに、実質的には誰が生きるべきで誰が死ぬべきかを決めているシステム、誰を人間扱いすべきで誰を人間扱いしなくていいかを決めているシステムについて、私たちはきちんと調べるべきなのだ。これは十分に議論の価値がある危険思想だ。バダルと危険思想フェスの最大のミスは、誤解がどれだけ大きな国民的不安を生むかを読み違えたことだと私は思う。権威の声は暴動が大好きだ。特に、それが道義的に正当化されると感じている場合には。

ある思想を認めることなく受け入れるという方法がいちばん効果的なのは、その思想のいちばん聡明な代弁者を探し出したときだ。思想のいちばん聡明な代弁者を議論のテーブル、部屋、舞台上に招くことは、聴衆がその思想を新たな視点からとらえ、本来の意味で理解し、擁護するかどうかを判断するための必須条件といえる。これはちょうどナットピッキングの対極に当たる。あなたの盲点を指摘し、あなたの知識のギャップを埋めてくれる可能性がいちばん高い代弁者を見つけ、議論に招き入れよう。

ある思想の真意を理解する前に突っぱねると、その思想を最悪のステレオタイプで埋めることになる。ある人物がその思想を抱く理由を邪推すると、私たちはそれがあまりにも単純で穴だらけな思想だと早合点し、自分自身の憶測に基づいてその思想を否定してしまう。現実を見ずに、自分自身のつくり出した幻想を否定するのだ。結果として、成長、絆、楽しみの果実は得られない。その機会の喪失こそが、非生産的な対立の最大の犠牲といえる。たとえその場では、自分が正しいという安心感を得られるとしても。

頭の領域においていちばん大切なのは、事実に即した証拠、議論のテーブルへと招き入れる人々、議論に用いる共通の言葉遣いや用語について、みんなが合意することなのだ。

心の領域：何が有意義か？
自分がとうてい認められない思想にも耳を傾けるべきか？　だとすれば、なぜ？

いったん用語について合意したら、いよいよ心の領域という文脈で検討ができるようになる。心の領域は、真の対立が潜んでいるとされる場所だ。危険思想について現時点でわかっていることが理解できた。その思想をすぐに受け入れたり、否定したりすることの一長一短もわかった。では、その思想は私たちにとってどんな意味を持つだろう？　この疑問は外的な証拠では答えられない。それは個人的な嗜好の問題で、あなた自身のリスク許容度や冒険心の内部評価によって変わってくるからだ。

大学時代、私の友だちがシアトルのワシントン湖に架かる完成前の陸橋を見つけた。深夜や早朝に車でその陸橋に乗りつけては、よく橋の上から湖に飛び込んで遊んでいた。私は高所恐怖症だったから、なるべく誘いを断っていたけれど、仲間からの圧力に負けてたまに同行していた。ある朝、橋から湖に飛び込んだとき、不自然な体勢で体を水面にぶつけ、肩を脱臼してしまった。私がケガをしたと気づいた友だちが私を湖から引き上げ、緊急治療室まで運んでくれたのだけれど、それ以来、肩の脱臼グセがついてしまった。何が言いたいのかって？　要するに、心の葛藤（「本当は飛び込みたくないけれどこの橋から飛び込んだほうがいいか？」）は個人的な問題であって、全員が飛び込みたいわけではないのだ。同じく、危険思想について考えるのは、私の興味とはぴったり一致するけれど、もちろん万人向けではない。

心の問題について意見が食い違ったときは、意外な答えを引き出す質問をするのがいちばんだ。危険思想を抱いたことがよい結果または悪い結果を生んだ過去の出来事はあったか？　いちばん危険だと思う思想は？　成長、絆、楽しみの果実につながりそうな探求の分野はあるか？　危険思想から学びたいという素直な欲求を正真正銘の後悔へと変える「猿の手」は？　危険思想を抑え込むのが私たちの義務なのか？　それとも、そうすることでかえって危険思想がいっそう危険になるだろうか？　今まで考えてもみなかった貴重な見方を提供してくれそうな人はほかにいないだろうか？

手の領域：何が有効か？

自分が認められない思想について生産的な方法で論じることはできるか？

頭と心の葛藤を乗り越え、みんなで用語を共有した。この疑問について考える冒険への呼びかけにも応じたいと思っている。では、実際に前へと進むために何ができるだろう？　私たち自身の私生活や日常生活のなかで、危険思想フェスと同じようなことを成し遂げるには？　それはどんな意味を持つだろう？

私は個人的に、非生産的な対立こそが人類の文明や未来の繁栄を脅かす現在の最大の脅威だと思っている。私たち自身の問題について生産的に話し合う段階にたどり着けなかったら、人類が崩壊するのは時間の問題だ。ある意味、「老衰死」と似ている。ある人が老衰で亡くなったと言うとき、ほとんどの場合は、高齢者だけを襲う新種の病気によって亡くなったという意味ではなくて、体が加齢のせいで日常的な問題とうまく戦い、回復することができなくなったという意味だ。私たちの社会が非生産的な対立という慢性病を患えば、人類は今まで前例がないくらい危険な新種の脅威ではなく、ありきたりな問題の不運な集積によって滅びることになるだろう。ありきたりな問題がじわじわと人類の文明の土台を浸食していき、やがてはシステム全体が瓦解《がかい》して、再起不能へと陥るのだ。

でも、まだ手遅れなんかではない。たったひとつの答えをめぐって争うのをやめ、もっと生産的対立を増やすよう本気で取り組めば、今からでもこの問題に対処していくことはできる。想像上の敵に責任を転嫁するのではなく、一人ひとりが率先して模範を示せばいい。そのためには、どんなに危険な思想についても胸襟《きょうきん》を開いて話し合い、どんなに意見の合わない人も議論のテーブルに招くことが必要になる。お互いに向き合ってこそ、私たちはちがいを乗り越えられるのだから。

実践しよう⑧

現実を受け止め、身を投じる

これがいちばん怖いステップだ。なぜなら、今起きている出来事の流れへと実際に足をつけ、不完全で不公正な人間として、不完全で不公正な世界へと飛び込む覚悟がいるからだ。それでも私たちは、少しでも新たな可能性のある場所へとその踊りを導くような形で、現実に飛び込みたいと心から願っている。もう、ぐだぐだしている理由なんてない。以下のチェックシートを参考に、これまで学んできたことを思い出し、ひたすら生産的対立の技法を実践してほしい。

生産的対立《プロダクティブ・ディスアグリーメント》のガイドライン

意見の対立を歓迎するグループに参加する。 意見の対立を、握りつぶしたり回避したりすべき

「問題」ではなく、成長、絆、楽しみを得る機会として迎え入れよう。

①不安の火花を観察する　不安の火花は、私たち自身のなかにある危険思想の脳内地図にとって道標《みちしるべ》みたいな役割を果たす。大きな火花と小さな火花のちがいに目を向けよう。不安の火花は、私たちが直面したくないと思っている自分自身の一部、つまり私たち自身の「影」を指し示している。その辛辣な意見を放置しておけば、やがて他者へと容赦なく投影されることになる。だから、自分自身の不安と向き合うべきだ。

②内なる声に耳を傾ける　ほとんどの人には、権威、理性、回避の声に相当する内なる声がある。内なる声の提案を「命令」ではなくただの「提案」としてとらえられるよう、あなた自身の内なる声を知ろう。また、やはりほとんどの人は、可能性の声に相当する密かな内なる声も持っている。だから、可能性の声に耳を澄まそう。行き詰まったと感じたとき、いちばん助けになってくれるのが可能性の声だ。可能性の声は私たちの見逃しているものをいつでも探している。

③正直バイアスを身につける　バイアスの特効薬なんてないけれど、自分自身のバイアスと正直な関係を築くことならできる。そのためには、自分自身の内面を振り返り、たびたび入念なフィードバックを求め、どんなフィードバックが返ってきても真正面から向き合おうとすることが必

要だ。

④一人称で語る　他者、特に自分が属さない集団の考えを憶測で語らない。代わりに、普段なら憶測で語ってしまいがちな集団の立派な代弁者を探し出し、議論のテーブルへと招き、一人称で語ってもらうといい。そして、相手の話にじっくりと耳を傾けよう。

⑤意外な答えを引き出す質問をする　多様な意見が聞ける余地を生み出すような壮大でオープンな質問を考えてみよう。相手からどれだけ正直で雄弁な答えを引き出せるかが、あなたの質問の質を測る目安になる。

⑥みんなで議論をつくり上げる　議論を問題や機会の存在の証拠（頭の葛藤）、同じ議論のなかの多様な意見（心の葛藤）、その問題や機会への対応策（手の葛藤）の三つの領域へと分解しよう。「猿の手」を使って参加者どうしで意見を戦わせ、それぞれの領域における盲点を見つけて話し合い、議論を改善していこう。

⑦中立的空間を築く　中立的空間は誰でも参加しやすい。大胆な質問を促し、議論を強化させ、対立の果実を成長させる。罰や辱めを受けることなく見方を変化または拡大させていく余地を生

み出す。すぐに白黒をつけず、答えがあいまいなまま行動したっていいという雰囲気をつくり出す。

⑧現実を受け止め、身を投じる　希望的観測や故意の盲目では現実は変えられないし、危険思想から身を隠すことなんてできない。私たちは今、私たちの頭、心、手を汚す不条理な現実の真っ只中にいる。そこから抜け出す方法はたったひとつ――通り抜けることだ。

これらすべての目標は、対立を無傷でやり過ごすことではなく、実際に対立のなかへと飛び込むことなのだ。たくさんの生傷を負いながら。

あとがき

私が本書を記したのは、生産的対立《プロダクティブ・ディスアグリーメント》の技法が私自身にとってどんな意味を持つのか、それを知るためでもあった。本書の下調べや執筆の過程で、面白いことが起きた。突然、意見の対立が私の人生にぞろぞろと姿を現わしはじめたのだ。もう意見が対立しても不安の火花が散ることはなくなったので、私は対立を避けること自体をやめた。そのとたん、私の会話の世界がぐっと広がり、それまで私生活や仕事でしようとさえ思わなかった質問をするようになった。私は仕事を辞め、転職し、半年後にまたその仕事を辞めて、クリエイティブな世界へと転身を図った。結婚生活をより強固なものにするべくセラピーに通いはじめ、今まで以上に深い絆を築く方法について質問を重ねた。生産的対立の技法を実践する持ち寄りパーティーを主催し、いろいろな実験を通じて何人かの友人をつくった（そして失った）。時には、ちょっと対立を煽りすぎかな、と自問することもあった。生産的対立の技法はまだ発展途上で、私の仲裁能力がこの技法についてもっと探りたいという好奇心に追いついていない場面もあった。そのせいでちょっとやりすぎてしまい、人々との関係修復に苦労することもあった。私が生産的対立を科学《サイエンス》ではなくあえて技法《アート》と呼んでいるのには、理由がある。それだけ乱雑なのだ。生産的対立の技法を実践しようとすれば、まちがいなく人生は平穏でなくなる。でも、それでいい。ずっと回避の声ばかりに耳を傾けていれば、やがて機能不全に陥り、注目の必要な状況が必ずやってくる。もちろん、その問題と向き合わなかった場合、別の現実がどうなっていたかを断定することなんてできないし、「この対立にはきっと価値があったはずだ！」という私自身の信念を守りたいという欲求があまり当てにならないことも十分よくわかっている（私自身は、実際そう信じているけれど）。

私自身が気づいた、そして読者のみなさんにもぜひ体験してもらいたい最大の変化は、すべての争いに勝たなければならないという心の重荷がふと下りたことだ。それは世界の問題から目をそむけたからではなく、意見の対立には「誰が正しいか」よりもずっと大事なことがあるということ、私たちの意見は単純な政治的立場や信念の表明からは計り知れないくらい複雑な場合が多いということに、だんだんと気づいていったからだ。確実性ではなくありのままの現実を受け止めるのは、多くの人にとって不安に感じられるものだけれど、私はむしろその逆なのだと気づいた。複雑さやあいまいさを受け入れることで、自分が正しいという絶対的な確信、相手がとんちんかんなことを言っていることへの当惑が、ふっと消え去るのだ。相手の喉元にすぐさま嚙みつくのではなく、相手も自分と同じくらい複雑な人間なんだと考えれば、独善（「お前はなんてひどいやつなんだ！」）ではなく、好奇心（「この人はどうして子どもにワクチンを接種させないんだろう？」）から議論を始められる。

まずは、頭の領域（何が事実か？）、心の領域（何が有意義か？）、手の領域（何が有効か？）に目を向けるのがいいだろう。権威の声は、「事実から見て正しい」という状態を成し遂げるため、必然的にあらゆる意見の対立を「何が事実か？」の問題へと落とし込もうとする。頭の領域は、真実が勝利の証拠になるただひとつの領域だ。「何が有意義か？」の問題も、価値観や道徳を純粋なデータ計算として扱うことで、「何が事実か？」の問題へとすり替えられてしまうことがある。あなたが最高だと思うハンバーガー店があるとしても、誰かがレストランのレビューをあなたに見せたり、まわりの友だちにアンケートを取ったりして、あなたの味覚がずれていることを証明したら、あなたの意見は証明可能な「事実」より価値が低くなってしまうだろう。こうして長いあいだ、「何が有意義か？」の問題は、「何が事実か？」という狭い問題へと押し込まれてきた。権威の声と理性の声にとってはそのほうが管理しやすいからだ。テクノロジー業界には「測定できないものは管理できない」という定番の言い回しがあって、嗜好や価値観の問題をデータや証拠の問題へとすり替えるためにしょっちゅう使われてきた。そのたび、私たちから人間味が少しずつ奪われていく。「何が有効か？」の問題もまた、実験を通じて「何が事実か？」の問題へと落とし込まれることがある。中立的とされるアルゴリズムに判断を仰いで、決断を下したくもなるけれど、そうするうちにアルゴリズムも人間と同じくらいバイアスにまみれているのだと気づく。アルゴリズムも人間と同じで、「何が有意義か？」や「何が有効か？」の問題について事実を弾き出すことなんてできないのだ。それでも、実験にすべてを委ねるのは便利だ。

それがひいては、簡単にテスト可能な計画しか提案してはならないというプレッシャーを生み出す。純粋なメトリクス主導の企業は一見すると魅力的だけれど、ゆくゆくは立ち行かなくなるケースが多い。それがハイテク企業によくある失敗だ。そういう企業はその場の満足に偏った製品ばかりをつくろうとするため、真の個性や精神に欠けることが多いのだ（個性や精神は測定できないから）。

その点、可能性の声は頭、心、手の三つの領域を平等に評価する。「正しくなければ」というプレッシャーなくそれを行なうので、安全、成長、絆、楽しみの果実が根づくチャンスがある。最初はなんとなく違和感を覚えるけれど、アポリアの喜びを十分に体験すれば、「正しくなければ」という肩の荷が下り、まちがえることの可能性（と興奮！）を受け入れる機会が得られる。最初の安全な答えに飛びつき、必死になって擁護するのではなく、あいまいな物事をあいまいなまま受け入れ、いろいろな可能性に好奇心を持てるようになる——私にとっては、それこそが何にも代えがたい安心なのだ。

三つのスーパーパワー

私が現実を受け止め、現実に身を投じるすべを身につけていちばん驚いたのは、不安が少なく、それでいて行動力に満ちた世界観が手に入ったことだ。私が気づいた新しい能力は次の三つだ。

①意見の対立に怒りや不安を覚えなくなる　自分の知りたくない物事を否定することによる不安が解消され、自分の希望的観測が消えていくことへの哀悼の念、さらには受容の念で満たされる。

②意見の対立がほとんどなくなっていることに気づく　意見の対立にそのつど面食らうのではなく、しっかりと目を光らせられるようになる。この方法はうまくいく。いちどにほんの何個かの対立にしか参加しなくてすむようになるからだ。対立の機会を受け身ではなく自分から選び、あれにもこれにも反論しようとは思わなくなる。

③世界観が広がる　以前なら怖いとか無益だとか思っていた厄介な会話に参加できるようになるからだ。と同時に、自分自身の手、頭、心を使って意見の対立に真正面から向き合うことで、自分が直接の影響を及ぼせる対立が見えてくる。それは、私自身のいちばん親しい人々、もっと親しくなりたい人々との対立だ。

頭の領域：何が事実か？

生産的対立はやっぱり「対立」なのか？

本書の冒頭で挙げた定義を思い出してほしい。意見の対立とは、「ふたつの見方のあいだの許容できないちがい」だ。本書の内容を実践した結果、ふたつの見方のあいだのちがいが許容できないレベルから、想定されるレベル、さらにはワクワクするようなレベルへと変わったら、いったいどうなるだろう？　意見の対立へと発展しかねないやり取りが、別の何かに変わるかもしれない。その「何か」を表わす正確な言葉は見当たらない。「対話」だろうか？　「会話」？　それとも、妥協した見方や改善した見方へとつながる単なる「意見交換」だろうか？　結局のところ、呼び名なんてどうでもいい。好みなんて人それぞれ。好きに呼んでかまわない。ただ、私は個人的に「生産的対立」という呼び名を好んでいる。「対立」という言葉が、まだ内部にくすぶっている不安の残り火をうまく表現しているような気がするからだ。

手の領域：何が有効か？

意見の対立が怖くなくなり、いちどにひとつずつ向き合うことのできる成長、絆、楽しみの「種」だと思えるようになったら、いったいどんな世界が開けるだろう？

今にして思えば、意見の対立が当たり前のものでなかったことに驚いている。対立が怖くなくなれば、世界は可能性の宝庫になる。意見の対立は、私たちが回避するのをやめたとたん、日常的な光景になる。「そんな対立すべてに真正面から向き合うのは義務なんだろうか？」と思うかもしれない。でも、対立をそもそも問題とみなさなくなれば、そんな表現を使うことはなくなる。伸び放題の茂みに生えている無数のとげだらけの木イチゴみたいに、対立は環境の一部になる。そのすべてを食べる必要なんてない。そのなかで特に熟していて、たくさんの人で食べたほうがよさそうなものだけをピックアップすればいいのだ。

♥ 心の領域：何が有意義か？

意見の対立自体が怖くないとしたら、本当に怖いのは何？

ああ、わかっている。この世に怖いものなんていっぱいある！　世界はいろいろなレベルで私たちの期待を満たせずにいるし、ほとんど改善の兆しが見えない分野だってある。非生産的な対立は今までほど怖いものではなくなったけれど、多くの対立が非生産的な悪循環にはまり込んでいて、何かが変わるまでは、他者への不安や憎悪は日に日に増していくばかりだ。政治的な二極化は、それ自体が対立というわけではなく、むしろ行きすぎた非生産的な対立が生み出す文化的な借金や疲弊と呼ぶべきものだろう。人種差別、性差別、オピオイド中毒、銃による暴力、気候変動、パワハラといった構造的な問題はどれも、具体的な意見の対立そのものというよりは、そうした意見の対立が非生産的な状態にはまり込んだり、議論のテーブルから締め出されたりしているせいで起きている問題だ。そうした対立を行き詰まりの状態から引き上げ、その先にあるもっと面白い疑問について話し合う機会が、私たちの眼前にはある。

気候変動が実際に存在するのかどうかについて延々と議論するのではなく、私たちにとって持続可能な地球環境を当面維持するための提案を人類総出でつくり上げようとしている、そんな世界を想像してみてほしい。

難民や移民の入国を認めるかどうかについて延々と議論するのではなく、なるべく早く効果的にみんなの生活の質を向上させようと人類総出で取り組んでいる、そんな世界を想像してみてほしい。

誰に医療、教育、生活に必要な賃金、やり直しのチャンス等々を認めるかについて延々と議論するのではなく、誰からも支援や生活を奪うことなくなるべく多くの人々に支援システムや家族を養う機会を与えるための提案を人類総出で練っている、そんな世界を想像してみてほしい。

もっと言えば、基本的な人権、尊厳、支援を勝ち取るために延々と戦うのではなく、限られた時間をなるべく効率的に使って、社会全体や世界に恩返しする方法を話し合うために厄介な会話を行なうことができる、そんな世界を想像してみてほしい。

本書の執筆を始めたころ、こんな考えは絵に描いた餅、現実味のない妄想に思えたけれど、今はちがう。私たちがこうした疑問について問うのをやめてしまうのは、権威、理性、回避の声がそうした疑問を掲げる手立てが尽きてしまうからだ。私たちは成長の過程で、私たち自身と生産的対立とのあいだにある障壁が決して消えたりはしないと思い込むようになった。そして、その思い込みを理由に、ありのままの現実から目をそむけることを正当化するのだ。次に私たちが目を向けるべきなのは、まさにその障壁だ。そのことを教えてくれるのが可能性の声なのだ。

私たちが考えるべき可能性は、無数に開かれている。その可能性を追って、行き着くところまで行ってみる。それこそが、私たちに託された次なる冒険なのだ。

読者のみなさんへ

本書を手に取っていただき、本当にありがとう！

私が全身全霊をかけて書き上げたこの本が、政治的思想、宗教、所属に関係なく、みなさんの心に響くことを願ってやまない。あなたが朝型なのか夜型なのか、幸運なのか不運なのか、金持ちなのか貧乏人なのか、子どもなのかお年寄りなのかなんて、まったく関係ない。本書の内容に共感したなら、ぜひあなた自身で実践して、みんなの模範を示してほしい。本書の内容に共感しない部分があるなら、あなたなりに改良して、やっぱり実践することをお勧めしたいと思う。どちらにしろ、実践してみてどうだったのか、ぜひ続報を聞かせてほしい。対話の灯《ひ》を消さないようにしよう。

感想、質問、修正は、私のブログ（http://why-are-we-yelling.com/contact）またはツイッター（https://twitter.com/buster）まで。

最後に、「生産的対立の八つの習慣」と「認知バイアス・ポスター」は、どちらも http://why-are-we-yelling.com/thankyou から無料でダウンロード可能なので、自由に使ってほしい。

謝辞

　最後の最後まで私を励まし、刺激を与えつづけてくれた何人かの貴重な方々がいなかったら、本書が日の目を見ることはなかったと思う。誰よりもまず、私にとって協力的で愛情あふれるパートナーである妻のケリアンヌにお礼を言いたい。君は生産的対立に磨きをかけるまでのどの段階においても、私と手を携え歩いてくれた。君は本書の一ページ一ページ、一行一行における私の共同執筆者だ。決して誇張なんかじゃなく、心の底からそう思っている。

　本書の執筆を持ちかけてくれた担当編集者のリア・トラウボーストは、私が創作作業につきものである自信喪失に陥って筆がぴたりと止まったときも、よき相談相手となり、何にも代えがたい理性や良識の源泉になってくれた。また、エージェントのリンジー・エッジコームは、ＳＦとお昼のワイドショーをごちゃ混ぜにしたような初期の原稿も含め、本書の執筆のあらゆる段階で私を導いてくれた。本当にありがとう。

　出版社のポートフォリオとペンギン・ランダムハウスのチームのみなさんは、本書に貴重な専門知識と温かみを提供してくれただけでなく、本書の内容に磨きをかけ、いっそう膨らみを持たせてくれた。きっと私ひとりでは不可能だっただろう。お礼を言いたい。

クラウドファンディング・プラットフォーム「パトレオン」のサポーターのみなさんは、着想から完成までの丸三年間、私を励まし、フィードバックを寄せてくれた。本当にありがとう。そして、今回の旅につき合ってくれた信頼できる仲間たちは、大きな影響を与えてくれた。おおまかではあるけれど、つき合いの長い順に、次の方々にお礼を申し上げる。

Sharon McKellar, Sherah Beck, Ezekiel Smithburg, Andrew Broman, Thomas Bailey, Claudia Doppioslash, Nir Eyal, Sydney Markle, Thomas Cardarella, Tony Stubblebine, Joel Longtine, Adam Tait, Cy Klassen, Kevin McGillivray, Kristijan Ivancic, Adrian Lansdown, Feifan Zhou, Martin McClellan, Chris Luquetta-Fish, Patrik Winkler, Brendan Schlagel, Chad Ostrowski, Steven Herbst, Erik Nigel, Alex Salinsky, Joel Rice, Chris Curtin, Mircea Paşoi, Tom Keeler, Ryan Engelstad, Olivier Bruchez, Manny Fernandez, Alvaro Ortiz, Dario Castañé, David Rigby, Sebastian Brzuzek, Gari Cruze, Ulises Bacilio, Lilith, Ken Schafer, Anna Konstantinova, Guillermo Parra, Natalie Symes, Jeremy Whelchel, Brett Shell, Leonard Lin, Michael Sharon, Wyatt Jenkins, Karen Bachmann, Jess Owens, Shane Fera, Brian Oberkirch, Emery Carl, Jessica Outlaw, Richard MacManus, Zhanna Shamis, Doug Belshaw, Rabia de Lande Long, John Manoogian III, Spencer Handley, Teevee Aguirre, Winnie Lim, Karan P. Singh, Leah

Trouwborst, Muneer Ahmad, Josie Mulberry, Oscar Buchanan, Tobias Jespersen, Dean Cooney, Bhaskar Gowda, Marcos Ciarrocchi, Trevor O’Brien, William H. Key, Eva Shon, Atul Acharya, Nguyen Ngoc Binh Phuong, Tyler Palmer, Ioan Mitrea, Matt Wahl, Amy Norris, Charles Chu, Denis Lebel, Joshua Howell, Benjamin Congdon, Nathanaël Khodl, Infinite Jessica, Achim Domma, Wayne Robins, Siobhán Lyons, Lucy Chen, Mary Marx, Maia Bittner, Valerie Lanard, Mack Flavelle, Lynnea Tan, Nathan Crowder, Philip James, Stefano Santori, Michael Ducker, Tal Raviv, Kelly Cosman, Will Fisher, George Brencklev, Christine Donaldson, Adam Waterhouse, Jamie Crabb, Shreeya Goel, Avi Bryant, Jason Shellen, Kathryn Hymes, Fabio Alegre, Josh Santangelo, Linda Peng, Brian Wang, Maura Church, Luke Millar, Mayuko Inoue, Taimur Abdaal, Andy Harbick, Kristy Benson, Vanessa Van Schyndel, Chris, David Papini, Adam Bossy-Mendoza, Bruno Costa, Johanna Ärlemalm, Mike Prevette, Elisabeth Courington, Donna Barker, George Bonner, Ursula Sage, Jennifer Zwick, Troy Davis, Josh Hemsath, Arjun Banker, Carla Sonheim, Allison Urban, Mark Wilson, Amy Luo, Dave Hunt, Hunter Walk, Kellianne Benson, Janet, Meekal Bajaj, Erik Kennedy, Matthew De George, Graham Freeman, Dean Marano, Jason Bobe, Megan Barnhard, Freia Lobo, Emma Cragg, Brad Barrish, Simon D’Arcy, Tatiana Guerreiro Ramos, William J. Snow, Josh Bowen, Paulo Moritz, Will Miceli, Frank Voehl, Christopher Fry, Ben Donkor, Taylor Hodge, Cheney Meaghan Giordano,

Jonathan Geurts, Jeff Few, Sean Hennessey, Anne Petersen, Larry Kubal, Krisztian Dobo, Sara Oberg, Megan Slankard, Jenna Dixon, Joseph Earnshaw, Samuel Salzer, Ali Nurton, Chih-Chun Chen, Jamie McHale, Cindi Johnson, Radu Jitea, daiyi!, Nate Walck, Donna Eiby, C.Y. Lee, Kushaan Shah, Dave Cadoff, Doug Geiger, Yvonne Yirka, Daniel, Ryan Ewing, Razmik Badalyan, Mark Pinero, Achim Mirjam Heger, Ian Badcoe, Ana Ulin, Arick Conley, Stephanie von Bothmer, Derek Dukes, Drew Modrov, Ash Ali, Don Sleeter, April Lott, Yin Lau, abc, Erik Berlin, Greg Taber, Caleb Withers, Bentley Davis, Daniel Brookshier, Daniele Marino, Brennan K. Brown, Richard Howard, Judith Anne Baseden, Saba Munir, Dave McClure, Netway Sa Marc Van Rymenant, whY Be, Ashleigh Brymer, Stephen Bronstein, Jason Gatoff, Cynthia Kivland, Nate Maingard, Jared Riley, Ary Tebeka, Alex Leadbetter, Chad Ketcham, Rachel Sarah, Brandon Wong, CodeBard, jj, Phil Whitehouse, Robin, Greg Pelly, Matthew Xie, Noelle Ochotny, Mark Wegner, Eric Koester, Luke McGrath, Dave Schappell, Chaz Johnson, Manu Bhogadi, Kristy Benson, Sajith Gandhi, Steve Owens, Marek, Cory Grunkemeyer, Charles Cronin, April Oelwein, Scott Crawford, Arun Martin, Roman Frołow, Mira Crisp, Jonny Miller, Shreyas Doshi, Dipankar Dutta, Kate Kennedy, Joe Heron, David McAlee, Amit Gupta.

本書で紹介した実験にボランティアで参加してくれたみなさん、そしてたまたま実験の犠牲になってしまった方々、本当にありがとう。

最後になってしまったが、本書の土台となった数々の作家、研究者、思想家、実践家のみなさんには、どれだけ感謝してもしきれない。ごく一部ではあるけれど、本書の各章を執筆する参考や刺激となった作家や著書を、参考文献セクションに挙げさせていただいた。

参考文献

こちらに挙げる本がすべて本篇で直接言及されているわけではないけれど、本篇で言及されていない本も、まちがいなく本書の内容やテーマにさりげなく貢献してくれた。長くはなるけれど、参考文献を参照したい方々のため、生産的対立との関係別にまとめておいた。

第1章　不安の火花を観察する

Atomic Habits, by James Clear〔ジェームズ・クリアー『ジェームズ・クリアー式 複利で伸びる1つの習慣』牛原眞弓訳、パンローリング、2019年〕

The Coddling of the American Mind, by Greg Lukianoff and Jonathan Haidt

How to Control Your Anxiety Before It Controls You, by Albert Ellis

The Meditations of Marcus Aurelius, translated by George Long〔*The Meditations* の邦訳としては、『マルクス・アウレリウス「自省録」』鈴木照雄訳、講談社、2006年などがある〕

Tao Te Ching, by Lao Tzu (translated by Ursula K. Le Guin)〔*Tao Te Ching* の邦訳としては、『老子道徳経（井筒俊彦英文著作翻訳コレクション）』古勝隆一訳、慶應義塾大学出版会、2017年などがある〕

The Wisdom of Insecurity, by Alan W. Watts

第2章　内なる声に耳を傾ける

The Artist's Way, by Julia Cameron〔ジュリア・キャメロン『ずっとやりたかったことを、やりなさい。』菅靖彦訳、サンマーク出版、2001年〕

Daring Greatly, by Brené Brown〔ブレネー・ブラウン『本当の勇気は「弱さ」を認めること』門脇陽子訳、サンマーク出版、2013年〕

Free Will, by Sam Harris

The Measure of a Man, by Martin Luther King Jr.

Metaphors We Live By, by George Lakoff and Mark Johnson〔ジョージ・レイコフ&マーク・ジョンソン『レトリックと人生』渡部昇一・楠瀬淳三・下谷和幸訳、大修館書店、1986年〕

Mindset, by Carol S. Dweck〔キャロル・S・ドゥエック『マインドセット「やればできる！」の研究』今西康子訳、草思社、2016年〕

Redirect, by Timothy D. Wilson

The War of Art, by Steven Pressfield〔スティーヴン・プレスフィールド『やりとげる力』宇佐和通訳、筑摩書房、2008年〕

第３章　正直バイアスを身につける

The Decision Book, by Mikael Krogerus and Roman Tschäppeler〔ミカエル・クロゲラス＆ローマン・チャペラー＆フィリップ・アーンハート『仕事も人生も整理整頓して考える ビジュアル３分間シンキング』月沢李歌子訳、講談社、2012 年〕

The Elephant in the Brain, by Kevin Simler and Robin Hanson〔ケヴィン・シムラー＆ロビン・ハンソン『人が自分をだます理由――自己欺瞞の進化心理学』大槻敦子訳、原書房、2019 年〕

Eloquent Rage, by Brittney Cooper

The Enigma of Reason, by Hugo Mercier and Dan Sperber

The Honest Truth About Dishonesty, by Dan Ariely〔ダン・アリエリー『ずる――嘘とごまかしの行動経済学』櫻井祐子訳、ハヤカワ・ノンフィクション文庫、2014年〕

An Illustrated Book of Bad Arguments, by Ali Almossawi

Mistakes Were Made (but Not by Me), by Carol Tavris and Elliot Aronson〔キャロル・タヴリス＆エリオット・アロンソン『なぜあの人はあやまちを認めないのか――言い訳と自己正当化の心理学』戸根由紀恵訳、河出書房新社、2009 年〕

The Righteous Mind, by Jonathan Haidt〔ジョナサン・ハイト『社会はなぜ左と右にわかれるのか――対立を超えるための道徳心理学』高橋洋訳、紀伊國屋書店、2014 年〕

So You Want to Talk About Race, by Ijeoma Oluo

Thinking, Fast and Slow, by Daniel Kahneman〔ダニエル・カーネマン『ファスト＆スロー――あなたの意思はどのように決まるか？』村井章子訳、ハヤカワ・ノンフィクション文庫、2014 年〕

The Undoing Project, by Michael Lewis〔マイケル・ルイス『かくて行動経済学は生まれり』渡会圭子訳、文藝春秋、2017 年〕

Weapons of Math Destruction, by Cathy O'Neil〔キャシー・オニール『あなたを支配し、社会を破壊する、ＡＩ・ビッグデータの罠』久保尚子訳、インターシフト、2018 年〕

White Fragility, by Robin DiAngelo

第４章　一人称で語る

Crucial Conversations, by Kerry Patterson, Joseph Grenny, Ron McMillan, and Al Switzler〔ケリー・パターソン＆ジョセフ・グレニー＆ロン・マクミラン＆アル・スウィッツラー『クルーシャル・カンバセーション――重要な対話のための説得術』山田美明訳、パンローリング、2018 年〕

Difficult Conversations, by Douglas Stone, Bruce Patton, and Sheila Heen〔ダグラス・ストーン＆ブルース・パットン＆シーラ・ヒーン『言いにくいことをうまく伝える会話術』松本剛史訳、草思社、1999 年〕

Fierce Conversations, by Susan Scott〔スーザン・スコット『激烈な会話――逃げずに話せば事態はよくなる！』冨田香里訳、ソニーマガジンズ、2004 年〕

Man's Search for Meaning, by Viktor E. Frankl〔ヴィクトール・E・フランクル『夜と霧 新版』池田香代子訳、みすず書房、2002年〕
Nonviolent Communication, by Marshall B. Rosenberg〔マーシャル・B・ローゼンバーグ『NVC――人と人との関係にいのちを吹き込む法 新版』安納献監修・小川敏子訳、日本経済新聞出版、2018年〕
Principles, by Ray Dalio〔レイ・ダリオ『PRINCIPLES（プリンシプルズ）――人生と仕事の原則』斎藤聖美訳、日本経済新聞出版、2019年〕
Radical Candor, by Kim Scott〔キム・スコット『GREAT BOSS（グレートボス）――シリコンバレー式ずけずけ言う力』関美和訳、東洋経済新報社、2019年〕
What We Say Matters, by Judith Hanson Lasater and Ike K. Lasater

第5章　意外な答えを引き出す質問をする

Anam Cara, by John O'Donohue〔ジョン・オドノヒュウ『アナム・カラ――ケルトの知恵』池央耿訳、角川書店、2000年〕
Becoming Wise, by Krista Tippett
The Book of Mu, edited by James Ishmael Ford and Melissa Myozen Blacker
The Book of Why, by Judea Pearl and Dana Mackenzie
Creative Courage, by Welby Altidor
Homo Deus, by Yuval Noah Harari〔ユヴァル・ノア・ハラリ『ホモ・デウス――テクノロジーとサピエンスの未来』柴田裕之訳、河出書房新社、2018年〕
Maps of the Imagination, by Peter Turchi
Start with Why, by Simon Sinek〔サイモン・シネック『WHYから始めよ！――インスパイア型リーダーはここが違う』栗木さつき訳、日本経済新聞出版、2012年〕
What If?, by Randall Munroe〔ランドール・マンロー『ホワット・イフ？（Q1、Q2）』吉田三知世訳、ハヤカワ・ノンフィクション文庫、2019年〕

第6章　みんなで議論をつくり上げる

Antifragile, by Nassim Nicholas Taleb〔ナシーム・ニコラス・タレブ『反脆弱性』望月衛監訳・千葉敏生訳、ダイヤモンド社、2017年〕
The Beginning of Infinity, by David Deutsch〔デイヴィッド・ドイッチュ『無限の始まり――ひとはなぜ限りない可能性をもつのか』熊谷玲美・田沢恭子・松井信彦訳、インターシフト、2013年〕
Factfulness, by Hans Rosling with Ola Rosling and Anna Rosling Rönnlund〔ハンス・ロスリング＆オーラ・ロスリング＆アンナ・ロスリング・ロンランド『FACTFULNESS（ファクトフルネス）――10の思い込みを乗り越え、データを基に世界を正しく見る習慣』上杉周作・関美和訳、日経BP、2019年〕
How to Change Your Mind, by Michael Pollan〔マイケル・ポーラン『幻覚剤は役に立つのか』宮﨑真紀訳、亜紀書房、2020年〕
Intuition Pumps and Other Tools for Thinking, by Daniel C. Dennett〔ダニエル・C・

デネット『思考の技法――直観ポンプと７７の思考術』阿部文彦・木島泰三訳、青土社、2015 年〕
The Lady of the Barge, by W. W. Jacobs
Liminal Thinking, by Dave Gray
Reality Is Broken, by Jane McGonigal〔ジェイン・マクゴニガル『幸せな未来は「ゲーム」が創る』妹尾堅一郎監修・藤本徹・藤井清美訳、早川書房、2011 年〕
The 7 Habits of Highly Effective People, by Stephen R. Covey〔スティーブン・R・コヴィー『完訳 7つの習慣――人格主義の回復』フランクリン・コヴィー・ジャパン訳、キングベアー出版、2013 年〕
The Signal and the Noise, by Nate Silver〔ネイト・シルバー『シグナル＆ノイズ――天才データアナリストの「予測学」』西内啓監修・川添節子訳、日経ＢＰ、2013 年〕
Thank You for Arguing, by Jay Heinrichs〔ジェイ・ハインリックス『THE RHETORIC（ザ・レトリック）――人生の武器としての伝える技術』多賀谷正子訳、ポプラ社、2018 年〕
Thinking in Bets, by Annie Duke〔アニー・デューク『確率思考――不確かな未来から利益を生みだす』長尾莉紗訳、日経ＢＰ、2018 年〕

第７章　中立的空間を築く

The Checklist Manifesto, by Atul Gawande〔アトゥール・ガワンデ『アナタはなぜチェックリストを使わないのか？――重大な局面で〝正しい決断〟をする方法』吉田竜訳、晋遊舎、2011 年〕
Creativity Inc., by Ed Catmull with Amy Wallace〔エド・キャットムル＆エイミー・ワラス『ピクサー流 創造するちから――小さな可能性から、大きな価値を生み出す方法』石原薫訳、ダイヤモンド社、2014 年〕
Deep Work, by Cal Newport〔カル・ニューポート『大事なことに集中する―――気が散るものだらけの世界で生産性を最大化する科学的方法』門田美鈴訳、ダイヤモンド社、2016 年〕
The Fifth Discipline, by Peter M. Senge〔ピーター・M・センゲ『学習する組織――システム思考で未来を創造する』枝廣淳子・小田理一郎・中小路佳代子訳、英治出版、2011 年〕
The Five Dysfunctions of a Team, by Patrick Lencioni〔パトリック・レンシオーニ『あなたのチームは、機能してますか？』伊豆原弓訳、翔泳社、2003 年〕
Give and Take, by Adam Grant〔アダム・グラント『GIVE & TAKE「与える人」こそ成功する時代』楠木健監訳、三笠書房、2014 年〕
The Gulag Archipelago, by Aleksandr Solzhenitsyn〔ソルジェニーツィン『収容所群島』木村浩訳、ブッキング、2006、2007 年〕
Nonzero, by Robert Wright
Setting the Table, by Danny Meyer〔ダニー・マイヤー『おもてなしの天才――ニュー

ヨークの風雲児が実践する成功のレシピ』島田楓子訳、ダイヤモンド社、2008年〕

Sprint, by Jake Knapp with John Zeratsky and Braden Kowitz〔ジェイク・ナップ&ジョン・ゼラツキー&ブレイデン・コウィッツ『SPRINT 最速仕事術——あらゆる仕事がうまくいく最も合理的な方法』櫻井祐子訳、ダイヤモンド社、2017年〕

Thinking in Systems, by Donella H. Meadows, edited by Diana Wright〔ドネラ・H・メドウズ『世界はシステムで動く——いま起きていることの本質をつかむ考え方』枝廣淳子訳、英治出版、2015年〕

Who Moved My Cheese?, by Spencer Johnson〔スペンサー・ジョンソン『チーズはどこへ消えた?』門田美鈴訳、扶桑社、2000年〕

第8章　現実を受け止め、身を投じる

The Demon-Haunted World, by Carl Sagan〔カール・セーガン『悪霊にさいなまれる世界——「知の闇を照らす灯」としての科学』青木薫訳、ハヤカワ・ノンフィクション文庫、2009年〕

How to Do Nothing, by Jenny Odell

The Obstacle Is the Way, by Ryan Holiday〔ライアン・ホリデイ『苦境《ピンチ》を好機《チャンス》にかえる法則』金井啓太訳、パンローリング、2016年〕

原 注

はじめに 三つの誤解

1. Ella Wheeler Wilcox, "A weed is but an unloved flower," *Poems of Progress: And New Thought Pastel*s (London: Gay & Hancock, 1911).
2. まったく科学的ではない私自身の Twitter 投票より。Buster Benson (@buster), "3/ The way we argue is ___." Twitter, April 8, 2019, https://twitter.com/buster/status/1115293782491054085.
3. Harvard Medical School, *National Comorbidity Survey*, "Table 2: 12-month Prevalence of DSM-IV/WMH-CIDI Disorders by Sex and Cohort" (Cambridge, MA: Harvard Medical School, 2007), accessed August 21, 2017, https://www.hcp.med.harvard.edu/ncs/ftpdir/NCS-R_12-month_Prevalence_Estimates.pdf.
4. Anne Case and Angus Deaton, "Rising Morbidity and Mortality in Midlife Among White Non-Hispanic Americans in the 21st Century," *Proceedings of the National Academy of Sciences* 112, no. 49 (December 8, 2015): 15078–83, https://doi.org/10.1073/pnas.1518393112.
5. John Mordechai Gottman, *What Predicts Divorce? The Relationship Between Marital Processes and Marital Outcomes* (London: Psychology Press, 1993).
6. Buster Benson, "Cognitive bias cheat sheet: Because thinking is hard," Medium, September 1, 2016, https://medium.com/better-humans/cognitive-bias-cheat-sheet-55a472476b18.
7. Kim Scott, *Radical Candor: Be a Kick-Ass Boss Without Losing Your Humanity* (New York: St. Martin's Press, 2017).〔キム・スコット『GREAT BOSS（グレートボス）――シリコンバレー式ずけずけ言う力』関美和訳、東洋経済新報社、2019 年〕
8. Dr. Seuss, *Green Eggs and Ham* (New York: Random House, 1960).
9. プロメテウスの神話を扱った古代の最重要作品として、古代ギリシアの劇作家アイスキュロスの『縛られたプロメテウス』と後世の古代ローマ時代の詩人オウィディウスの『変身物語』がある。
10. *Star Wars: Episode V—The Empire Strikes Back*, directed by Irvin Kershner (Los Angeles: 20th Century Fox, 1980)（アーヴィン・カーシュナー監督『スター・ウォーズ エピソード 5/ 帝国の逆襲』）では、ジェームズ・アール・ジョーンズがダース・ベイダーの声を務めた。
11. このエリスの神話は、散逸した古代ギリシアの叙事詩『キュプリア』（紀元前 6 世紀または 7 世紀）にて語られている。これはホメロスの義理の息子といわれるスタシノスの著作である。『キュプリア』は断片的に発見され、ギリシアやローマの数々の神話編纂者によって翻訳されているが、単一の一次資料についてはコンセンサスが得られていない。
12. John Nerst, "What Is Erisology?" Everything Studies, April 10, 2019, https://

everythingstudies.com/what-is-erisology. 意見の対立について研究する学際的な分野を「エリス学（Erisology）」と呼称する動きが進んでいる。この言葉をつくったジョン・ナーストは、エリス学をこう定義している。「私があってしかるべきだと思う架空の学問分野に対する架空の呼称。古代ギリシアの不和の女神エリスに由来し、意見の対立に関する研究を指す」

第１章　不安の火花を観察する

1. Buster Benson, "Me: Seeking More Interesting Arguments," Medium, July 3, 2017, https://medium.com/thinking-is-hard/me-seeking-more-interesting-arguments-8f46cfe845e5.
2. "Pavlovian Conditioning," in Mark D. Gellman and J. Rick Turner, eds., *Encyclopedia of Behavioral Medicine* (New York: Springer, 2013).
3. 本章の初稿を書き上げたあとになって、Subjective Units of Distress Scale（SUDS、主観的不安尺度）なるものが存在することを知った。これは私が本書で紹介しているのと似た不安の評価方法だが、SUDS は 10 段階評価だ。詳しくは、Joseph Wolpe, *The Practice of Behavior Therapy* (New York: Pergamon Press, 1969)〔J・ウォルピ『神経症の行動療法——新版 行動療法の実際』内山喜久雄監訳、黎明書房、2005 年〕を参照。
4. Alex Krautmann (@alexkkrautmann), "Today I introduced my coworkers to the St Louis secret of ordering bagels bread sliced. It was a hit!" Twitter, March 25, 2019, https://twitter.com/AlekKrautmann/status/1110341506802552832.
5. Dan Primack (@danprimack), "Officer, I would like to report a crime." Twitter, March 27, 2019, https://twitter.com/danprimack/status/1110912638723215364.
6. Zipporah Arielle (@coffeespoonie), "First of all, how dare you," Twitter, March 27, 2019, https://twitter.com/coffeespoonie/status/1110971520376098816.
7. Kelly Ellis (@justkelly_ok), "Who told you this was ok," Twitter, March 27, 2019, https://twitter.com/justkelly_ok/status/1110915369286266883.
8. Leon Festinger, *A Theory of Cognitive Dissonance* (Stanford, CA: Stanford University Press, 1957).

第２章　内なる声に耳を傾ける

1. Eve Pearlman, "The Seven Steps to Dialogue Journalism," Spaceship Media, accessed January 10, 2019, https://spaceshipmedia.org/about.
2. "Talking Politics: The Alabama-California Conversation," Spaceship Media, accessed January 10, 2019, https://spaceshipmedia.org/projects/talking-politics.
3. Daniel Kahneman, *Thinking, Fast and Slow* (New York: Farrar, Straus and Giroux, 2011).〔ダニエル・カーネマン『ファスト＆スロー——あなたの意思はどのように決まるか？』村井章子訳、ハヤカワ・ノンフィクション文庫、2014 年〕
4. "Big Stick Policy." Encyclopædia Britannica. December 27, 2017. Accessed June 19,

2019. https://www.britannica.com/event/Big-Stick-policy.
5. Hesiod, *Works and Days*, line 202, Perseus Digital Library, Tufts University, accessed May 11, 2019, http://www.perseus.tufts.edu/hopper/text?doc=Perseus%3Atext%3A1999.01.0132%3Acard%3D202.〔ヘーシオドス『仕事と日』松平千秋訳、岩波書店、1986年、35～39ページ〕
6. Harold Bloom, *Herman Melville's Billy Budd, Benito Cereno, and Bartleby the Scrivener, Bloom's Notes* (Langford, PA: Chelsea House Publishers, 1995).
7. Margaret Heffernan, *Willful Blindness: Why We Ignore the Obvious at Our Peril* (New York: Walker, 2012).〔マーガレット・ヘファーナン『見て見ぬふりをする社会』仁木めぐみ訳、河出書房新社、2011年〕
8. Margaret Heffernan, "The Dangers of Willful Blindness," filmed March 2013 in Budapest, Hungary, TEDxDanubia video, 14:35, https://www.ted.com/talks/margaret_heffernan_the_dangers_of_willful_blindness/transcript.

第３章　正直バイアスを身につける

1. "List of Cognitive Biases," Wikipedia, accessed May 11, 2019, https://en.wikipedia.org/wiki/List_of_cognitive_biases.
2. "Leadership Principles," Amazon Jobs, accessed May 11, 2019, https://www.amazon.jobs/en/principles.〔日本語訳は https://www.amazon.jobs/jp/principles より引用〕
3. Jeff Bezos, "2016 Letter to Shareholders," the Amazon Blog, April 17, 2017, https://blog.aboutamazon.com/company-news/2016-letter-to-shareholders.
4. これはFacebookの開発者エコサイクルのモットーであり、同社が株式公開を申請した際、次のような合理化とともにS-1（証券取引委員会に提出する目論見書）へと盛り込まれた。「すばやく動くことで、より多くのものをつくり、より速く学ぶことができる。しかし、ほとんどの企業は成長するとともに動きが鈍重になりすぎてしまう。それは、遅い身動きによって機会を逃すことよりも、ミスを犯すことを恐れるようになるからだ。弊社には"すばやく動き、どんどん破壊せよ"という言い回しがある。何も破壊しないということはつまり、十分すばやく動けていないということなのだ」。Mark Zuckerberg, "Letter from Mark Zuckerberg," Form S-1, Registration Statement, United States Securities and Exchange Commission, February 1, 2012, https://www.sec.gov/Archives/edgar/data/1326801/000119312512034517/d287954ds1.htm#toc287954_10.
5. "Leadership Principles," Amazon Jobs, accessed May 11, 2019, https://www.amazon.jobs/en/principles.〔日本語訳は https://www.amazon.jobs/jp/principles より引用〕
6. Robin DiAngelo, *White Fragility: Why It's So Hard for White People to Talk about Racism* (London: Allen Lane, 2019), 108.
7. DiAngelo, *White Fragility*, 142–143.

8. Paul Saffo, "Strong Opinions Weakly Held," Paul Saffo: futurist, July 26, 2008, https://www.saffo.com/02008/07/26/strong-opinions-weakly-held.
9. stockvideo100, "Muhammad Ali: Float Like a Butterfly, Sting Like a Bee," YouTube video, 4:28, January 3, 2014, https://www.youtube.com/watch?v=bNpFiZDqcog.
10. DiAngelo, *White Fragility*, 154.

第４章　一人称で語る

1. Michelle Adams, "What Are the Essential Components of an I-Message?" Gordon Training Institute, May 31, 2012, https://www.gordontraining.com/leadership/what-are-the-essential-components-of-an-i-message.
2. Mike Donila and Jim Matheny, "Presidential Write-Ins Skyrocket in 2016; Names Serious and Silly," WBIR News, November 10, 2016, https://www.wbir.com/article/news/local/presidential-write-ins-skyrocket-in-2016-names-serious-and-silly/51-350803984.
3. Juliette Kayyem, "Anti-Vaxxers Are Dangerous. Make Them Face Isolation, Fines, Arrests," *Washington Post*, April 30, 2019, https://www.washingtonpost.com/opinions/2019/04/30/time-get-much-tougher-anti-vaccine-crowd.
4. Bretigne Shaffer, "No, You Don't Have a 'Right' to Demand That Others Are Vaccinated," *The Vaccine Reaction*, April 11, 2019, https://thevaccinereaction.org/2019/04/no-you-dont-have-a-right-to-demand-that-others-are-vaccinated.

第５章　意外な答えを引き出す質問をする

1. Homer, *The Iliad*, trans. Peter Green (Oakland: University of California Press, 2019).〔ホメーロス『イーリアス』呉茂一訳、平凡社、2003 年、下巻 426 ページより引用〕
2. John Ferriar, *An Essay Towards a Theory of Apparitions* (London: Cadell and Davies, 1813).
3. Benjamin Radford, "Can Electromagnetic Fields Create Ghosts?" *Skeptical Inquirer* 41, no. 3 (May/June 2017), https://skepticalinquirer.org/2017/05/can_electromagnetic_fields_create_ghosts.
4. Benjamin Radford, "The Curious Question of Ghost Taxonomy," *Skeptical Inquirer* 42, no. 3 (May/June 2018), https://skepticalinquirer.org/2018/05/the_curious_question_of_ghost_taxonomy.
5. Carl Sagan, *The Demon-Haunted World: Science as a Candle in the Dark* (New York: Ballantine Books, 1997), 297.〔カール・セーガン『悪霊にさいなまれる世界――「知の闇を照らす灯」としての科学』青木薫訳、ハヤカワ・ノンフィクション文庫、2009 年、148 および 151 ページより引用〕
6. "The IIG $100,000 Challenge," Independent Investigations Group, accessed May 12, 2019, http://iighq.org/index.php/challenge.

7. Krista Tippett, *Becoming Wise: An Inquiry into the Mystery and Art of Living* (New York: Penguin, 2017), 29.

第6章 みんなで議論をつくり上げる

1. Kevin Drum, "Nutpicking," *Washington Monthly*, August 11, 2006, https://washingtonmonthly.com/2006/08/11/nutpicking.
2. W. W. Jacobs, *The Lady of the Barge* (New York: Dodd Mead, 1902). ［訳注／W. W. ジェイコブズ『猿の手』の邦訳を所収した本としては、『恐怖と怪奇名作集 4——猿の手』矢野浩三郎訳、岩崎書店、1998 年など多数］
3. Douglas J. Ahler and Gaurav Sood, "The Parties in Our Heads: Misperceptions About Party Composition and Their Consequences," *Journal of Politics* 80, no. 3 (April 27, 2018): 964–81. doi:10.1086/697253.
4. Drew DeSilver, "A Minority of Americans Own Guns, but Just How Many Is Unclear," Pew Research Center, June 4, 2013, www.pewresearch.org/fact-tank/2013/06/04/a-minority-of-americans-own-guns-but-just-how-many-is-unclear.
5. Kim Parker, Juliana Menasce Horowitz, Ruth Igielnik, Baxter Oliphant, and Anna Brown, "America's Complex Relationship with Guns," Pew Research Center, June 22, 2017, https://www.pewsocialtrends.org/2017/06/22/americas-complex-relationship-with-guns/.
6. Sherry L. Murphy, Jiaquan Xu, Kenneth D. Kochanek, Sally C. Curtin, and Elizabeth Arias, "Deaths: Final Data for 2015," Centers for Disease Control and Prevention, *National Vital Statistics Reports* 66, no. 6, November 27, 2017, https://www.cdc.gov/nchs/data/nvsr/nvsr66/nvsr66_06.pdf.
7. Jared Law, "2007.07.26—2000 NRA Convention—Charlton Heston—From My Cold, Dead Hands!" YouTube video, 1:25, May 12, 2012, https://www.youtube.com/watch?v=ORYVCML8xeE.
8. potus08blog, "Barack Obama's small-town guns and religion comments," YouTube video, 1:38, April 11, 2008, www.youtube.com/watch?v=DTxXUufI3jA.
9. German Lopez, "America's Unique Gun Violence Problem, Explained in 17 Maps and Charts," *Vox*, November 8, 2018, https://www.vox.com/policy-and-politics/2017/10/2/16399418/us-gun-violence-statistics-maps-charts.
10. Lopez, "America's Unique Gun Violence Problem, Explained in 17 Maps and Charts."
11. Drew DeSilver, "A Minority of Americans Own Guns, but Just How Many Is Unclear."
12. Jiaquan Xu, Sherry L. Murphy, Kenneth D. Kichanek, Brigham Bastian, and Elizabeth Arias, *National Vital Statistics Reports*, Vol. 67. (Hyattsville, MD: National Center of Health Statistics, 2018)
13. Xu et al., *National Vital Statistics Reports*.

14. Bruce Drake, "Mass Shootings Rivet National Attention, but Are a Small Share of Gun Violence," Pew Research Center, September 17, 2013, https://www.pewresearch.org/fact-tank/2013/09/17/mass-shootings-rivet-national-attention-but-are-a-small-share-of-gun-violence/.
15. "Firearm Suicide in the United States." EverytownResearch.org, August 30, 2018. https://everytownresearch.org/firearm-suicide/.
16. Lopez, "America's Unique Gun Violence Problem, Explained in 17 Maps and Charts."
17. Lopez, "America's Unique Gun Violence Problem, Explained in 17 Maps and Charts."

第７章　中立的空間を築く

1. Jerrold McGrath, "The Japanese Words for 'Space' Could Change Your View of the World," *Quartz*, January 18, 2018, https://qz.com/1181019/the-japanese-words-for-space-could-change-your-view-of-the-world.
2. A. W. Geiger, Kristen Bialik, and John Gramlich, "The Changing Face of Congress in 6 Charts," Pew Research Center, February 15, 2019, https://www.pewresearch.org/fact-tank/2019/02/15/the-changing-face-of-congress.
3. Frank Hobbs and Nicole Stoops, U.S. Census Bureau, Census 2000 Special Reports, Series CENSR-4, *Demographic Trends in the 20th Century*, U.S. Government Printing Office, Washington, DC, 2002, https://www.census.gov/prod/2002pubs/censr-4.pdf, 77.
4. "We Are Border Angels" Border Angels, accessed February 3rd, 2019, https://www.borderangels.org/about-us/.
5. Jie Zong, Jeanne Batalova, and Micayla Burrows, "Frequently Requested Statistics on Immigrants and Immigration in the United States," Migration Policy Institute, March 14, 2019, https://www.migrationpolicy.org/article/frequently-requested-statistics-immigrants-and-immigration-united-states.
6. Zong, Batalova, and Burrows, "Frequently Requested Statistics on Immigrants and Immigration in the United States."
7. R. E., "Why Mexico's Murder Rate Is Soaring," *Economist*, May 9, 2018, https://www.economist.com/the-economist-explains/2018/05/09/why-mexicos-murder-rate-is-soaring.
8. Patrick Corcoran, "Why Are More People Being Killed in Mexico in 2019?" InSight Crime, August 8, 2019, https://www.insightcrime.org/news/analysis/why-are-more-mexicans-being-killed-2019.
9. Jude Webber, "After 'El Chapo': Mexico's Never-ending War on Drugs," *Financial Times*, February 20, 2019, http://www.ft.com/content/69346c82-338c-11e9-bb0c-42459962a812.

10. Jason Koebler, "Deplatforming Works," *Vice*, August 10, 2018, https://www.vice.com/en_us/article/bjbp9d/do-social-media-bans-work.
11. Koebler, "Deplatforming Works."
12. Aleksandr Solzhenitsyn, *The Gulag Archipelago*, trans. Thomas P. Whitney, H. T. Willetts, and Edward E. Ericson, with a foreword by Jordan B. Peterson (London: Vintage Classics, 2018), 615.〔ソルジェニーツィン『収容所群島』木村浩訳、ブッキング、2006、2007年、1巻232ページ、4巻371ページより引用〕
13. Plato, *The Apology, Crito, and Phaedo of Socrates*, trans. Henry Cary, M.A., with introduction by Edward Brooks Jr. (Urbana, Illinois: Project Gutenberg), 19.［訳注／邦訳はプラトン『ソクラテスの弁明』納富信留訳、光文社、2012年、30～32ページより引用］

第8章 現実を受け止め、身を投じる

1. Christopher Hitchslap, "Christopher Hitchens at the 'Festival of Dangerous Ideas' (FODI)," filmed October 2009 in Sydney, Australia, YouTube video, 1:43:50, https://www.youtube.com/watch?v=kwiHkM126bk&t=240s.
2. George Pell, "Without God We Are Nothing," OrthodoxNet.com Blog, October 7, 2009, https://www.orthodoxytoday.org/blog/2009/10/without-god-we-are-nothing.
3. Alexandra Back and Michael Koziol, "Festival of Dangerous Ideas: 'Honour Killings' Talk Cancelled." *Sydney Morning Herald*, June 24, 2014. https://www.smh.com.au/entertainment/festival-of-dangerous-ideas-honour-killings-talk-cancelled-20140624-3arlb.html.
4. Sydney Opera House. "Sydney Opera House statement on cancellation of Uthman Badar's session at Festival of Dangerous Ideas 2014." Festival of Dangerous Ideas, June 24, 2014. https://www.facebook.com/sydneyoperahouse/posts/10152122119800723.
5. Human Rights Watch, "Item 12—Integration of the Human Rights of Women and the Gender Perspective: Violence Against Women and 'Honor' Crimes," Human Rights Watch Oral Intervention at the 57th Session of the UN Commission on Human Rights, April 5, 2001, https://www.hrw.org/news/2001/04/05/item-12-integration-human-rights-women-and-gender-perspective-violence-against-women.
6. "Impunity for Domestic Violence, 'Honour Killings' Cannot Continue—UN Official," *United Nations News*, March 4, 2010, https://news.un.org/en/story/2010/03/331422.
7. Back and Koziol, "Festival of Dangerous Ideas: 'Honour Killings' Talk Cancelled."
8. Hizb ut-Tahrir Australia, "Uthman Badar Interview with Tracey Holmes (ABC News Radio) Re FODI Speech," YouTube video, 6:05, June 25, 2014, https://www.youtube.com/watch?v=buR23MiXZ_Q. 特に断りがないかぎり、バダルの言葉はすべてこのインタビューより。
9. "Statistics," National Coalition Against Domestic Violence, accessed May 14, 2019,

https://ncadv.org/statistics.

10. Emiko Petrosky et al., “Racial and Ethnic Differences in Homicides of Adult Women and the Role of Intimate Partner Violence—United States, 2003–2014,” Centers for Disease Control and Prevention, *Morbidity and Mortality Weekly Report* 66, no. 28 (July 21, 2017), https://www.cdc.gov/mmwr/volumes/66/wr/mm6628a1.htm?s_cid=mm6628a1_w#T1_down; “Facts About Domestic Violence and Physical Abuse,” National Coalition Against Domestic Violence, 2015, https://www.speakcdn.com/assets/2497/domestic_violence_and_physical_abuse_ncadv.pdf.
11. Carolyn Strange, “Are ‘Honour’ Killings Really Too Dangerous to Be Discussed in Public?,” *Guardian*, June 25, 2014, https://www.theguardian.com/commentisfree/2014/jun/25/are-honour-killings-really-too-dangerous-to-be-discussed-in-public.

会議《かいぎ》を上手《じょうず》に終《お》わらせるには
対立の技法

2021年6月20日　初版印刷
2021年6月25日　初版発行

＊

著　者　バスター・ベンソン
訳　者　千葉敏生《ちばとしお》
発行者　早川　浩

＊

印刷所　三松堂株式会社
製本所　大口製本印刷株式会社

＊

発行所　株式会社　早川書房
東京都千代田区神田多町2−2
電話　03-3252-3111
振替　00160-3-47799
https://www.hayakawa-online.co.jp
定価はカバーに表示してあります
ISBN978-4-15-210030-6　C0030
Printed and bound in Japan
乱丁・落丁本は小社制作部宛お送り下さい。
送料小社負担にてお取りかえいたします。

不合理だからうまくいく

——行動経済学で「人を動かす」

The Upside of Irrationality

ダン・アリエリー
櫻井祐子訳
ハヤカワ文庫NF

人間の「不合理さ」を味方につければ、好機に変えられる！

「超高額ボーナスは社員のやる気に逆効果？」「水を加えるだけのケーキミックスが売れなかったわけは？」――行動経済学の第一人者アリエリーの第二弾は、より具体的に職場や家庭で役立てられるようにパワーアップ。人間が不合理な決断を下す理由を解き明かす！

ハヤカワ・ノンフィクション

スクラム

仕事が4倍速くなる〝世界標準〟のチーム戦術

ジェフ・サザーランド
石垣賀子訳
46判並製

Scrum

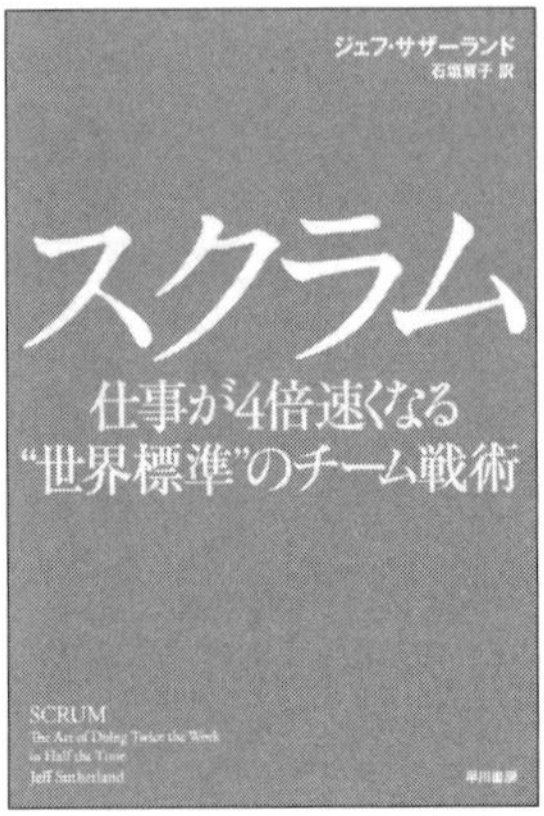

最強のプロジェクト管理法「スクラム」生みの親による完全ガイド

世界的に絶大な支持を集め、グーグルやアマゾンも採用するプロジェクト管理法「スクラム」。その生みの親が、最少の時間と労力で最大の成果を出すチームの作り方を伝授する。住宅リフォームから宇宙船の開発まで、スクラムが革命を起こす！

解説／野中郁次郎